A

SUR LES BERGES DU RICHELIEU

DU MÊME AUTEUR

Un viol sans importance, roman, Sillery, Septentrion, 1998
La Souris et le Rat, roman, Gatineau, Vents d'Ouest, 2004
Un homme sans allégeance, roman, Montréal, Hurtubise, 2012 (réédition de *Un pays pour un autre*)
L'été de 1939, avant l'orage, roman, Montréal, Hurtubise HMH, 2006, format compact, 2008
La Rose et l'Irlande, roman, Montréal, Hurtubise HMH, 2007
Haute-Ville, Basse-Ville, roman, Montréal, Hurtubise HMH, 2009, format compact, 2012 (réédition de *Un viol sans importance*)
Père et mère tu honoreras, roman, Montréal, Hurtubise, 2016

SAGA LE CLAN PICARD
Les Portes de Québec, tome 1, *Faubourg Saint-Roch*, roman, Montréal, Hurtubise HMH, 2007, format compact, 2011
Les Portes de Québec, tome 2, *La Belle Époque*, roman, Montréal, Hurtubise HMH, 2008, format compact, 2011
Les Portes de Québec, tome 3, *Le prix du sang*, roman, Montréal, Hurtubise HMH, 2008, format compact, 2011
Les Portes de Québec, tome 4, *La mort bleue*, roman, Montréal, Hurtubise HMH, 2009, format compact, 2011
Les Folles Années, tome 1, *Les héritiers*, roman, Montréal, Hurtubise, 2010, format compact, 2011
Les Folles Années, tome 2, *Mathieu et l'affaire Aurore*, roman, Montréal, Hurtubise, 2010, format compact, 2011
Les Folles Années, tome 3, *Thalie et les âmes d'élite*, roman, Montréal, Hurtubise, 2011, format compact, 2011
Les Folles Années, tome 4, *Eugénie et l'enfant retrouvé*, roman, Montréal, Hurtubise, 2011, format compact, 2011
Les Années de plomb, tome 1, *La déchéance d'Édouard*, roman, Montréal, Hurtubise, 2013
Les Années de plomb, tome 2, *Jour de colère*, roman, Montréal, Hurtubise, 2014
Les Années de plomb, tome 3, *Le choix de Thalie*, roman, Montréal, Hurtubise, 2014
Les Années de plomb, tome 4, *Amours de guerre*, roman, Montréal, Hurtubise, 2014

SAGA FÉLICITÉ
Félicité, tome 1, *Le pasteur et la brebis*, roman, Montréal, Hurtubise, 2011, format compact, 2014
Félicité, tome 2, *La grande ville*, roman, Montréal, Hurtubise, 2012, format compact, 2014
Félicité, tome 3, *Le salaire du péché*, roman, Montréal, Hurtubise, 2012, format compact, 2014
Félicité, tome 4, *Une vie nouvelle*, roman, Montréal, Hurtubise, 2013, format compact, 2014

SAGA 1967
1967, tome 1, *L'âme sœur*, roman, Montréal, Hurtubise, 2015
1967, tome 2, *Une ingénue à l'Expo*, roman, Montréal, Hurtubise, 2015
1967, tome 3, *L'impatience*, roman, Montréal, Hurtubise, 2015

Jean-Pierre Charland

SUR LES BERGES
DU RICHELIEU

tome 1

La tentation d'Aldée

Roman historique

Hurtubise

Catalogage avant publication de Bibliothèque et Archives nationales du Québec et Bibliothèque et Archives Canada

Charland, Jean-Pierre, 1954-

Sur les berges du Richelieu

Sommaire : 1. La tentation d'Aldée

ISBN 978-2-89723-817-9 (vol. 1)

1. Charland, Jean-Pierre, 1954-   . Tentation d'Aldée. II. Titre

PS8555.H415S97 2016   C843'.54   C2016-940903-1
PS9555.H415S97 2016

Les Éditions Hurtubise bénéficient du soutien financier du gouvernement du Québec par l'entremise du programme de crédit d'impôt pour l'édition de livres et de la Société de développement des entreprises culturelles du Québec (SODEC). L'éditeur remercie également le Conseil des arts du Canada de l'aide accordée à son programme de publication.

Financé par le gouvernement du Canada | Canadä

Conception graphique : René St-Amand
Illustration de la couverture : Xin Ran Liu
Maquette intérieure et mise en pages : Folio infographie

Copyright © 2016 Éditions Hurtubise inc.

ISBN : 978-2-89723-817-9 (version imprimée)
ISBN : 978-2-89723-857-5 (version numérique PDF)
ISBN : 978-2-89723-858-2 (version numérique ePub)

Dépôt légal : 3e trimestre 2016
Bibliothèque et Archives nationales du Québec
Bibliothèque et Archives Canada

Diffusion-distribution au Canada :
Distribution HMH
1815, avenue De Lorimier
Montréal (Québec) H2K 3W6
www.distributionhmh.com

Diffusion-distribution en France :
Librairie du Québec / DNM
30, rue Gay-Lussac
75005 Paris
www.librairieduquebec.fr

Imprimé au Canada
www.editionshurtubise.com

Les personnages

Demers, Aldée: Jeune domestique âgée de seize ans, issue d'une famille de cultivateurs, elle travaille dans la maison du docteur Turgeon. Sa mère se prénommait Azilda.

Demers, Télesphore: Cultivateur de la paroisse Saint-Luc, époux successivement d'Azilda, puis d'Hémérance.

Demers, Hémérance: Épouse de Télesphore, belle-mère d'Aldée.

Deslauriers, Sophie: Élève des sœurs de la Congrégation de Notre-Dame, âgée de seize ans.

Grégoire, Alphonse: Curé de la paroisse Saint-Antoine, à Douceville.

Nantel, Jules: Fils d'un juge nouvellement nommé à Douceville.

Nolin, Graziella: Cuisinière vieillissante engagée dans la maison des Turgeon.

Pinsonneault, Félix: Camarade de collège de Georges Turgeon.

Pinsonneault, Horace: Maire de Douceville, père de Félix.

Saint-Charles-Borromée, sœur: Directrice du couvent des sœurs de la Congrégation, à Douceville.

Tremblay, Aline : Élève du couvent Notre-Dame, consœur de Corinne Turgeon.

Turgeon, Corinne : Couventine âgée de quinze ans, fille d'Évariste et Délia.

Turgeon, Délia : Épouse du docteur Évariste Turgeon, âgée de quarante ans.

Turgeon, Évariste : Médecin, âgé de quarante-cinq ans.

Turgeon, Georges : Collégien âgé de seize ans, fils d'Évariste et Délia.

Vallières, Jean-Baptiste : Ouvrier revenu des États-Unis après un accident de travail ; apprenti ébéniste de l'usine de machines à coudre, il fait les yeux doux à Aldée.

Chapitre 1

Déjà le 1er novembre, le début du mois des morts avec ses courtes journées et ses nuits interminables. Dès quatre heures, le soleil déclinant et de lourds nuages noirs plongeaient dans la pénombre l'unique classe de l'école numéro 3 du rang Croche, à Saint-Luc. Un peu plus tôt, Yvonne, l'institutrice, avait dit aux enfants de prendre leurs affaires et de rentrer à la maison. Trois d'entre eux s'attardaient sur les lieux.

— Attendez-moi dehors, les pria la plus vieille, je veux parler à la maîtresse.

Une fillette de huit ans, docile, entraîna son petit frère à sa suite. L'aînée quitta une mauvaise table, la première de cinq rangées, la plus près du mur du côté droit, la place de la préférée. Elle s'approcha du pupitre de l'enseignante, posé sur une modeste estrade.

— Comme ça, Aldée, dit cette dernière, c'est bien vrai.

— … Nous n'avons pas le choix.

L'abandon de ses projets d'avenir ne tenait certainement pas à sa volonté, ni même à celle de son père. Déjà, il lui fallait oublier ses rêves pour se soumettre à des circonstances hors de son contrôle.

— Oui, je comprends.

L'écolière fouilla dans un sac de toile, puis tendit à l'institutrice deux volumes publiés vingt ans plus tôt, un livre de lecture et un guide de l'enseignant.

— Je vous remercie de me les avoir prêtés, mais maintenant, je n'en aurai plus besoin.

— Tu pourrais les garder, tu sais. De toute façon, les commissaires d'école allaient les jeter. Tu as sacrifié tellement de temps pour les apprendre par cœur.

L'institutrice fit une pause, puis la convia :

— Assieds-toi.

La jeune fille regarda les bancs du premier rang, les jugea trop bas, alors elle posa les fesses au bord d'une table réservée aux plus petits.

— Garde-les, reprit Yvonne, tu pourras continuer de les étudier le soir. Même si tu ne viens plus à l'école, tu pourrais te présenter à l'examen le printemps prochain et le réussir.

L'enseignante évoquait l'examen du Bureau d'examinateurs du district judiciaire de la région du Richelieu, destiné à sélectionner les maîtresses d'école. Aldée se mordit la lèvre inférieure, puis commenta, dépitée :

— Ça coûte de l'argent, aller là. Plus d'une semaine de mon futur salaire.

Effectivement, les candidats payaient le droit de remplir cette formalité. À cet argument, elle en ajouta un autre :

— Puis, ça ne vaut pas la peine.

À seize ans, tous ses espoirs d'une vie meilleure se mouraient déjà. Des larmes gonflèrent ses paupières, elle les essuya vivement avec le dos de sa main.

— Maintenant, je dois y aller, dit-elle en se levant. Le petit va prendre froid.

L'adolescente se redressa, attacha son manteau jusqu'au cou. La toute jeune maîtresse d'école se leva aussi pour l'accompagner à la porte.

— Ça me fait de la peine, tu sais.

Cette fois, les larmes coulèrent sur les joues de l'écolière.

— C'était trop beau. Je m'en doutais, aussi.

La jeune institutrice et sa meilleure élève demeurèrent immobiles, l'une en face de l'autre, incapables toutes les deux de faire le premier geste d'une étreinte.

— Bon, là je dois y aller.

❈

Toutes les écoles ne se ressemblaient pas. Le couvent Notre-Dame, à Douceville, était tenu par les sœurs de la Congrégation. Six classes permettaient d'y recevoir les fillettes des cours primaire élémentaire, primaire complémentaire et primaire supérieur. En d'autres mots, des élèves de six ans à dix-sept ou dix-huit ans.

— Vraiment, je ne m'attendais pas à un tel comportement de la part de l'une ou l'autre d'entre vous.

La directrice, sœur Saint-Charles-Borromée, portait le costume habituel de son ordre. Le styliste qui l'avait conçu aimait certainement les lignes droites et les angles aigus. La robe noire aux plis très amples dissimulait toutes les formes de son corps… ou plutôt gommait les caractéristiques de son sexe. Sur les épaules, une toile blanche pendait, dessinant deux longues pointes devant et une dans le dos. Le voile couvrait une cornette blanche formant un angle sur le haut de la tête. En ajoutant un gros chapelet noir autour de la taille et un crucifix entre les seins, on obtenait une catholique de choc.

— Vous passer de petits billets entre vous, comme les gamines de huit ans !

Quand on voulait amener les grandes à marcher droit, rien de mieux que de comparer leur comportement à celui des petites. Les écolières, une blonde et une brune, baissaient la tête. Comme toutes les couventines, elles portaient une robe noire leur allant à mi-jambe.

— "Je l'ai vu la première ! Tu lui touches pas." En plus, c'est écrit en iroquois. Comment faites-vous les négations ?

— "Ne pas", ma mère, murmura Aline Tremblay.

Sa réponse la trahissait ; elle était l'auteure du petit mot. De toute façon, après neuf ans dans cette institution, toutes les religieuses pouvaient reconnaître son écriture en « pattes de mouche ».

— Comme dans la phrase : "Ne lui touche pas." De quoi parliez-vous, exactement ?

Le silence s'appesantit dans le petit bureau.

— Vous serez en retenue jusqu'à ce que vous me le disiez.

La menace ne les effrayait pas beaucoup ; à six heures, elles rentreraient chez elles, quoi qu'il arrive. Toutefois, leurs parents seraient informés des causes de leur retard avant même leur retour. Cela ne posait pas beaucoup de difficultés, maintenant que tous les notables possédaient un téléphone.

— Un chapeau, madame, mentit la blonde. Nous avons vu un chapeau dans la vitrine chez Pommerleau. En velours bleu. Il me ferait très bien.

— … À moi aussi, ma mère, renchérit la brune après un court délai.

— Voyons, les marchands n'ont pas qu'un seul exemplaire. Vous n'avez pas à vous battre pour l'obtenir.

— Oui, mais nous ne pouvons pas porter le même à la messe de minuit, dans deux mois ! Nous serions ridicules.

La blonde paraissait bien vive d'esprit, pour créer une histoire pareille et la rendre crédible.

— Franchement, vous me décevez, mademoiselle Turgeon, et vous aussi, mademoiselle Tremblay. Attacher une telle importance à une parure !

— Oui, ma mère, répondirent-elles à l'unisson.

La directrice fronça les sourcils.

— Vous savez que l'orgueil est un péché capital, suscep-tible de vous conduire en enfer.

Les écolières esquissèrent un mouvement de la tête de haut en bas.

— Demain matin, vous me remettrez chacune une com-position de cent lignes sur la vanité des tenues élégantes, et sur les risques qu'elles comportent pour le salut de votre âme.

Le «Oui, ma mère» murmuré témoignait d'une belle soumission. Au point que la religieuse se sentait prête à donner le bon Dieu sans confession à d'aussi bonnes filles. Cependant, elle ne put résister à l'envie de continuer son œuvre éducative :

— Et en confession, vous parlerez à monsieur le curé de votre désir de vous montrer aguichante le jour de la naissance de notre sauveur Jésus-Christ.

Un nouveau hochement de la tête, un nouveau murmure soumis.

— Bon, rentrez à la maison, vous deux, vous avez un long devoir à faire.

Les écolières s'échappèrent avec un nouveau «Oui, ma mère». Dans le couloir, la brune grommela :

— T'as beau être une traîtresse, tu sais comment inventer une histoire.

— Que veux-tu dire ?

— L'histoire du chapeau.

— Non, je veux dire en parlant de traîtresse.

Elles prirent leurs manteaux et leurs chapeaux dans le vestiaire, puis s'engagèrent dans la rue, suivant le même chemin que d'habitude.

— Je n'ai rien fait.

— Battre des cils et faire ta minaude en disant "C'est un beau prénom", Jules, tu dis que ce n'est rien ! Puis en faisant ça…

Aline rejeta ses épaules vers l'arrière, pour mettre sa poitrine en évidence.

— C'est parce que ta… tes… ont poussé que tu penses tout pouvoir te permettre.

Quel mot s'avérait imprononçable ? Poitrine ? Seins ? En certains endroits de la province on disait « quetoche » pour désigner cette partie du corps que les personnes honnêtes mentionnaient seulement en présence de leur médecin. Et encore. La brune voulut se faire plus explicite :

— Toi pis ta corporence !

Corinne Turgeon baissa les yeux pour voir sa poitrine. Depuis une année, ses quinze ans prenaient l'allure de la jeune vingtaine pulpeuse. Même la robe noire de son uniforme scolaire ne réussissait plus à lui garder sa silhouette de petite fille.

— Jamais je n'ai cherché à attirer son attention.

La répartie lui valut un silence buté. Elles approchaient de la maison du docteur Turgeon quand apparut un jeune homme sur le seuil.

— Depuis si longtemps, tu ne cesses de parler de Félix, murmura la brune, puis voilà que tu te jettes sur le premier venu.

Sans transition, cette fois à haute voix, elle continua :

— Bonsoir, Georges.

— Mademoiselle Aline, quel bon vent vous amène ?

— La tempête !

L'adolescent demeura interdit, peu habitué à ce que cette voisine s'exprime avec tant d'agressivité. Il ressentait toujours un certain plaisir à rencontrer l'amie de sa sœur. Avec sa peau un peu hâlée, ses cheveux et ses yeux très noirs, Aline arborait un petit air exotique, comme si elle débarquait de Syrie ou d'un autre pays situé loin à l'est.

— Tu vas entrer un moment, Aline ? proposa Corinne. Nous pourrons boire un verre de lait et manger quelques biscuits.

— Non. Grâce à toi, je me retrouve avec un devoir de plus à faire.

— Je ne suis pas responsable… Le mot, c'est toi qui me l'as remis. Puis je dois faire le même travail. Tu as le temps de rentrer une minute.

— Non… Tiens, pourquoi ne téléphones-tu pas à Jules pour lui offrir des biscuits ?

Elle avait prononcé «Juuuules» en imitant une voix énamourée, ou plutôt selon sa façon de se représenter la chose.

— À la prochaine, mademoiselle Aline, la salua Georges.

Elle ne lui répondit pas. Un sourire narquois sur les lèvres, le garçon se tourna vers sa sœur :

— Comme ça, vous vous disputez à propos de Juuuules ? Le fils du nouveau juge ?

— Non, tu ne vas pas t'y mettre toi aussi !

Corinne monta les trois marches en tapant du talon. Georges déclara :

— Bon, moi, je ne veux pas manger ma collation avec un visage fâché devant moi. Je vais chez Félix.

La mention de ce prénom amena la blonde à se tourner avant d'ouvrir la porte, pour regarder son frère se diriger vers la rue Richelieu.

❉

Dehors, Aldée retrouva sa sœur et son frère. Des filets de morve coulaient du nez du plus jeune, pour dessiner une curieuse moustache. Des deux mains il serrait son manteau trop mince sur sa poitrine. Dès la semaine suivante, il cesserait de venir à l'école, faute de vêtements assez chauds.

— Viens, mon grand, je vais te porter pendant une partie du trajet.

Le garçonnet, qui s'appelait Polidor, accepta les mains tendues, se laissa prendre, trouva sa place sur la hanche de sa sœur. À son âge, six ans, sur un long trajet son poids risquait d'écraser son aînée. Serviable, la petite sœur accepta de porter son sac, en plus du sien.

Le chemin encombré de fondrières remplies d'eau rendait la progression difficile pour cette toute jeune fille tentant d'assumer le rôle de mère. Parcourir tout le mille séparant l'école de rang de la maison la mit en nage, malgré la froidure de ce premier jour de novembre. La demeure aux murs de planches devenues grises sous l'effet des intempéries paraissait plus fragile encore sous le ciel très bas, obscurci par des nuages noirs. Quand Aldée poussa la porte, la chaleur de la pièce commune, puis la tenace odeur de chou lui donnèrent une petite nausée.

— Tu le gâtes trop, Aldée, lui jeta un homme assis près du poêle.

Un bout d'attelage dans les mains, il tentait de coudre deux pièces de cuir ensemble.

— C'est trop loin pour lui. Il mettrait plus d'une heure.

Le père secoua la tête de droite à gauche, puis murmura :

— T'es une bonne fille, mais tu vas te faire crever.

Que lui suggérait-il ? De laisser le bambin au milieu du chemin public, la poitrine déchirée par une quinte de toux ?

Une femme au milieu de la trentaine, mais semblant avoir au moins dix ans de plus, se penchait sur un chaudron. La pièce servait de cuisine, de salle à manger, de salle de séjour et même d'atelier pour le cultivateur.

— Je peux vous aider ? proposa Aldée.

— Si tu veux les déshabiller...

Déjà, les deux enfants enlevaient leur manteau. Le petit garçon éprouvait de la difficulté avec ses boutons. Aldée posa un genou sur le plancher pour l'aider, puis lui ôta ses bottes.

— T'es fine, Dée, murmura-t-il.

Le ton était très bas. Elle comprit qu'il souhaitait que son père ne l'entende pas. Après tout, l'instant précédent l'homme proposait de lui faire marcher un mille dans le rang Croche. Pendant ce temps, une fois vêtue de sa seule robe et de bas de laine, la petite sœur montait à l'étage. Une seule pièce s'y trouvait, les cinq enfants de la maison en avaient fait leur chambre.

Une fois son propre manteau accroché à un clou, Aldée prit un tabouret pour le placer près de celui de son père. Dans cette maison, lui seul présentait une figure vraiment familière.

❀

Aline Tremblay pouvait faire la tête à sa meilleure amie pendant une partie de la journée, et rentrer à la maison pour se montrer malheureuse de la situation. Quand elle gravit les marches conduisant au logis situé à l'étage d'un magasin de meubles, ses pas résonnèrent dans l'escalier. Au claquement de la porte, sa mère lança depuis la cuisine :

— Je suppose que la journée a été bonne !

Quand l'adulte empruntait le ton de l'ironie au lieu de crier «Ne détruis pas la maison!», la colère de l'adolescente montait toujours d'un cran. Pourquoi ne la menaçait-elle pas de punition, comme toutes les autres mères ?

— Détestable. Me voilà avec de la copie à faire. Maudites pisseuses.

Un pain de savon de la société Barsalou traînait près de l'évier de fonte, la ménagère le prit pour le lui tendre.

— À parler de cette façon, ta langue a besoin d'une petite lessive.

La menace de punition n'allait jamais plus loin ; la seule perspective de mordre dans le bloc jaunâtre suffisait à ramener l'écolière à de meilleurs sentiments.

— Alors, pourquoi ces saintes femmes t'ont-elles punie ?

Encore l'ironie.

— Je me suis disputée avec Corinne.

— Nous sommes déjà rendues en novembre. La dernière querelle date de combien de jours ?

— Maman !

Sa mère lui adressa l'un de ces sourires moqueurs dont elle avait le secret. À trente-cinq ans à peine, des fils blancs marquaient sa chevelure. Après six enfants, dont quatre vivants, ses hanches s'élargissaient un peu trop, mais la jeune femme demeurait séduisante… dans son genre. Chez les Tremblay, aucune domestique ne s'occupait du service. Elle ne passait donc pas ses journées à soigner son allure.

De nouveau, le claquement de la porte retentit.

— Bonjour, m'man, firent trois voix de petits garçons.

— Les devoirs avant le souper.

Le « ouais, ouais » ne laissait pas présager que les enfants y consacreraient la plus grande attention. Tout en continuant la préparation du repas, la mère demanda, sérieusement, cette fois :

— Alors, cette querelle ?

— … Corinne fait de l'œil à Jules.

Madame Tremblay leva la tête de son chaudron pour la dévisager, sceptique.

— Le fils du nouveau juge ?

Aline hocha la tête de haut en bas.

— Franchement, tu as échangé un petit bout de conversation avec lui quand ses parents sont venus au magasin de ton père.

— Et puis ? Il me plaît.

— Tu as quinze ans ! Tu regarderas les garçons dans cinq ans. Et même dans huit ans, ce ne serait pas plus mal.

Le ton de la mère laissait percer une certaine colère. Aucune teinte d'ironie, maintenant.

— Voyons ! À dix-sept ans, tu étais mariée.

La ménagère contempla sa fille un moment, puis murmura :

— Je ne le regrette pas, mais honnêtement…

La phrase, laissée en suspens, permettait de douter un peu des premiers mots.

— Si j'avais été un peu plus âgée, les choses auraient été plus faciles. De toute façon, ce garçon se trouve aux études pour combien de temps encore ? Sept ans ? Huit ans ?

Cet aspect des choses dérangeait évidemment Aline. Pour se marier à dix-sept ans, ou elle cherchrait un prétendant déjà au travail à vingt ans, ou elle tenterait de séduire quelqu'un « d'établi », bien plus vieux encore. Pourtant, à son âge, renoncer à ce genre d'engouement demeurait difficile.

— Je vais aller enlever mon costume.

La mère aurait aimé continuer cette conversation, ne serait-ce que pour sortir ce garçon de la tête d'Aline. Toutefois, l'uniforme acheté à une petite voisine lassée de l'enseignement des sœurs – ou, plus probablement, dont les parents s'étaient lassés de payer la scolarité – méritait d'être conservé en bon état jusqu'au terme de l'année scolaire.

❖

Pendant la mauvaise saison, les Turgeon se mettaient à table à six heures trente : le docteur Évariste, son épouse

Délia et leurs deux enfants, Corinne et Georges. Que la plus jeune ait quinze ans et la mère à peine quarante laissait penser à une stratégie pour «empêcher la famille». La langue du curé devait le démanger lors de chacune des visites de l'épouse au confessionnal: l'Église ne lésinait pas sur la revanche des berceaux, tous les utérus étaient conscrits.

Le médecin regarda la pendule posée sur le linteau de la cheminée, puis poussa un long soupir.

— Graziella est seule depuis deux semaines, murmura son épouse.

— Justement, et voilà deux semaines que j'ai dit un mot au curé de Saint-Luc à ce sujet.

Une grosse femme entra dans la salle à manger en poussant une desserte portant des plats de service.

— S'cusez, mais c'est pas simple asteure. Faut faire les chambres, les commissions…

— Nous comprenons très bien, intervint Délia pour l'arrêter dans sa longue liste de récriminations. Je peux m'occuper du service.

La cuisinière la regarda de travers.

— J'peux encore faire mon travail.

Les vieilles domestiques étaient susceptibles de ronchonner, surtout celles qui connaissaient leur patronne depuis plus de trente ans. Quand la grosse femme retourna vers la cuisine, le docteur Turgeon souffla à mi-voix, comme pour se faire pardonner:

— Ce n'est pas que je sois incapable de supporter quelques minutes de retard, mais je reçois des patients dans moins d'une heure.

— Je téléphonerai tout à l'heure, au moins pour savoir la raison de ce retard.

— Je peux m'en charger.

— Non, laisse, tu as à faire.

Délia entendait attirer l'attention sur un autre sujet que les ennuis domestiques.

— Alors, que se passe-t-il à l'école, ces jours-ci?

Sur une âme coupable, la moindre question pesait lourd. Et puis, comment savoir ce qu'une directrice d'école pouvait bien communiquer à des parents, avec l'espoir que ceux-ci ajoutent aux remontrances déjà formulées?

— Je dois faire une rédaction sur le péché d'orgueil, maugréa Corinne.

Le rose naissait facilement sur ses joues de blonde.

— Pourquoi ça?

Blonde aussi, Délia compatissait: son visage trahissait toutes ses émotions.

— Une question de chapeau.

— De chapeau?

La mère ne cacha pas son scepticisme. Georges, déçu de ne plus être le centre de l'attention depuis un moment, ne put s'empêcher de remarquer:

— Un chapeau qui s'appelle Juuuuules.

Corinne laissa échapper un gros mot, plus rougissante que jamais. Le docteur devina une histoire susceptible de tirer des larmes à sa fille chérie.

— Georges, prouve-moi que tu sais te montrer discret, si tu as entendu des choses qui ne te concernaient pas.

La remarque suffit à ramener la conversation sur un terrain moins miné. Après le repas, alors que le praticien passait par la salle de bain avant de voir son premier patient, Délia donna rendez-vous à sa fille une petite demi-heure plus tard, le temps de se rendre au cabinet de consultation situé dans la maison pour passer un appel.

L'employée de la société du téléphone la mit en communication avec le presbytère de la paroisse Saint-Luc. La voix d'une vieille femme répondit.

— J'aimerais parler à monsieur le curé, dit Délia.

— … Oui, tout de suite.

Partout ailleurs, une domestique demandait le nom du correspondant pour le transmettre à son employeur. La servante du curé savait se montrer plus réservée que les autres. Il pouvait s'agir d'une demande pressante pour une confession ultime.

Quand elle entendit la voix de l'ecclésiastique, Délia commença :

— Bonsoir, monsieur le curé. Madame Turgeon à l'appareil. Mon mari vous avait demandé de recruter une nouvelle domestique…

— Oh ! Oui, bien sûr. Je ne vous ai pas avertis ? Elle doit se rendre chez vous demain.

— Non, vous ne nous l'aviez pas dit.

Un instant, la femme songea que son époux avait peut-être reçu l'appel, puis oublié ensuite.

— Ah bon ! Dimanche dernier, j'ai discuté avec un cultivateur. Sa fille rêvait de devenir maîtresse d'école, mais le bonhomme est aux abois. Quelques dollars par mois sauveront peut-être sa ferme.

Un père plaçant ses enfants pour se tirer d'affaire… Ce scénario n'avait rien de nouveau.

— Elle viendra demain ?

— Oui, son père la conduira à Douceville après la messe.

— Son nom ?

— Une… Demers. Aldée, je pense. Une jeune fille sage, dégourdie, habituée au travail de la ferme.

Et pas du tout à la tenue d'une maison bourgeoise. Graziella aurait l'occasion de se montrer bougonne, si la gamine n'apprenait pas assez vite.

— Je vous remercie, monsieur le curé.

— Ce n'est rien, madame.

La conversation se poursuivit quelques instants. Puis le prêtre conclut :

— Transmettez mes amitiés à Évariste.

Tous deux raccrochèrent en se promettant une rencontre prochaine.

❁

Dès huit heures, les enfants de Télesphore Demers étaient couchés. Aldée s'était assurée que chacun avait fait sa prière. Les plus jeunes se contentaient de marmotter des sons inintelligibles. Une heure plus tard, elle ne dormait toujours pas. Des larmes gonflaient ses paupières, il lui fallait faire un effort pour maîtriser ses sanglots.

Le craquement discret d'un madrier du plancher attira son attention. Une voix murmura bientôt :

— Dée, j'ai froid. Je peux venir avec toi ?

— Il est tard, tu dois dormir.

— J'peux pas.

Le gamin tendit la main pour prendre le bord de la couverture et la soulever. Protester n'aurait servi à rien, il suivrait son idée. Puis cette présence lui ferait du bien. Polidor s'arrangea pour placer ses pieds glacés contre ses jambes afin de les réchauffer. Elle passa son bras autour de son corps pour le presser contre elle.

— Comme ça, c'est vrai, tu vas partir ?

— Je dois aller travailler.

— Tu pars pour toujours ?

— Je viendrai vous visiter.

Après un silence, elle précisa, peu convaincante :

— Parfois.

Rien pour détromper son petit frère.

— Je ne te verrai plus.

La boule dans l'estomac d'Aldée monta dans sa gorge, au point de l'étouffer. Elle serra l'enfant contre son corps, posa sa joue contre ses cheveux. Oui, cette séparation serait définitive, elle le sentait bien.

Chapitre 2

La cohabitation de quatre enfants dans la pièce du haut procurait peut-être un peu de chaleur. Néanmoins, en posant les pieds sur le sol, Aldée ne put retenir un frisson. Elle enfila une robe trop serrée, des galoches trop grandes. Des vêtements venus de cousines, portés par trois ou quatre personnes déjà, jamais à sa taille.

À peine sortie du lit, elle aida les autres à s'habiller, puis les précéda dans un escalier aussi raide qu'une échelle. Pendant les minutes suivantes, elle dut les escorter vers la bécosse, une petite construction de planches dressée à une quinzaine de verges derrière la maison. Il s'agissait de ses corvées habituelles. Au cours des semaines à venir, elles lui manqueraient. Ses nouvelles tâches pèseraient sans doute encore plus sur ses épaules.

Quand son père revint des bâtiments de ferme, il annonça :

— Hémérance, dehors, c'est trop frette pour les enfants, y sont pas habillés pour ça.

Dans la paroisse, ils seraient des dizaines à demeurer dans les maisons jusqu'au printemps prochain, s'abstenant de se rendre à l'école et à l'église pour ne pas s'exposer aux rigueurs du climat.

— De toute façon, répondit l'épouse, Polidor tousse sans arrêt à matin, j'peux pas l'laisser tout seul, pis les aut' sont trop jeunes.

Comme pour confirmer ses dires, le garçon eut une quinte de toux. Une pensée lugubre traversa la tête d'Aldée : le mauvais rhume de la veille se transformait en pneumonie ou, pire, annonçait la tuberculose.

— Bon, bin la p'tite, viens-t'en, on passera au cimetière en premier.

Peu après, le père et la fille montaient dans la petite voiture noire tirée par un cheval efflanqué. Personne ne souffrait d'embonpoint chez les Demers, ni les habitants de la maison, ni ceux de l'étable ou de l'écurie. L'adolescente portait toutes ses possessions terrestres dans un petit sac. Sa vie ne pesait pas bien lourd.

Le froid de la nuit avait gelé la boue, et même l'eau dans les fondrières. Ce début novembre prenait des allures de janvier. Le sol se couvrait d'une mince couche de givre, donnant au paysage un air métallique. À midi, on n'en verrait plus de trace, mais chacun pestait contre cet avant-goût de l'hiver.

Sur l'étroite banquette, le père et la fille tenaient tout juste. D'un claquement de langue, le cultivateur fit avancer son cheval vers le chemin public.

— T'sais, ça m'fait pas plaisir.

— Oui, je sais.

— Mais c't'argent-là, on en a besoin. Sinon, on s'ra pas capables d'hiverner.

Adolescente raisonnable, Aldée comprenait très bien. Pourtant, des larmes coulaient sur ses joues.

— J'aurais tellement voulu faire comme elle.

Elle parlait de sa mère.

— Pis elle aurait aimé ça, te voir maîtresse d'école. Bin not' vie, on la choisit pas.

Craignant que sa voix ne se casse, la jeune fille répondit en hochant la tête. On ne choisissait ni sa vie, ni la durée de celle-ci.

❋

Le jour de la célébration des fidèles défunts, les écolières du couvent Notre-Dame devaient se rendre à l'école afin de se regrouper par classes, pour ensuite marcher en rang vers l'église Saint-Antoine. Dans la cour de l'institution, le hasard plaça les deux amies fâchées côte à côte.

Chacune tordait le cou afin d'éviter le regard de l'autre. Leur attitude provoquait les commentaires de leurs camarades. Nulle ne doutait qu'un garçon se trouvait à l'origine de la dispute. Évidemment, à quinze ans, aucun autre sujet ne les passionnait autant.

❋

Le village de Saint-Luc se trouvait à deux bons milles de la maison des Demers, dans un autre rang. Pendant la majeure partie du trajet, ils apercevaient le clocher couvert de tôle de la petite église, comme un phare offert à la population. Trente minutes plus tard, Télesphore Demers attachait son cheval à un poteau près de l'église. Déjà, le soleil chauffait assez pour rendre inutile la précaution de mettre une couverture de peau de buffle sur le dos de l'animal.

— Viens. Comme ça, on aura pas à passer après la messe.

— Tout à l'heure, il y aura la prière avec le curé.

— Pour prier, on pourra se débrouiller sans lui.

Ensemble, ils cherchèrent une pierre tombale faite de deux madriers plantés dans le sol, retenus ensemble par une planche clouée en travers. Une main maladroite avait gravé quelques noms :

Azilda Demers
Épouse de Télesphore Demers
1867-1894

Le nom du mari y figurait aussi, mais avec une seule indication : l'année de sa naissance, 1865. Puis encore deux prénoms :

Raoul
1900
Fernande
1905

Il s'agissait des enfants qu'il avait eus d'Hémérance, née Boudreau. Pour ce dernier prénom, une seule année : 1875. Et une information répétée : épouse de Télesphore Demers.

Ces quelques mots et chiffres, difficiles à lire à cause de la maladresse de leur auteur, racontaient toute l'histoire d'une famille miséreuse. Un cultivateur avait épousé la maîtresse d'école de son rang, Azilda, dix-sept ans plus tôt. Cette femme, mère d'un seul enfant, avait été enterrée huit ans plus tard. Quant à la seconde, après neuf ans de mariage, elle avait trois enfants toujours vivants, en plus des deux qui dormaient là, sous la terre.

Télesphore laissa échapper un long soupir, puis agita ses lèvres sans émettre un son. Les pauvres ne faisaient pas de bruit, pas même en priant, comme pour ne pas déranger. Évidemment, ainsi ils risquaient fort de n'être entendus de personne. Pas même de Dieu. L'adolescente respecta la tradition du silence. D'abord elle songea : « Maman, ça ne marchera pas. Faut que j'aille travailler en ville. » Puis elle marmotta trois *Je vous salue Marie*.

28

Le père renifla un bon coup, s'essuya le nez sur sa manche, puis murmura :

— Bon, allons dans l'église. Faudrait pas que tu attrapes la fraîche à ton premier jour d'ouvrage.

Il la prit par le bras, elle se laissa entraîner.

Le lendemain de la Toussaint, la solennité pour les fidèles défunts réunissait la majeure partie de la population de Saint-Luc. La mort rôdait sans arrêt dans ces paroisses, au point d'être devenue familière à tous ces gens. L'odeur d'encens, les murs et les colonnes tendus de crêpe noir et violet, les chants lugubres ne pouvaient qu'alourdir le cœur déjà pesant d'Aldée.

Dès la fin de la cérémonie, Télesphore quitta son banc en murmurant :

— Vite, faut l'pogner avant qu'y s'en aille au cimetière.

Sa fille lui emboîta le pas. Ils s'engagèrent dans l'allée, utilisèrent la porte située sur la gauche du maître autel pour accéder à la sacristie. Ils « pognèrent » bien le prêtre devant une grande armoire, en train de se défaire de sa chasuble.

— Monsieur le curé, dit le cultivateur, dans une minute on part pour Douceville. Tout est arrangé avec ces gens-là ?

— Oui, la bourgeoise va vous attendre.

— Pour les gages ?

— … Vous les recevrez tous les mois. Ça passera par moi, je vous les remettrai.

L'ecclésiastique paraissait désapprouver ce genre d'entente. Pourtant, elle correspondait aux usages. Tous les enfants de la province remettaient en partie, et souvent en totalité, leur rémunération à leurs parents.

— Alors, merci, monsieur le curé.

Déjà, celui-ci se tournait vers ses deux servants de messe occupés à chausser leurs bottes. Pour se protéger du froid, ils avaient mis leur manteau et enfilé leur surplis par-dessus.

❁

Huit milles séparaient la paroisse Saint-Luc de Douceville, une petite agglomération industrielle de dix mille âmes tout au plus. Aldée se souvenait d'y être venue des années plus tôt, pendant la maladie de sa mère. Aujourd'hui, les maisons lui semblaient moins nombreuses, moins collées les unes sur les autres, moins grandes aussi. Tout de même, au moment de passer devant un grand édifice de brique doté d'une grande cheminée, elle demanda :

— Qu'est-ce que c'est ?

— La compagnie de moulins à coudre, répondit Télesphore. Paraît qu'on en vend dans tous les pays de l'Empire britannique.

La notion d'Empire paraissait bien vague à ce cultivateur. Il imaginait des pays lointains, très chauds, avec des Chinois, des Nègres. Il savait que ces peuples existaient, car on en retrouvait quelques membres à Douceville. Avec un peu de chance, peut-être que sa fille et lui croiseraient aujourd'hui l'une de ces personnes. La vue de ces gens étranges, ne croyant ni à Dieu ni à diable, l'amusait toujours. C'était comme aller au cirque, sans devoir payer l'entrée.

Télesphore dut demander à un passant la manière de se rendre dans la rue Saint-Antoine. De là, il arriverait bien à se débrouiller. Au coin de la rue Longueuil, il reconnut l'Hôtel-Dieu, l'hôpital de la ville. Sa première épouse y avait passé quelques jours des années plus tôt, et il payait encore le coût de ses traitements. Arrivé en face de la prison, il s'engagea dans la rue de Salaberry. Le docteur Turgeon y occupait une grande maison au revêtement de brique. Une galerie s'étendait sur toute la largeur de la façade. L'été, les bourgeois devaient y passer leurs soirées, assis dans des chaises de rotin.

— C'est là.

L'homme tirait déjà sur les guides pour signifier au cheval de s'arrêter. Au moment de sauter de la voiture, il paraissait bien intimidé. Sa fille descendit plus lentement, en menant moins large encore. Le temps de récupérer son bagage, ils gravirent les cinq marches donnant accès à la porte. Une plaque de laiton sur la gauche indiquait la profession de l'occupant. Ses premiers coups contre l'huis n'attirèrent l'attention de personne, les seconds, pas davantage. À la troisième tentative, un homme portant veston et cravate vint ouvrir.

— … Monsieur le docteur?

Télesphore amorça le geste de tendre la main, puis s'arrêta.

— On arrive de Saint-Luc. C'est Aldée.

Un instant, le médecin ne parut pas comprendre, puis il s'exclama :

— Ah! Oui, ma femme m'en a parlé. Passez par le côté, pour aller dans la cuisine. Elle ira la voir après le repas.

La porte se referma. Le cultivateur demeura un moment interdit, puis il rebroussa chemin. Sur la gauche de la maison il vit une seconde entrée. Cette fois, malgré son insistance, personne ne se présenta sur le seuil, mais les mots « Entrez, voyez pas que chus occupée » leur parvinrent à travers la porte close. Télesphore ouvrit finalement pour découvrir une salle encombrée de chaudrons, avec un énorme poêle en son milieu.

— Qu'est-ce vous faites icitte ?

Près d'une table, une grosse femme s'affairait à remplir un plat de service. Comme elle ne dépassait pas cinq pieds, on aurait dit une barrique montée sur de petites jambes.

— C'est le docteur qui m'envoie. Ma fille a été embauchée…

La cuisinière examina la nouvelle venue des pieds à la tête.

— Ça, une fille de maison ? Est pas bin grosse. A l'est pas en consomption, toujours ?

La tuberculose fauchait un contingent considérable de victimes chaque année. Une silhouette trop maigre, une toux sèche, et tout de suite on craignait la contagion.

— A va bin. C'est juste qu'a mange pas trop, à maison.

La grosse femme les observa tous les deux un moment, puis maugréa :

— Vous allez pas rester plantés là toute la journée ! Si a travaille icitte, y a d'la vaisselle à laver.

Le père et la fille échangèrent un regard. Aucun des deux n'amorça une étreinte, ni ne songea à un baiser. L'apprentissage de la tendresse s'était arrêté au moment de la disparition de la mère de l'adolescente.

— J'vas y aller, asteure, marmonna Télesphore.

Devant son hésitation, Aldée crut bon de dire :

— Ça ira, papa, je ne crains pas de travailler.

Il hocha la tête, murmura « À bientôt », puis sortit.

— À bientôt, papa.

Un instant, elle tourna le dos à la cuisinière pour s'essuyer les yeux sur la manche de son vêtement.

— Accroche ton manteau à un clou, lui ordonna la grosse femme, pis retrousse tes manches.

Pour soigner sa peine et se donner une contenance, autant se mettre à l'ouvrage. Des bols à soupe s'entassaient déjà dans une bassine de tôle, sur le poêle une bouilloire laissait échapper un jet de vapeur. Aldée en versa le contenu sur les couverts, ajouta de l'eau froide grâce à la pompe à queue pour en rendre la température supportable.

— Après, je les range où, madame ?

— Comme on va passer nos journées ensemble, laisse faire les « madame ». J'm'appelle Graziella.

— Je n'oserais jamais.

Après une pause, elle ajouta :

— Moi, c'est Aldée.

— Bin moé, j'vas oser, Aldée. Laisse la vaisselle s'égoutter. Là, j'vas porter la viande pis les patates.

Graziella quitta la cuisine en poussant sa desserte ; en plus de cuisiner, elle s'occupait du service. Ensuite, la nouvelle domestique n'arrêta plus une minute.

❧

En revenant dans la salle à manger, le docteur Turgeon commenta à l'intention des membres de la famille :

— C'est la petite bonne.

— J'aurais dû y penser tout à l'heure ! Hier, au bout du fil, le curé de Saint-Luc m'a confirmé sa venue.

Madame Turgeon se tenait à un bout de la table, son mari à l'autre. Compte tenu de la longueur du meuble, l'effet était étrange. La distance obligeait chacun à élever la voix. Certains jours, douze convives se réunissaient dans cette pièce. De part et d'autre se tenaient les enfants. Corinne demanda :

— Comment se fait-il que le curé de Saint-Luc choisisse nos employées de maison ?

— J'ai fait mes études avec lui, il y a une éternité, expliqua le père.

Il évoquait ses années au Collège de Montréal, plus de vingt-cinq ans plus tôt.

— Alors, je lui ai demandé de me dénicher quelqu'un d'honnête et un peu dégrossi. Avec les familles nombreuses, chaque père a deux ou trois filles à placer.

— Ça tombe bien, Corinne se cherchait justement une nouvelle amie depuis sa dernière querelle avec la petite Tremblay.

L'adolescent, assis en face de sa sœur, adressait à celle-ci un sourire moqueur.

— S'il te plaît, Georges, ne taquine pas ta sœur.

Même s'il se targuait d'aimer également ses enfants, le père ne négligeait jamais de venir à la défense de sa fille.

— Je ne la taquine pas. Si tu avais entendu le ton d'Aline hier !

Le garçon regarda la jeune fille pour s'enquérir, ironique :

— Vous parliez du fils du nouveau juge, non ?

Le rouge monta aux joues de Corinne. Dans le petit monde des bourgeois de Douceville, l'arrivée d'un nouveau jeune homme suscitait bien des convoitises. La hantise de trouver un bon parti commençait à la sortie de l'école primaire, pour ne s'arrêter que devant l'autel, juste après le «oui». Ce genre de tension ruinait parfois les amitiés.

— Georges, laisse Corinne tranquille.

Le docteur Turgeon ne répétait jamais plus d'une fois ses injonctions. Les affections de sa fille ne figureraient plus parmi les sujets de conversation autorisés à ce dîner-là.

❧

Les meubles dont profitaient les domestiques étaient ceux dont les maîtres de la maison ne voulaient plus. Sa besogne terminée, Aldée s'était assise sur une vieille chaise branlante, la tête appuyée contre le mur. La cuisinière se tenait dans la même position. Sa robe remontait un peu sur ses jambes, laissant voir des chevilles enflées débordant des chaussures.

À trois heures, une femme d'environ quarante ans se présenta dans la pièce. Graziella se leva brusquement, comme mue par un ressort.

— Madame, j'peux faire queque chose pour vous ?

— Vous pourrez préparer du thé dans une heure. Je vous remercie, le repas était excellent.

La domestique esquissa ce qui ressemblait un peu à une révérence, rougissante de plaisir. De son côté, debout aussi, Aldée examinait la nouvelle venue, une jolie femme plutôt grande, vêtue d'une jupe noire et d'un chemisier ivoire. La richesse des vêtements la distinguait de toutes les paroissiennes de Saint-Luc, y compris l'épouse du marchand général, même quand elle portait ses beaux habits du dimanche.

— Et vous, vous devez être Aldée Demers.

— Oui, madame Turgeon.

— Vous avez bien seize ans ?

— Oui...

— Est pas bin grosse.

Le commentaire et le ton familier trahissaient une relation de longue date entre la domestique et la patronne. Depuis l'enfance de la bourgeoise, en réalité. Il arrivait qu'une femme emmène une servante de la maison de son père à celle de son époux.

— Je suppose que votre nourriture la remplumera, prédit-elle à la cuisinière. Vous lui avez donné à dîner ?

— ... Non. J'savais pas.

— Maintenant, vous le savez.

Madame Turgeon consacra ensuite toute son attention à l'adolescente.

— Aldée, Graziella te montrera ta chambre.

La bourgeoise vouvoyait une domestique âgée, mais la gamine méritait plus de familiarité.

— Tu y trouveras deux uniformes. Elle devra sans doute les rapetisser un peu. Puis elle te montrera le travail à effectuer.

— Oui, madame.

Aldée gardait la tête inclinée vers l'avant, impressionnée par la belle dame et son statut de patronne, sa première.

— Alors, bienvenue dans la maison. J'espère que tu y seras bien.

— Oui, madame. Merci, madame.

Quand elle eut disparu, la cuisinière se leva pour aller vers une armoire tout en demandant :

— T'as vraiment pas mangé ?

— … On est partis tôt ce matin.

— Bon, un morceau de pain, du beurre et du fromage, ça te convient ?

— Oui, ma… Oui, comme vous voudrez.

Même si Graziella ne souhaitait pas se faire donner du « madame », la nouvelle venue ne pouvait tout de même pas utiliser son prénom… Cela n'aiderait pas leurs échanges.

❊

Quand Aldée eut fini de manger, la grosse femme remarqua :

— Icitte, c'est toujours pareil : on termine la vaisselle d'un repas, pis une heure après, on commence à préparer le suivant. D'abord, on va aller voir ton beau linge.

La jeune fille reprit le maigre baluchon qu'elle avait posé dans un coin, puis suivit la cuisinière. Un petit escalier dérobé permettait de monter à l'étage, jusque sous les combles. Au premier, elle entendit une voix féminine, toute jeune. Sa curiosité l'incitait à demander « Qui c'est ? », mais elle n'osa pas. Sous le toit incliné, de part et d'autre d'un couloir se trouvaient quelques portes. La cuisinière en ouvrit une en annonçant :

— V'là ta chambre. C'est frette l'hiver, mais la patronne est pas économe avec ses couvertes. Pis v'là tes uniformes. Sont pareils. Essayes-en un.

Comme la grosse dame ne bougeait pas, la nouvelle bonne murmura :

— ... Où puis-je me changer ?

— Bon, scrupuleuse en plus. J'vas t'attendre dans l'corridor.

Obligeamment, la cuisinière se retira. Aldée referma la porte, regretta de ne pouvoir la verrouiller. Il lui fallut une minute pour retirer sa robe, puis enfiler l'uniforme. Quand elle ouvrit pour se faire voir, sa collègue eut un sourire goguenard.

— Bin là, Thérèse la remplissait pas mal mieux.

De la main, elle désignait la poitrine. Elle aurait pu en dire autant des hanches ou des fesses.

— Ça te traîne sur les chevilles, tu risques de t'enfarger. T'as des bas noirs ?

— ... Gris.

— La patronne t'en trouvera. Tu m'les donnes, j'vas essayer d'enlever trois pouces à soir. Pis de pincer un peu à la taille. La lessive, c'est le lundi, tu t'occuperas de laver ton linge. Moé, j'fais le ravaudage, le reste c'est ton affaire.

De nouveau, Aldée s'enferma dans sa chambre pour se changer. Elle tâta le matelas posé sur le lit étroit. Épais de deux pouces, il ne serait pas vraiment plus confortable que la paillasse de la maison.

— Vous couchez aussi à cet étage ? demanda-t-elle en retrouvant Graziella.

— Non. Comme je me lève avant le soleil et me couche tard, j'loge au ras de la cuisine. Amène ton costume.

Une fois revenue dans la cuisine, l'adolescente s'approcha d'une fenêtre donnant sur la cour, chercha un moment, demanda d'une voix hésitante :

— Où sont les bécosses ?

Graziella commença par rire de bon cœur, puis elle commenta :

— T'es vraiment un peu colonne, toé.

Comme le rouge montait aux joues de la nouvelle venue, sa collègue reprit, cette fois sérieusement :

— Fais-toé-z'en pas, du monde comme nous aut', ça sent toujours un peu l'étable. Icitte, pour aller pisser, on se gèle pas les fesses en hiver. Viens.

L'instant d'après, la cuisinière ouvrit la porte d'un tout petit placard. La jeune fille découvrit une vasque en porcelaine à demi remplie d'eau, et au-dessus, accrochée au mur, une boîte d'où pendait une chaîne. Graziella attrapa celle-ci, tira.

— Après, tu fais ça. Pis la gazette, c'est pas juste pour lire.

Aldée y songea un moment avant de comprendre, puis esquissa un sourire.

❀

Au moment du souper, Aldée réussit à se rendre utile, quoique la cuisinière ne la laissa pas se mêler du service. « Quand t'auras ton uniforme, on verra. » Aldée comprit que sa mauvaise robe aurait déparé la jolie salle à manger. Elle se faisait l'impression d'être une pestiférée dans cette grande demeure. Heureusement, Graziella savait se montrer avenante, dans une version plutôt bougonne.

À neuf heures, une fois la vaisselle terminée, la jeune fille monta afin de regagner sa chambrette. Lorsqu'elle passa sur le palier du premier, des bruits de conversation retinrent son attention. Des gens vivaient en parallèle dans cette demeure : les bourgeois dans les pièces agréables, et les domestiques dans la cuisine, dans l'escalier de service et sous les combles.

Le propriétaire n'avait pas songé à équiper les quartiers du personnel de l'éclairage électrique. Une bougie posée sur une table permettait d'y voir à peu près. Aldée plaça sa robe sur le dossier d'une chaise. Sa devancière avait dû être coquette, car un miroir fendu en son milieu était accroché au mur. Elle put voir ses cheveux en désordre. Décidément, elle ne payait pas de mine. Avec ses sous-vêtements taillés dans des sacs de farine, il était impossible de cacher son statut de pauvresse.

À la maison, Aldée demandait habituellement à ses demi-frères et demi-sœurs de se mettre à genoux pour une prière du soir, puis répétait la même opération le matin. La température très basse, le plancher froid et surtout l'absence de témoins à qui donner le meilleur exemple l'incitèrent à se glisser entre les draps aussitôt. Après une dizaine de *Je vous salue Marie*, elle se recroquevilla pour se réchauffer, puis attendit longtemps le sommeil.

Chapitre 3

À cinq heures du matin, les yeux déjà grands ouverts, l'adolescente regardait le petit rectangle de la fenêtre passer d'un noir d'encre à un bleu indigo. Dans le silence ambiant, la maison « travaillait », laissant percevoir de tout petits bruits. Puis, en provenance du rez-de-chaussée, elle entendit le son caractéristique de la porte du gros poêle à charbon qu'on referme.

Sans allumer la bougie, elle endossa sa robe, enfila ses bas, puis ses chaussures. Dans la cuisine, Graziella s'affairait autour de l'appareil de chauffage.

— Bin, toé aussi, t'es matinale, remarqua la grosse femme.

— Vous savez, sur une ferme, on ne traîne pas au lit.

— Icitte non plus, tu verras. Bon, va mettre ça, on verra à quoi tu ressembles.

Ses deux uniformes de domestique, ajustés et bien pliés, l'attendaient sur la table.

— Vous avez eu le temps de faire les ajustements cette nuit ?

— Si t'avais mes rhumati'mes, tu verrais que la nuit sert pas juste à dormir.

Aldée remonta vite à sa chambrette sous les combles pour passer la robe noire. Avec le vêtement, elle découvrit des bas de même couleur, souvent ravaudés. Une fois bien mise, elle rangea son uniforme de rechange, puis redescendit immédiatement. Un instant plus tard, elle se tenait au milieu de la cuisine.

— Comme ça, vous croyez que je suis convenable ?

L'ourlet tombait environ six pouces au-dessus des chevilles.

— Si tu grandis pus, ce sera correct. Mais comme tu risques de prendre encore une couple de pouces, j'vas défaire le pli pour l'allonger. Pareil pour les manches.

— Ici ?

La couturière tira sur les côtés du vêtement pour montrer les plis du tissu.

— Si t'es pas pour aller danser au bal du gouverneur, ça va faire. Icitte, tu fais partie des meubles. Personne remarquera rien. Quand même, tu devrais te peigner un peu. Regarde, tu vas voir une brosse dans l'armoire.

Un miroir pendait au mur. Aldée replaça ses cheveux bruns de son mieux, poussant le zèle jusqu'à les mouiller un peu avant de les faire tenir avec une petite coiffe blanche, qui compléta l'ensemble. Bien que sa tenue soit trop grande, jamais elle n'avait porté d'aussi beaux vêtements.

— Belle de même, c'est toi qui vas faire le service à matin.

Aldée eut envie de protester, de dire qu'elle ne saurait pas. Bien sûr, à Saint-Luc, elle servait les plus jeunes, mais dans cette maison, c'était intimidant.

Néanmoins, Graziella ne la laisserait pas travailler seule. Une fois les plats posés sur le petit chariot, toutes deux s'engagèrent dans le couloir. La jeune fille remarqua le papier peint crème, orné de petites fleurs, les cadres montrant des paysages anglais. L'endroit était plus élégant que le presbytère de Saint-Luc, sa seule référence quant au luxe. La grande table de la salle à manger, le lustre pendu au-dessus, les couverts de porcelaine l'impressionnèrent encore plus. Qu'avaient de particulier ces gens pour vivre quotidiennement dans cette magnificence ?

À son entrée dans la salle à manger, madame Turgeon commença :

— Ah ! Mademoiselle…

Délia Turgeon semblait avoir oublié le prénom.

— Aldée, madame.

— Oui, bien sûr, Aldée. Tu te fais à la maison ?

— Oui, madame.

D'un regard oblique, la jeune fille dévisagea le docteur Turgeon, les deux enfants. La patronne remarqua son manège.

— Tu as fait la connaissance de mon mari, hier…

La rencontre dans l'entrée, le temps de leur dire d'utiliser la porte de service, ne ressemblait guère à des présentations en bonne et due forme. Aldée devrait s'en contenter.

— Voilà ma fille, Corinne, et mon fils, Georges.

Si la première murmura un « Bonjour » timide, le garçon la détailla de la tête aux pieds. Aldée leur adressa un signe de la tête. Le silence s'installa, avant que Délia cherche le regard de la cuisinière pour lui signifier de commencer le service.

— Bon, là, tu prends pas racine, la petite, intervint Graziella. Ça refroidit.

La grosse femme prit une assiette sur la desserte pour la déposer devant le médecin. La petite bonne s'empressa de l'imiter. Madame fut servie la deuxième. La cuisinière s'occupa de la fille, Aldée du garçon. Sa hanche porta contre son épaule.

— Pardon, monsieur, s'excusa-t-elle.

— Pas d'offense.

Le ton ironique la fit rougir. Après avoir versé le café dans les tasses, les deux domestiques regagnèrent la cuisine.

❋

Au souper, ce soir-là, lorsqu'elle se présenta à table, Corinne tenait à la main un exemplaire de l'hebdomadaire *Le Canada français*.

— Tu n'as pas l'intention de lire pendant le souper? intervint sa mère.

Délia Turgeon, éduquée tout comme sa fille chez les sœurs de la Congrégation de Notre-Dame, se faisait une image très stricte des usages de la vie en bonne société.

— Juste un petit bout, pour le bénéfice de chacun.

Le journal s'affichait sans vergogne comme une feuille libérale. La première page entretenait le public des événements politiques les plus récents, la dernière évoquait des faits divers. Par exemple, elle informait la population que madame Comeau se rendait chez sa fille à Saint-Hyacinthe, ou que mademoiselle Tanguay venait à Douceville voir une amie connue au couvent.

La mère choisit de ne pas interdire le périodique. Une fois la famille réunie, Graziella commença le service, aidée d'une Aldée toujours empruntée dans ce nouveau milieu. Corinne attendit que le potage soit dans les bols avant de s'enquérir:

— Avez-vous lu le numéro d'hier? Il y a un petit article amusant.

Sans attendre, elle se mit à lire:

Un charmant jeune homme s'est présenté à nos bureaux hier. Désireux de trouver la femme de sa vie, il entend arpenter la rue Saint-Charles de cinq à six heures tous les après-midis afin de la rencontrer. Alors, mesdemoiselles, tenez-vous-le pour dit: l'amour est au coin de la rue…

L'article comportait encore quelques lignes.

— C'est extraordinaire ! Il s'annonce dans le journal, un peu comme le savon Sunlight.

Cette nouveauté semblait vraiment enchanter la jeune fille. Dénicher l'âme sœur ne s'avérait jamais une mince affaire ; procéder ainsi, en utilisant un journal lu par toute la population de la ville, paraissait tellement moins frustrant que de faire tapisserie lors de réceptions tenues dans des maisons bourgeoises, ou alors sur le parvis de l'église.

— Voyons, il s'agit certainement d'un canular, décréta sa mère. Un poisson d'avril, en quelque sorte.

— Nous sommes en novembre.

Corinne tenait à croire à cette démarche : elle lui semblait à la fois originale et susceptible de fonctionner.

— Tu comprends ce que je veux dire. Cela ressemble à tous les articles sur des personnes prétendument à demi mourantes qui recouvrent soudainement la santé. Chaque fois, c'est dans l'objectif de vendre de petites pilules rouges ou une mixture pour combattre l'anémie.

— Il n'y a rien à vendre dans cet article.

— Mais le journal est à vendre, lui, intervint le docteur Turgeon. Maintenant, tu voudras lire chaque numéro simplement pour connaître la fin de cette histoire.

Debout le long du mur, tenant ses mains jointes à la hauteur du nombril, Aldée écoutait la conversation, surprise. Combien la vie dans cette ville différait de celle de son village ! À Saint-Luc, tous les enfants d'un rang se rencontraient à la petite école, et l'apprentissage du catéchisme avant la confirmation réunissait ceux de tous les rangs pendant quelques semaines. Des amitiés, des amourettes même naissaient dans ce contexte. Dès quinze ou seize ans, les jeunes filles recevaient de jeunes hommes à la maison sous l'étroite surveillance de leurs parents. Une fois le « bon parti » identifié, les rencontres avec celui-ci devenaient exclusives et profitaient d'une intimité croissante, jusqu'au soir du mariage.

Mais s'annoncer ainsi dans le journal !

— Demain, je suppose que tu iras marcher dans la rue Saint-Charles, prédit Georges d'un ton railleur.

— Non, intervint Délia, ta sœur n'est pas naïve à ce point.

La remarque ressemblait à un interdit. Quelque chose dans le sourire de l'adolescente indiquait que, dans ce cas, elle passerait outre.

❧

Samedi matin, Aldée entamait sa seconde journée entière chez les Turgeon. Chaque fois qu'elle était devant l'un des occupants de la maison, son premier mouvement était de se placer dos au mur, comme pour disparaître, se soustraire aux regards. Avec le temps, elle se sentirait certainement moins gauche, moins intimidée.

Après la vaisselle du déjeuner, Graziella annonça en mettant son chapeau :

— On va aller au marché ensemble aujourd'hui, mais des fois, t'iras toute seule. En plein hiver, chus pas sorteuse.

Le sujet des articulations douloureuses de la cuisinière revenait sur le tapis pour la troisième ou quatrième fois depuis son arrivée. Cette gêne ne lui enlevait cependant guère son attention pour le confort des autres.

— Toé, faudra te trouver un autre manteau, sinon tu vas geler.

— Ça va aller.

— Bin, même si tu l'trouves assez chaud, faudra le changer pareil. T'es pas à ton corps faite, betôt tu rentreras pus dedans.

46

De nouveau, elle faisait allusion à la maigreur de la nouvelle venue, mais surtout à l'étroitesse de sa silhouette. Son corps de petite fille faisait honte à Aldée.

Peu après neuf heures, les deux domestiques s'engageaient dans la rue de Salaberry. Chaque samedi, les cultivateurs des environs se rendaient sur la place du marché, un peu au-delà de l'église et de l'hôtel de ville. Il convenait d'y aller tôt, car les victuailles s'écoulaient rapidement.

Pourtant, quand elles y arrivèrent, ce fut pour apercevoir seulement trois charrettes, pauvrement garnies.

— Ouais, bin, les patrons devront pas faire les difficiles cette semaine. Y a personne.

— Il y en a plus, d'habitude ?

— T'as dix mille citadins à nourrir. Ça prend plus que trois charrettes.

Parmi ces Doucevilliens, plusieurs, la majorité sans doute, s'approvisionnaient auprès de parents habitant dans les campagnes environnantes. Tout de même, de nombreuses personnes dépendaient du marché pour se pourvoir en vivres.

— Alors, pourquoi il n'y a pas plus de monde ?

— Hier, y mouillait, les ch'mins doivent pas être passables. Par ce temps-là, les roues s'enfoncent dans la bouette jusqu'au moyeu. Pis, plus on s'ra proches de Noël, plus y vendront cher.

Il s'agissait de lois du marché connues de chaque cultivateur. Les prix croissaient avec la demande. La cuisinière prit la peine d'examiner le contenu des charrettes, de discuter des prix des carottes et des navets. Alors qu'elle achetait quelques pommes de terre, le paysan dit :

— Vot' patron voudrait sans doute en avoir pour tout l'hiver. Betôt, y en trouv'ra pus icitte.

— Ça, ça dépend des prix qu'vous faites.

S'ensuivit un échange sur des quintaux et des dollars dont Aldée perdit bien vite le fil. La distance empêchait son père de venir à Douceville vendre sa production. En conséquence, il l'écoulait à vil prix au marchand général du village, ou alors à quelques clients à peine plus généreux. La jeune bonne portait un grand panier d'osier, qui s'alourdit du poids de quelques légumes.

— Là, on va aller en dedans.

Le marché ne se limitait pas à ce grand rectangle, doté de trottoirs de bois pour éviter aux ménagères d'avoir les deux pieds dans le crottin de cheval. Une bâtisse en brique abritait des commerces permanents. Les deux femmes commencèrent par la boucherie, firent un arrêt à la boulangerie.

— On va s'contenter de ça pour aujourd'hui. Mais faudra se r'prendre un de ces jours quand y aura plus d'habitants, pour faire des réserves pour l'hiver.

Tout de même, le panier se révélait assez lourd. Heureusement, une fois dehors, Graziella prit son côté de l'anse. Elles revinrent à la maison en le tenant entre elles.

❋

Dans les maisons des grands bourgeois de Montréal, deux douzaines de domestiques s'occupaient de quelques personnes. Aldée aurait pu y être employée comme aide-cuisinière ou femme de chambre. Chez les Turgeon, elle devait accomplir diverses corvées, celles que sa collègue lui attribuait. Après deux jours, sa tâche prenait déjà un caractère routinier.

En début d'après-midi, elle se présenta devant la porte de la chambre de la jeune fille de la maison.

— Oui, c'est quoi? répondit-on aux trois petits coups qu'elle frappa contre le bois.

— Puis-je faire la chambre ? s'enquit la bonne en passant la tête dans l'embrasure.

— Oh ! Bien sûr. Moi qui laisse tout traîner. Je m'excuse.

Corinne était étendue en travers de son lit, sur le ventre, absorbée dans une revue. Passer du temps à se détendre en plein jour de semaine représentait un luxe inouï. De fait, tout le cadre de vie témoignait du statut de privilégiés des membres de cette famille. Cela commençait par les vêtements de la jeune fille. Sa robe bleue remontait haut sur les mollets, montrant des bas fins. La couleur s'harmonisait avec ses yeux. Ses cheveux blonds encadraient son visage.

— C'est mon travail, mademoiselle.

Des feuilles de papier encombraient le plancher, souvenirs d'un devoir de latin particulièrement difficile. Deux ou trois livres aussi, des romans. Ces gens lisaient pour le simple plaisir. La fille de la maison se leva, s'assit sur ses talons pour aider Aldée à tout ramasser.

— Non, je vais m'en occuper.

Corinne ne se laissa pas convaincre.

— C'est joli, Aldée, comme prénom.

— … Merci.

Dire « Corinne aussi » ne se faisait pas ; elles appartenaient à des mondes différents. L'une pouvait être gentille, et l'autre devait être déférente. Mais la jeune bourgeoise n'entendait pas se laisser décourager par des réponses laconiques.

— Tu as quel âge ?

— Seize ans.

— Moi quinze. Pourtant, je suis un peu plus grande que toi.

« Nous ne mangeons pas de la même façon », songea la petite bonne. Les deux derniers jours le lui avaient montré. Graziella forçait sur les portions, et après les repas, elles avalaient les restes debout, tout en lavant la vaisselle.

— Tu étais à l'école avant de venir ici ?

Décidément, les amies de son âge devaient lui manquer, pour lui faire la conversation ainsi. Aldée se releva afin de poser les feuillets sur la table de travail.

— Oui. La maîtresse me faisait suivre le programme du cours primaire complémentaire, pour me préparer à l'examen du Bureau des examinateurs.

Elle prit son balai et commença à réunir la poussière au centre de la pièce.

— C'est pour devenir maîtresse d'école, précisa la domestique.

— Oui, je sais. Puis tu te retrouves ici. Tu dois être déçue.

Aldée haussa les épaules pour jouer l'indifférente, mais des larmes lui montèrent aux yeux. Accroupie, elle remplit son porte-poussière. Corinne alla lui ouvrir la porte.

— Faudrait trouver le moyen de jaser un peu.

Plus de doute, l'ennui lui pesait.

— Je travaille toute la journée.

La rebuffade lui parut trop rude, aussi elle précisa :

— Mais je trouverai certainement un moment.

Sur ces mots, la petite bonne s'esquiva. Dans le couloir, elle s'inquiéta que Georges se trouve dans sa chambre. Lui aussi lui donnait toute son attention, mais il ne s'agissait pas de gagner son amitié. Une curiosité de jeune homme, plutôt.

Même si certains jours, une légère tension régnait entre le frère et la sœur, généralement, ils s'entendaient plutôt bien. En soirée, Georges frappa à la porte de la chambre voisine de la sienne, attendit d'y être invité avant d'ouvrir.

— Je peux ? interrogea-t-il en passant la tête dans l'embrasure.

Corinne était étendue sur son lit, elle se contenta de replier ses jambes pour lui faire de la place.

— Tu as retrouvé tes affaires, en revenant de l'école ? Pas moi.

L'adolescente lui adressa un petit sourire.

— Tu veux dire que la nouvelle bonne a mis un peu d'ordre dans tes traîneries ?

— Là, je ne sais plus où sont mes choses.

L'entrée en matière passée, Georges voulut savoir :

— Tu en penses quoi, de cette fille ?

— Aldée ? Je ne sais pas, elle ne dit pas un mot.

« Elle est aussi timide que moi », songea-t-elle.

Le sujet ne pouvait les retenir bien longtemps. Son frère fit quelques remarques sur les prêtres enseignants de son collège ainsi que sur les mystères des versions latines. Il allait quitter le lit quand Corinne demanda :

— Sais-tu si Félix s'intéresse à quelqu'un ?

— Félix ? Que fais-tu de Juuuules ?

Elle le frappa du pied sur la cuisse.

— Tu ne vas pas t'y mettre aussi. Aline est en train de devenir folle avec ça.

Georges, narquois, la regarda un long moment, mais sans renouer avec les taquineries.

— Alors, Félix ?

— Il parle de toutes les filles de Douceville, je suppose que cela signifie qu'il ne s'intéresse à personne en particulier.

Il aurait fallu une bonne dose d'optimisme pour juger une telle déclaration encourageante. Corinne se mordit la lèvre inférieure, résolue à ne pas montrer sa déception.

❈

Après trois jours dans la belle demeure du docteur Turgeon, Aldée commençait à la considérer comme son propre foyer. Évidemment, ses quartiers se limitaient à la petite chambre sous les combles et à la cuisine. Les autres pièces lui demeuraient interdites, sauf au moment de faire son travail. Tout de même, elle profitait de plus d'espace et d'un meilleur confort qu'à la maison paternelle. Surtout, elle devrait bientôt agrandir sa ceinture d'un trou grâce aux bons soins de Graziella.

La jalousie la torturait toutefois. Elle se surprenait à s'interroger sur la façon d'accéder à ce confort autrement qu'en torchant les autres. La condition d'une femme dépendait de son mariage, à moins de devenir vieille fille dans la domesticité ou en portant l'habit de religieuse.

Le dimanche matin, la cuisinière déclara :

— Nous autres, on choisit pas, c'est la basse messe ou pas de messe pantoute. Alors, si t'aimes l'encens pis les chants d'église, tant pis.

Elle mit ses gants. Un petit trou se voyait au bout de l'index. Comme pour s'excuser de ce manquement à l'élégance, elle précisa :

— Un cadeau de la patronne.

Près de la porte, la petite bonne attachait son manteau.

— Toi, si t'as rien de mieux à te mettre sur le dos, tu vas geler tout l'hiver.

— Je n'ai rien de mieux.

— Veux-tu que je lui en parle ?

Graziella évoquait madame Turgeon. Dans la maison, elle incarnait un dieu parcimonieux de ses largesses. Aldée fit non de la tête.

— Bon, asteure, on y va.

Au petit matin de ce 5 novembre, la température était froide. Sur les flaques d'eau, une mince couche de glace se cassait sous le pied avec un craquement à peine perceptible. Elles atteignirent la rue Jacques-Cartier, puis la rue Longueuil.

— Ce sont de belles maisons, ici, commenta Aldée.

— Ouais, les bourgeois, c'est plus proche du ciel que nous autres, alors y s'entassent près de l'église.

Un grand carré de verdure, dans la rue Saint-Antoine, regroupait l'hôpital Saint-Jean, l'église et le presbytère. Le temple en pierre grise avait trois grandes portes de bois en façade. À l'intérieur, Aldée demeura un moment bouche bée devant le décor somptueux. Des colonnes octogonales s'alignaient de part et d'autre de la nef. Le plafond s'ornait de médaillons.

— Comme c'est beau! Ça ne ressemble pas du tout à Saint-Luc.

— Bin, va pas à Montréal, sinon tu vas perdre connaissance à la cathédrale Saint-Jacques[1]!

La cuisinière s'engagea dans l'allée centrale, sa jeune apprentie lui emboîta le pas. À la dixième rangée, elles purent s'asseoir.

— Vous avez un banc?

— Fais pas simple. C'est au patron. Y nous soigne bin. D'autres nous laisseraient passer toute la messe deboutte, derrière.

Machinalement, Aldée tourna la tête pour voir quelques paroissiens adossés contre le mur. Même dans une église presque vide, ils demeuraient debout. Elle remarqua une femme plantée en face du confessionnal.

— Je vais y aller, moi aussi.

---

1. Renommée Marie-Reine-du-Monde en 1955.

Le pardon de ses fautes inaugurerait bien son séjour à Douceville.

Son tour arriva rapidement. En s'agenouillant dans le réduit, elle cherchait à établir une liste de péchés crédibles pour une jeune fille de son âge. À l'ouverture du guichet, l'inspiration lui vint pourtant tout de suite. Après les prières d'usage, elle lâcha :

— Mon père, je m'accuse de me sentir en colère contre mon père.

Elle parlait au présent, pas au passé. Ce sentiment l'étreignait à ce moment même.

— Pourquoi cette colère, ma fille ?

La douceur du ton la surprit. Le curé de Saint-Luc lui avait donné l'habitude d'un accueil plus froid.

— Je voulais devenir maîtresse d'école. Je me suis préparée avec soin, je devais me présenter devant le Bureau des examinateurs l'été prochain.

Aldée fit une pause.

— Et alors ?

— Il m'a placée comme bonne chez une famille bourgeoise.

Cette fois, le prêtre laissa le silence durer une bonne minute, puis demanda tout doucement :

— Savez-vous pourquoi ?

— … Mes gages doivent servir à payer les taxes municipales. Il est en retard d'une année.

— Vous voyez, sa décision ne tient pas à un caprice. Vous vous rendez utile à toute la famille. S'il ne paie pas, il peut perdre sa terre. Vous avez des frères et sœurs ?

La question était purement rhétorique : aucune famille canadienne-française ne comptait qu'un enfant. L'ecclésiastique lui rappelait ainsi que de nombreuses personnes souffriraient d'un défaut de paiement.

— Vous devez offrir ce sacrifice à Dieu. Il vous protégera par ses bénédictions.

Après une nouvelle pause, il s'enquit :

— Autre chose, ma fille ?

Au moins, il ne suggéra pas les quelques accrocs à la morale susceptibles d'intéresser une jeune fille de seize ans. Elle l'entretint de son envie devant les conditions d'existence de ses patrons.

Ensuite, Aldée revint sur le banc avec trois *Je vous salue Marie* en guise de pénitence. Pourtant, au moment de la communion, elle ne broncha pas. Sa colère demeurait toujours aussi vive, elle se trouvait encore en état de péché mortel. À ses côtés, Graziella lui adressa un sourire en biais.

❖

Les deux domestiques étaient de retour dans la cuisine depuis cinq minutes à peine.

— Au moins, nous aut', on peut manger un peu, asteure.

Graziella faisait allusion au jeûne obligatoire pour aller communier. Elle avait déposé un pot de confiture de fraises sur une vieille table. D'épaisses tranches de pain grillaient directement sur la surface du poêle.

Deux petits coups contre le cadre de la porte attirèrent leur attention. Corinne se tenait là, intimidée.

— Je peux me joindre à vous pour déjeuner ?

La cuisinière hésita juste un instant avant de dire :

— Bin sûr, mam'zelle. Mettez-vous là.

La présence de la fille de la patronne appesantit immédiatement l'atmosphère. Aldée déposa une assiette et un couvert devant elle. Corinne fut la première à se voir servir une rôtie.

— Vous allez pas communier, aujourd'hui ? lui demanda Graziella.

Aussitôt la cuisinière se reprit.

— Excusez, c'est pas d'mes affaires.

— Bof! Ce n'est pas un secret. Comme je n'étais pas bien hier, aujourd'hui, maman me donne congé de sainte table.

— Rien de grave?

— Des affaires de fille.

L'allusion à ses règles ajouta au malaise. On n'abordait pas ce sujet en public. Enfin, Aldée surtout se sentit gênée. Cet ennui mensuel, elle l'attendait encore.

L'adolescente poursuivit:

— Vous serez en congé ce midi. Nous allons dîner chez les Pinsonneault.

— … Ouais. Madame m'a dit ça hier. J'étais couchée quand elle est v'nue me l'dire.

Souvent insomniaque à cause de ses douleurs rhumatismales, Graziella tenait à son sommeil. Elle gardait une petite rancœur contre sa patronne pour cette visite nocturne.

— Ça s'est décidé hier, lors d'une rencontre à l'hôtel National. Vous savez que quelqu'un de Montréal présente un… *movie*. Je serais bien curieuse de voir ça.

— Moé, j'crois pas à ça, des images qui bougent.

Corinne eut envie d'insister, de lui expliquer que tous les journaux parlaient de ça. Puis elle jugea la démarche inutile. Ce genre de sceptique devait voir pour croire.

Bientôt, toutes trois faisaient honneur à ce petit déjeuner improvisé.

Chapitre 4

Après la messe, le clan Turgeon ne revint pas à la maison comme d'habitude. À la place, il se dirigea vers une autre grande demeure de la paroisse Saint-Antoine, pour y arriver en même temps que ses propriétaires.

— Ah ! Turgeon, tu marchais sur nos talons, commenta leur hôte.

Pas très grand, bedonnant, le bonhomme ne séduisait pas au premier regard. Puis son aspect faisait négligé. Les rares cheveux blonds et bouclés d'Horace Pinsonneault, à demi chauve, traînaient sur son col.

— Comme nous venons du même endroit, le contraire serait plutôt surprenant. Nous avons même ralenti le pas afin de ne pas arriver les premiers.

Le médecin tendit la main, son hôte la serra. Délia fit le même geste, puis constata que son vis-à-vis s'approchait, visiblement désireux de lui faire la bise. Les lèvres touchèrent sa joue, lui tirant une petite grimace. Le docteur Turgeon serra ensuite la main de madame Pinsonneault, et son épouse l'imita.

— C'est rendu que nous nous voyons tous les jours de la semaine maintenant, observa Félix à l'intention de son ami Georges.

La remarque devait faire office de salutation. Par contre, il se pencha pour donner une bise à Corinne. Sans doute s'agissait-il d'une habitude héréditaire.

— Je suis heureux de te voir, lui dit-il.

La famille Pinsonneault comptait deux autres garçons plus jeunes, mais aucun des Turgeon ne se donna la peine de les saluer, comme si, âgés de moins de douze ans, ils n'existaient pas encore.

Dans la maison, une domestique fut ensevelie sous une brassée de manteaux et de chapeaux. Une jumelle de Graziella devait faire le service dans chacune des maisons bourgeoises de Douceville, tant ces domestiques se ressemblaient : de grosses femmes dans la cinquantaine n'ayant d'autre choix que de torcher des patrons pour subsister.

Dans la salle à manger, Félix avait trouvé le moyen de s'asseoir juste en face de la jolie blonde, au grand plaisir de celle-ci.

— Les religieuses ne te font pas la vie trop dure, j'espère.

« Georges lui a-t-il parlé de la punition de la directrice ? » se demanda la jeune fille. Que sa querelle avec la petite Tremblay parvienne aux oreilles de ce beau jeune homme lui ferait si honte ! En réalité, comme rien ne survenait dans la vie d'une couventine, impossible d'entamer une conversation sans parler d'école. Il en allait de même pour Georges, condamné à bavarder avec les cadets Pinsonneault.

La conversation des adultes se révélait tout aussi empruntée. Les deux épouses discutèrent des vêtements offerts dans le catalogue de la société Eaton, un gros livre richement illustré. De leur côté, les hommes conversaient d'un sujet autrement plus sérieux :

— Écoute, Turgeon, nous avons besoin de gens instruits comme toi au conseil…

— Je ne sais pas si ce serait une bonne idée. Moi, je ne fais pas de politique. Pour un médecin, mieux vaut rester neutre. La population se divise en libéraux et conservateurs. Je ne veux pas perdre la moitié de ma clientèle.

— Bin voyons, des conservateurs, il y en a de moins en moins. Tu ne perdrais pas beaucoup de patients.

À ce sujet, le maire de Douceville ne se trompait pas tout à fait. Les libéraux étaient au pouvoir tant à Québec qu'à Ottawa, et dans de nombreuses municipalités.

— Je doute que ce soit bénéfique. Dans certaines fonctions, la neutralité fait bonne impression.

— Moi aussi, je suis un commerçant. Les conservateurs m'achètent du charbon. Tu crois qu'un bonhomme refusera de te montrer ses hémorroïdes parce que tu ne votes pas du même bord que lui ?

Présentée de cette manière, la neutralité ne pesait pas lourd. Par ailleurs, les femmes, hémorroïdes ou pas, ne boycotteraient pas leur praticien à cause de sa façon de voter, puisque elles-mêmes n'avaient pas le droit de vote.

— Puis, de toute façon, je ne connais rien à la politique.

— Avec l'appui du maire, les gens vont voter pour toi.

La question les occuperait jusqu'à la fin du repas. Le docteur Turgeon en vint à penser que non seulement son engagement politique ne nuirait pas à sa clientèle, mais qu'au contraire, un refus lui vaudrait quelques inimitiés chez les notables.

Au cognac, le Parti libéral du comté avait un nouveau membre.

❊

Les deux domestiques profitaient ensemble de ce congé inattendu. Les loisirs gratuits étaient bien peu nombreux, en dehors des promenades et des pauses sur les bancs publics.

— Tu crois à ça, toé, des images qui bougent sur un drap ?

Finalement, si Graziella avait craint de se faire mener en bateau par sa jeune patronne, quatre heures plus tard, l'idée du cinématographe lui trottait toujours dans la tête.

— À l'école, la maîtresse nous faisait lire de vieux journaux, quand les historiettes du magazine *L'enseignement primaire* ennuyaient tout le monde. Des articles abordaient parfois le sujet.

— Mais toé, tu l'as pas vu ?

— Moi, je n'ai jamais rien vu, rien de rien, dans le fond de mon rang. Tenez, des magasins de cette taille-là, je n'en avais jamais vu.

De la main, Aldée montrait un commerce spécialisé dans la vente de meubles. Les deux femmes avaient descendu la rue Saint-Antoine jusqu'à la rivière Richelieu. La profondeur du cours d'eau ne permettait pas toujours la navigation, aussi un canal avait été creusé près de la rive. Une barge passait lentement sous leurs yeux.

— Vous savez où elle va ?

— Par là, c'est les États, répondit Graziella. Regarde le bois. C'est pour faire du papier.

— J'aimerais monter là-dessus et aller loin.

— Pour faire quoi ? Torcher des Anglais, des protestants ?

Évidemment, où qu'elle aille, les mêmes emplois seraient son lot. Faire les lits, ramasser la poussière ne présentaient pas de grandes difficultés. Elle ne possédait aucune autre compétence. Pas même en cuisine. Elles prirent place sur un banc, captivées par le spectacle de la rivière.

— Je ne connais pratiquement pas un mot d'anglais.

— Icitte, tu vas rencontrer pas mal d'Anglais. Y sont *boss* dans les manufactures, où y travaillent dans des bureaux. Quand y rentrent à la maison le soir, y sentent pas la sueur.

La cuisinière paraissait à demi admirative, à demi méprisante pour des gens sachant gagner si aisément leur vie.

Aldée ne commenta pas l'information. À ses yeux, seuls les prêtres et les médecins ne faisaient rien de leurs mains. Et les maîtresses d'école.

— Si tu marches par là, tu trouveras le vieux fort des Français, pis des soldats. Des Anglais, eux aut' aussi.

Pendant un moment, la présence de la garnison militaire fit les frais de la conversation. Graziella proposa de marcher dans sa direction, en suivant la rue Richelieu. Sur leur chemin, Aldée découvrit d'autres commerces, des manufactures, des hôtels, des banques. De retour vers la rue de Salaberry, quelques maisons retinrent leur attention. La cuisinière soulignait toujours la nationalité des propriétaires, pour mettre en évidence le fait que les Anglais possédaient les plus grandes.

❧

Chaque lundi, le docteur Turgeon allait passer une partie de la journée à l'Hôtel-Dieu, situé tout près. Cela donnait l'occasion de faire le ménage dans son bureau. Graziella ne voulut pas laisser la nouvelle s'en occuper seule.

— Moé, j'haïs venir icitte, surtout à cause de c'lui-là.

Des yeux, elle désignait le squelette accroché dans un coin de la pièce. Aldée eut un haut-le-corps.

— Qu'est-ce qu'il fait avec ça ?

— J'suppose que c'est pour montrer comment c'est faite à l'intérieur. Genre : "Bin madame chose, vous avez le gros os de la patience cassé, c'est pour ça qu'vous voulez assommer vot' mari."

La remarque vint avec un mince sourire. Graziella étant toujours célibataire dans la cinquantaine, sa propre patience devait être assez limitée vis-à-vis des hommes.

— Pis, en plus, t'en as un aut' là.

Le long des murs, des deux côtés du cabinet de consultation, s'alignaient des armoires vitrées. Les unes contenaient des livres, les autres, des médicaments. Un crâne trônait sur l'une d'elles, ses orbites creuses orientées de façon à voir l'ensemble de la pièce.

— Faut d'abord faire la poussière, mais sans rien déplacer dans les papiers.

Comme pour donner l'exemple, Graziella commença par agiter son plumeau sur les armoires, puis sur le bureau. Dessus traînaient des dossiers de patients, des journaux, dont un exemplaire du *Canada français*, l'hebdomadaire de la ville. Aldée se tenait un peu à l'écart, un balai et un porte-poussière dans les mains.

— Les malades viennent voir le docteur ici ?

— Tu les as pas vus parader ? Ça arrête pas, même le samedi.

— Des fois, j'aperçois des gens par la fenêtre.

— La porte à droite de la grande galerie permet d'entrer dans la salle d'attente, à côté. Comme ça, y dérangent pas la vie de la maison.

Après un instant, ce fut au tour de la vieille dame de s'appuyer contre le bureau pour continuer son commentaire sur les activités du docteur Turgeon, pendant que la plus jeune nettoyait le plancher. Tout en travaillant, elle jetait des coups d'œil aux alignements de bouteilles et de fioles derrière les portes vitrées. L'une de ces mixtures aurait certainement pu guérir sa mère, il y en avait tant ! Probablement son père n'avait-il pas eu assez d'argent pour payer les meilleurs remèdes.

— C'est un bon médecin ?

— Paraît. Moé, chus jamais malade.

— … Moi non plus.

L'affirmation ressemblait surtout à un vœu pieux. Les deux femmes passèrent ensuite dans la pièce voisine. Les traces de pas un peu boueuses des visiteurs les forcèrent à nettoyer à fond le plancher de la salle d'attente. Bientôt, Aldée s'éloigna de ce bureau, intimidant comme l'antre d'un sorcier.

✻

Une querelle à propos d'un garçon avec lequel chacune d'entre elles n'avait pas échangé dix phrases ne pouvait séparer deux amies. Après trois jours de bouderie, Aline avait adressé à Corinne l'esquisse d'un sourire. Le quatrième, le sourire fut réciproque. Et le cinquième, à la fin de la journée d'école, Corinne enchaîna en disant :

— Tu goûtes à la maison ?

L'acquiescement vint sans la moindre hésitation.

Dans la maison de la rue de Salaberry, les adolescentes firent une entrée bruyante. La fille de la maison se rendit dans la cuisine pour demander du lait et des biscuits. La minute suivante, elle s'affalait sur le canapé.

— Tu as mis longtemps à faire le fameux devoir sur l'orgueil ? demanda-t-elle, un peu moqueuse.

— Des heures, et tout ça à cause de toi.

Son sourire indiquait qu'il ne fallait pas trop la prendre au sérieux.

— Tu vois, l'orgueil, moi je serais plutôt pour. Une belle robe, un beau chapeau, j'aime ça. Sur le perron de l'église, je voudrais que tous les gars me remarquent.

— Même le beau Jules ? la taquina Corinne.

Aline redevint sérieuse, presque fâchée. Heureusement, Aldée arriva à ce moment avec le plateau. Corinne fit le service comme une parfaite bourgeoise. En reprenant sa place sur le canapé, elle déclara :

— Le fils du juge ne m'a jamais intéressée. Tout de même, s'il se trouve devant moi, je ne vais pas lui présenter mon dos.

Une fois rassurée sur la concurrence, la visiteuse retrouva sa bonne humeur. La voyant revenue à de meilleurs sentiments, Corinne demanda, en réprimant un fou rire :

— Tu as vu l'article dans le journal ?

Sa camarade comprit tout de suite.

— Le gars qui se cherche une femme en marchant dans la rue Saint-Charles ?

Aucune adolescente ou jeune femme de la ville ne pouvait ignorer l'histoire de ce Roméo désespéré de dénicher sa Juliette.

— Pour prendre un moyen comme celui-là, affirma Aline, il doit être laid à faire peur.

— Pas nécessairement. Il peut tout simplement n'avoir aucune famille dans la ville.

En pleine expansion, la localité attirait des travailleurs d'autres régions de la province. Un employé vivant loin des siens n'avait personne pour faire les présentations en bonne et due forme. Les occasions de rencontre demeuraient limitées. Pour trouver chaussure à son pied, rien ne valait un ami de collège avec trois ou quatre sœurs d'un âge adéquat. À défaut de cette aide providentielle, un mariage ou un enterrement amenait parfois un lot de cousines d'une parenté suffisamment lointaine pour qu'une approche convenable n'attire pas les froncements de sourcils du curé.

— En tout cas, moi, un gars désespéré à ce point…

Tout de même, Aline laissait poindre une certaine curiosité.

— Nous pourrions aller nous promener dans la rue Saint-Charles, demain après la classe.

Même si madame Turgeon prenait connaissance de cet accroc à sa directive, les conséquences ne seraient pas trop funestes. Les interdits se classaient selon leur degré de gravité. Passer outre à celui-là lui vaudrait un sourire crispé et une observation du genre : « Qu'est-ce que les gens vont penser de toi ? » Tout ce qui se situait sous la barre de la privation de dessert ne lui donnait pas trop de souci.

— Maman n'appréciera pas, s'inquiéta la visiteuse.

— La mienne non plus. Alors, je lui dirai que j'étais chez toi, et tu pourras dire à la tienne que tu étais ici.

Le plus souvent, cette petite machination fonctionnait. Même après les hypothèses peu flatteuses émises sur ce quidam, la présence d'un garçon à la recherche d'une épouse méritait leur attention. Aucune des deux ne semblait convenir qu'à quinze ans, rien ne pressait pour trouver l'homme qui assurerait plus tard leur position sociale et leur niveau de richesse.

À quatre heures trente le lendemain, les deux amies hâtaient le pas en sortant du couvent afin de se rendre rue Saint-Charles. Voir des consœurs faire la même chose les irrita. Déjà, être deux à s'intéresser au même prétendant était un problème. Être dix ou quinze n'arrangeait rien.

Finalement, elles seraient plutôt trente ou quarante… et le double ou le triple trente minutes plus tard. Ainsi donc, *Le Canada français* connaissait une grande popularité. Certaines filles venaient du couvent, mais d'autres sortaient de la manufacture, de l'atelier ou des magasins. Et tout naturellement, l'affluence de ces jeunes filles entraînait celle des garçons.

— Comment peut-on le reconnaître ? s'enquit Aline.

— Je suppose qu'un gars qui veut se marier, cela se remarque.

Comme les autres, elles entreprirent de marcher d'une extrémité à l'autre de la rue, bras dessus, bras dessous. Au moment de croiser un garçon, elles cherchaient ses yeux. Les plus timides rougissaient en accélérant le pas, d'autres esquissaient un sourire. Les plus audacieux ralentissaient, touchaient leur chapeau en disant : « Bonsoir, mademoiselle. » L'article de l'hebdomadaire devenait la cause d'un rassemblement de jeunes gens. Jamais autant de cœurs n'avaient battu si vite dans ce petit bout de rue.

Puis, à une vingtaine de pas, Corinne aperçut des silhouettes familières. Georges et Félix avançaient tout en fixant les promeneuses l'une après l'autre. Quand il fut à portée de voix, son aîné lança, gouailleur :

— Maman s'amusera de te savoir ici.

Un peu de rouge rosit le visage de la blonde, puis elle rétorqua :

— Et sans doute de savoir que tu y étais aussi !

Le message était clair, Georges ne jouerait pas les rapporteurs. Pendant l'échange, les deux autres s'étaient salués d'une inclination de la tête.

— Vous avez reconnu l'homme à la recherche d'une femme ? demanda Félix.

— Tout le monde se cherche une femme, non ? dit Aline en souriant.

— Mais pour un garçon comme moi, au milieu de son cours classique, c'est un peu tôt.

Tout en s'adressant à la brune, Félix offrit son bras à la blonde. Celle-ci sentit la chaleur lui monter aux joues.

— Je peux vous raccompagner à la maison, maintenant ?

— Bien sûr.

Derrière eux, un Georges terriblement moins assuré offrait à son tour son bras à Aline. Excepté avec sa mère et sa sœur, jamais il n'avait fait ce geste. Sa compagne s'avérait tout aussi nerveuse.

— Les choses sont rentrées dans l'ordre, avec Corinne ?

Le rappel de la querelle troubla la jeune fille.

— Elles l'ont toujours été.

L'adolescent laissa entendre un rire railleur. Il eut envie de prononcer «Juuules», mais préféra s'abstenir.

— Cet homme, avec son annonce, vient de révolutionner la façon de faire la cour, observa-t-il plutôt.

— Papa prétend qu'il s'agit seulement d'augmenter les ventes du journal.

— Le mien aussi, et je crois qu'ils ont raison. Tu l'as vu, toi, cet annonceur ?

— Tous les jeunes de la ville marchaient dans la rue Saint-Charles, alors s'il existe, nous l'avons vu. Il aurait dû porter une fleur à la boutonnière, ou un autre signe distinctif de ce genre.

Un homme qui se vendait dans la presse pour ensuite rester discret, cela ne semblait pas très réaliste. Aline doutait maintenant de la véracité de cette histoire, mais d'un autre côté, son romantisme lui interdisait d'afficher son scepticisme. Dans ce contexte, Jules, le fils du juge, disparut totalement de son esprit.

Et même s'il s'était agi d'un stratagème publicitaire, le gratte-papier du *Canada français* avait créé le parfait lieu de rendez-vous pour les jeunes gens. Pendant plusieurs semaines, toute une génération prendrait l'air dans l'espoir d'une heureuse rencontre.

❈

Au bout de quelques jours, la petite bonne était habituée à sa nouvelle routine. Levée vers six heures, elle participait à la préparation et au service du déjeuner. Pendant le reste de la matinée, il s'agissait de faire les chambres. Dans celles des enfants, elle trouvait invariablement des vêtements, des livres et des feuilles de papier sur le plancher. Parfois, elle s'arrêtait le temps de parcourir quelques lignes d'un devoir.

La chambre des parents offrait un espace plus ordonné. Chaque fois, la jeune fille prenait le temps de caresser des vêtements et surtout des sous-vêtements du bout des doigts. Le lin fin, les cotonnades, la laine, le velours, la soie et le satin : chacun des tissus avait sa propre signature sur son épiderme. Dans le fond de son rang, à Saint-Luc, jamais sa tenue ne lui avait vraiment fait honte. Aucune de ses voisines ne connaissait un sort différent du sien. Maintenant, son linge de corps confectionné dans la toile de vieux sacs lui paraissait rugueux. Heureusement, personne n'était susceptible de le voir.

Puis, la pièce était lumineuse, avec ses grandes fenêtres donnant devant la demeure. De temps en temps, quand aucun bruit ne venait de l'étage, elle prenait la liberté de s'asseoir sur le banc devant la « table de toilette ». Madame s'y installait tous les matins pour se « faire une beauté ». Ces expressions, elle les apprenait de Graziella. La beauté, sa bourgeoise la possédait déjà. Ses efforts se limitaient à coiffer ses cheveux blonds légèrement bouclés, à poudrer ses joues, se teinter les lèvres de rouge. Les flacons de parfum et le maquillage semblaient autant de produits magiques.

Ce matin-là, l'attention d'Aldée se porta plutôt sur un magazine laissé sur la commode, *L'Album universel*. On y trouvait diverses rubriques, un roman présenté en feuilleton, et même un article sur les massacres de la révolution en Russie. Sa compréhension du terme « révolution » et sa connaissance de ce pays demeuraient bien approximatives.

La page intitulée *Le courrier de Colette* retint tout son intérêt. À une lectrice qui s'appelait Irma F., la chroniqueuse expliquait qu'une mixture faite de moelle de bœuf et de rhum à parts égales renforçait et faisait croître la chevelure. Un instant, Aldée examina ses cheveux dans la glace, se demanda si ce traitement lui serait utile. Une Violette S. T. apprenait que le rose, le jaune pâle et le crème convenaient particulièrement bien aux brunes. Quant au noir de l'uniforme de domestique, il ne flattait sans doute personne.

— Aldée, est-ce que je te paie pour lire?

Délia Turgeon se tenait dans l'embrasure de la porte. Son sourire ne changeait rien au reproche contenu dans ses paroles.

— Oh! Non, madame, s'exclama la bonne, prise en flagrant délit de paresse. Je voulais juste ranger.

Après un silence, elle ajouta:

— Je vous demande pardon, madame, je ne le ferai plus.

La chaleur lui montait aux joues, en esprit elle se voyait déjà mise à la porte, et son père jeté à la rue par sa faute.

— Aimes-tu la lecture?

Sa patronne s'avança dans la pièce, ferma la porte derrière elle, comme pour donner à l'échange un caractère privé.

— Oui…

Toutefois, les magazines de ce genre, ou les romans, lui demeuraient inconnus.

— Enfin, j'ai parcouru plus d'une fois tous les livres que me prêtait ma maîtresse, à l'école.

— Corinne m'a dit que tu souhaitais devenir institutrice.

Ainsi, la fille de la maison avait partagé leur conversation avec sa mère. Que sa confidence ait été jugée digne d'intérêt la toucha.

— Oui, mais ce n'est pas possible.

« Parce que tu dois rapporter de l'argent à ton père », songea Délia. Toutes les jeunes domestiques embauchées à Douceville remettaient sans doute leurs gages à leur famille. Pourtant, cette pratique lui paraissait injuste. Elle empêchait ces jeunes filles de poursuivre leur propre rêve.

— Si tu regardes dans le fond de la penderie, tu verras des journaux, des magazines aussi, et même des livres. Je les laisse là en attendant de les remettre à l'hospice, afin de donner de quoi lire aux vieux. Prends ceux que tu veux, et remets-les là quand tu auras fini.

Les mots firent lentement leur chemin dans l'esprit de la domestique. Elle n'avait pas l'habitude de la charité.

— … Merci, madame.

— Toutefois, pas de lecture pendant les heures de travail.

— Non ! Je ne ferai plus jamais ça, je vous le jure.

Cet accroc à son devoir la hanterait un bon moment, au point de devenir le sujet de sa prochaine confession.

— Puis, tu liras dans la cuisine, pas dans ta chambre. Tu comprends, à la lumière d'une chandelle, cela peut provoquer un incendie. Sans compter que ça t'arracherait les yeux.

Au moins, elle n'évoquait pas l'obligation de faire des économies. À la maison, son père lui interdisait de gaspiller la lumière. Madame Turgeon s'apprêtait à ouvrir la porte quand elle s'enquit :

— Mercredi dernier, tu n'as pas pris ta demi-journée, n'est-ce pas ?

C'était son seul congé de la semaine, ce jour-là elle pouvait quitter la maison après avoir lavé la vaisselle du dîner pour ne revenir qu'en soirée.

— Je ne savais pas quoi faire. Je ne connais personne à Douceville.

— Ce n'est pas en restant à la maison que cela changera. En tout cas, dorénavant, tu pourras consacrer ce temps à la lecture.

Son sourire en coin signifiait : « Au lieu de le faire pendant tes heures de travail. » Quant à Aldée, elle s'imaginait mal passer des heures le nez plongé dans *L'Album universel* avec Graziella lui tournant autour, affairée à travailler.

❖

Deux fois par semaine, Corinne Turgeon devait sacrifier l'essentiel de son heure de dîner pour recevoir une leçon de piano. Jouer d'un instrument de musique représentait un « ornement » pour une jeune fille. Sans véritable talent pour cette activité, elle y consacrait toutefois de bonne grâce les efforts demandés.

Quand elle descendit le grand escalier du couvent, elle se trouva au coude à coude avec une jolie jeune fille blonde, Sophie Deslauriers. En arrivant au rez-de-chaussée, elle remarqua :

— Sauf les jours où nous avons ce cours de musique, nous ne nous croisons presque jamais.

— Comme je suis plus vieille que toi d'un an, nous ne fréquentons jamais la même classe, puis tu ne prends pas tes repas ici.

Les religieuses tenaient à garder les pensionnaires à l'écart des externes. Les premières étaient préservées de toute influence extérieure pendant la durée de l'année scolaire. Les novices se recrutaient parmi elles. Les secondes étaient moins susceptibles d'entendre l'appel de Dieu.

— Tout de même, nous sommes dans la même école.

Sophie demeurait très discrète, toujours gentille avec toutes les écolières, s'exprimant à voix basse pour ne pas attirer l'attention.

Elles arrivèrent devant de toutes petites pièces en demi-sous-sol. Chacune contenait un piano, et une religieuse circulait de l'une à l'autre pour guider les efforts des émules de sainte Cécile.

Chapitre 5

Rien ne ressemblait plus à une école catholique pour filles qu'une école catholique pour garçons. Une forte proportion des élèves du collège Saint-Antoine logeait dans les dortoirs aménagés sous les combles. Pour les bons prêtres enseignants, le statut de pensionnaire était le meilleur, car les élèves demeuraient sous leur surveillance attentive chaque minute du jour, tandis que les externes s'exposaient à toutes les mauvaises rencontres, en particulier celles de jeunes filles susceptibles de les détourner de la vocation sacerdotale.

Quant à lui, Georges Turgeon ne regrettait pas une seconde de quitter les murs de l'école secondaire chaque fin d'après-midi. Presque tous les jours, Félix Pinsonneault l'accompagnait sur le chemin du retour à la maison. Une fois sur deux, ils s'arrêtaient chez l'un ou l'autre, histoire de poursuivre la conversation commencée dans la rue.

En arrivant devant la demeure du docteur, ils virent Corinne, revenant du couvent.

— Mademoiselle Turgeon, la salua Pinsonneault, quel charmant hasard !

Heureusement, en raison du froid de novembre, les garçons n'attribueraient pas le rose de ses joues à son plaisir de rencontrer ce voisin.

— Pourtant, je reviens tous les soirs à la même heure.

— Alors, dorénavant je calculerai mes pas mathématiquement afin d'arriver toujours à cet instant… Bien sûr, seulement les soirs où Georges m'invitera pour une pause.

Sur ces mots, il sortit sa montre de gousset et l'ouvrit:

— C'est-à-dire précisément à cinq heures cinq minutes.

Galamment, il laissa Corinne passer devant lui dans l'escalier, rivant les yeux sur sa silhouette le temps de monter. Entrée la première, elle accepta son aide afin d'enlever son manteau. Machinalement, elle passa ses paumes sur ses hanches, comme pour faire disparaître des plis imaginaires sur sa robe.

Pour une fois, son frère se priva de débiter l'une de ses blagues plates, du genre: «Cesse de faire les yeux doux à ma sœur, je ne veux absolument pas de toi comme beau-frère.» Il devenait plus mûr, sans doute, capable de reconnaître que le fils du maire représentait un excellent parti pour sa cadette.

— Si vous voulez, je demande à la cuisinière de nous préparer du thé et quelques biscuits.

— Oh! Le *five o'clock tea*, ricana Georges. Pourquoi pas?

Le salon, une grande pièce avec une fenêtre en baie donnant sur la rue, s'ouvrait sur leur gauche. Déjà, à cette heure, le garçon de la maison dut allumer la lampe électrique. La liaison au réseau datait de moins de deux ans, aussi la magie jouait toujours. Les autorités municipales avaient présenté cette innovation comme absolument nécessaire dans une ville désireuse d'attirer des investissements industriels.

Le décor un peu lourd de la pièce rappelait les goûts de la décennie précédente, l'ère de la reine Victoria. Le canapé et les fauteuils s'ornaient de coussins brodés, des guéridons permettaient de déposer les boissons. Dans un coin, une table octogonale servait à jouer à l'euchre avec des voisins ou des parents. Pourtant, depuis quelques années, le règne d'Édouard s'accompagnait d'un allègement de l'esthétique.

Dans la cuisine, Corinne ordonna :

— Graziella, préparez du thé et des biscuits pour mes amis et moi.

— Des biscuits ?

— Ceux de monsieur Viau feront parfaitement l'affaire.

Depuis quatre ans, les biscuits têtes-de-nègres de la société montréalaise connaissaient un grand succès. Les petits dômes de guimauve recouverts de chocolat portaient un nom pompeux : Empire.

En retournant dans le couloir, la jeune fille s'arrêta devant la porte vitrée de la salle à manger, afin de contempler son reflet. Elle était tentée de monter à sa chambre afin d'enlever la robe noire de son uniforme scolaire et de mettre un vêtement plus seyant. Toutefois, elle n'en fit rien. Les deux garçons ne payaient pas de mine non plus : ils portaient leur « suisse », la redingote typique des élèves des collèges. Côté tenue vestimentaire, tous les trois logeaient à la même enseigne.

❀

Quand elle retourna dans le salon, Corinne entendit son frère dire :

— Laurier a beau être premier ministre, le ministère en son entier est composé d'Anglais. Les Canadiens français n'exercent aucune influence sur le gouvernement.

Du haut de ses seize ans, Georges affichait sans discontinuer ses convictions politiques, que ses interlocuteurs s'y intéressent ou pas. Ces derniers mois, des nationalistes comme Henri Bourassa et Olivar Asselin méritaient toute son admiration.

— Tu exagères, objecta son ami. Brodeur, Lemieux, Geoffrion ne sont pas des Anglais, à ce que je sache.

Ces hommes occupaient des ministères à Ottawa. Fils de politicien municipal, Félix Pinsonneault ne cachait pas son ambition de devenir un jour député, et même ministre. Par ailleurs, le jeune homme se satisfaisait sans mal du parti au pouvoir aux deux niveaux de gouvernement. Après presque dix ans, celui-ci paraissait inamovible.

— Mais les postes importants nous échappent.

Corinne choisit ce moment pour intervenir :

— Graziella s'occupe de nous préparer un goûter.

Malgré la chaleur envahissant son visage, la jeune fille rejoignit le visiteur sur le canapé. Celui-ci saisit l'occasion pour échapper aux admonestations de son ami :

— Là, nous allons changer de sujet, sinon Corinne va nous trouver terriblement ennuyeux.

— Que j'aborde n'importe quel sujet, ma sœur ne s'intéresse jamais à ce que je dis.

— Sans doute parce que tu ne connais pas l'art de la conversation.

Du même âge que son ami, Félix affectait volontiers de bien connaître les usages de la vie en société, et surtout les rapports entre les représentants des deux sexes. Invérifiable, cette prétention rendait Georges morose. Lui-même regardait encore les jeunes filles de loin, très intimidé à la simple idée de leur adresser la parole.

— Alors, Corinne, les bonnes religieuses te font-elles des misères ?

— À part leur souci de nous enseigner quelques locutions latines, je les trouve tout à fait correctes.

— Du latin ? Pourquoi diable ? Comme aucune femme ne va à l'université, cela ne sert à rien. La broderie me semblerait plus convenable.

— Nous faisons aussi de la broderie. Cela ne nous servira pas non plus : de nos jours, les jolies parures s'achètent au magasin.

L'idée de passer des journées entières à confectionner une chemise pour leur nuit de noces, comme au siècle précédent, ne séduisait plus autant les jouvencelles.

— Mais pourquoi le latin ?

— La directrice nous a expliqué que nous pourrons comprendre nos époux, si ceux-ci émaillent leur conversation d'expressions comme *alea jacta est* ou *carpe diem*.

— Ah ! Évidemment, la compréhension dans les ménages est essentielle, admit Georges. Imagine quand Félix prononcera *Aut Cæsar, aut nihil* dans l'oreille de sa promise.

« Ou César, ou rien. » Le visiteur grimaça en entendant ridiculiser ses aspirations politiques. La petite bonne entra à ce moment, un plateau lourd dans les mains. Corinne s'empressa de placer une table devant le canapé, pour que la domestique l'y dépose.

— Je vous remercie, lui dit-elle.

Alors qu'Aldée s'apprêtait à quitter la pièce, Félix demanda :

— Mademoiselle, je pense ne vous avoir jamais vue ici.

— Euh… Je viens juste d'arriver, dit-elle, hésitante.

Déjà timide, devant un garçon de ce milieu, elle ne parlait plus que dans un murmure.

— Je me disais aussi. Autrement, je suis certain que je me souviendrais de vous.

La flatterie ajouta encore au malaise de la bonne.

— Et vous avez un petit nom ?

— … Aldée.

— Aldée ? Pas Rose ou Marguerite ?

Elle fit non d'un signe de la tête.

— C'est un joli prénom, Aldée.

Son « merci » s'avéra tout à fait inaudible. Les joues brûlantes, elle quitta enfin le salon. Dans le couloir, elle entendit :

— De jolis traits, mais pas mal maigrichonne.

Corinne serra les dents devant le compliment.

— Surtout à certains endroits… stratégiques, renchérit Georges.

— Toujours aussi observateur, Turgeon.

Formulée pour décrire une personne de son milieu, la réflexion aurait été jugée totalement déplacée. Mais il était bien inutile d'user de grandes précautions pour parler d'une domestique.

Corinne n'appréciait guère la tournure que prenait la conversation. Son regard descendit sur sa propre poitrine. Au moins, tout laissait croire qu'elle ne serait pas « maigrichonne » de ce côté-là.

Charmante hôtesse, après avoir versé le thé dans les tasses des deux garçons, elle se servit. Puis, en tendant une assiette où se trouvait une pyramide de biscuits Empire, elle proposa :

— Une tête-de-nègre, Félix ?

— Bien sûr. Monsieur Viau est en train de faire grossir tout le Québec.

Décidément, les rondeurs féminines confinaient à l'obsession chez lui, et il divisait la gent féminine en deux catégories : pas assez et trop. Corinne décida de se priver tout à fait de la friandise.

❁

Vers six heures, Félix Pinsonneault occupait toujours le même fauteuil dans le salon des Turgeon. Corinne était montée à sa chambre pour se changer. Sa robe d'un beau bleu royal la flattait. Quand elle revint auprès des autres, le regard du visiteur le lui confirma.

— Vas-tu manger avec nous ? lui proposa-t-elle.

— Oh ! C'est l'heure du souper ? Je n'ai pas vu le temps passer.

Parce que l'obscurité régnait sur la ville depuis un bon moment, difficile de croire qu'il n'avait aucune notion de l'heure.

— Je ne voudrais pas déranger.

Le même scénario se répétait souvent, chacun connaissait ses répliques.

— Tu ne dérangeras pas, voyons, affirma l'adolescente.

— Quand il y en a pour quatre, il y en a pour cinq, renchérit Georges.

Ce dernier se sentait d'autant plus enclin à le recevoir à la table familiale que lui-même se faisait inviter chez les Pinsonneault avec régularité.

— Si vous croyez que je peux, cela me fera plaisir.

La question était réglée. Peu après, Délia entra à la maison après un après-midi consacré à ses bonnes œuvres. En réalité, une bonne part de son temps était passée à boire du thé en papotant, et malgré tout, elle en tirait sa bonne conscience. Au son de la porte qui s'ouvrait et se refermait, Corinne se leva pour aller la rejoindre. À l'autre bout du couloir, Aldée vint s'assurer que l'on n'avait pas besoin d'elle, pour ensuite retourner vaquer à la préparation du souper.

— Maman, dit l'adolescente à voix basse en aidant sa mère à enlever son manteau, Félix est ici. J'ai jugé bon de l'inviter à souper.

La femme lui adressa un sourire de connivence, puis répondit aussi dans un murmure :

— Surtout, tu ferais bien d'en avertir Graziella.

L'instant d'après, débarrassée de son paletot, de son chapeau et de ses couvre-chaussures, elle se tenait dans l'entrée du salon en disant :

— Monsieur Pinsonneault, que nous vaut le plaisir de vous voir ?

Même si le timbre trahissait la raillerie, le garçon ne se sentit pas du tout gêné. Il entendait faire son chemin dans la vie avec son sourire et son opportunisme.

— L'amitié de votre fils, et de votre fille aussi, si je peux me permettre.

— Il serait indélicat de l'oublier. Bienvenue. Comme l'heure de passer à table approche, je vais prévenir mon mari.

Tout l'après-midi, Évariste avait reçu des patients dans son bureau de la maison. Délia passa d'abord dans la petite salle d'attente, se réjouit de la trouver vide, puis frappa à la porte du cabinet. La voix de son mari lui parvint :

— Entrez.

— Ce n'est que moi, annonça-t-elle en ouvrant.

— En voilà une façon de parler de toi.

L'homme quitta son siège pour venir lui faire la bise, puis posa une fesse au bord de son bureau. Elle occupa la chaise réservée aux visiteurs.

— Tu reviens de l'hôpital, je suppose.

— Oui. Devine pourquoi.

— Organiser une partie de cartes.

Il hocha la tête. Neuf fois sur dix, il s'agissait bien de cela.

— De ton côté, tu as connu un rude après-midi ?

Il perdit son sourire un bref moment, puis haussa les épaules pour marquer son impuissance.

— La routine. Un défilé de personnes inquiètes, pour la moitié des gens malades à cause de leurs mauvaises conditions d'existence. Et nous sommes encore au début de novembre.

La situation irait en s'aggravant, à cause du froid et d'une alimentation plus chère.

— Alors, autant aller manger, décréta-t-il en quittant sa place.

— Nous aurons la joie d'accueillir le jeune Pinsonneault.

— Félix ? Rassure-moi, nous ne l'avons pas adopté dans un moment de folie ?

Un éclat de rire lui répondit, puis elle précisa :

— J'espère que non, pour le bien de Corinne.

Le médecin présenta la mine de celui qui n'avait rien remarqué du penchant de sa fille. Le couple regagna le salon, le temps d'échanger quelques mots, puis la salle à manger.

❉

Les soirs où un convive s'ajoutait à la dernière minute, Graziella en avait pour quelques instants à présenter un visage maussade. Pourtant, Georges avait bien raison : quand il y en avait pour quatre… Alors, elle n'y songea plus.

À table, pendant un moment, la conversation porta sur le climat, la politique, l'économie. À la fin, pour ramener les convives à des sujets plus légers, Délia demanda :

— Félix, à part vos études et les dernières réalisations du Parti libéral, rien ne vous intéresse ?

Cette invitation à passer au seul sujet le préoccupant véritablement tira un sourire au jeune homme.

— Au collège, tout le monde parle de la même chose : le gars qui se cherche une épouse en arpentant la rue Saint-Charles.

— Vraiment, le rédacteur a trouvé la meilleure façon de faire parler de sa gazette, remarqua Évariste.

— Pour ça, oui. Vendredi dernier, une centaine de curieux allaient et venaient sur le trottoir, et hier, il y en avait le double.

En abordant ce point, le garçon provoqua une petite inquiétude chez ses amis.

— Là, vous m'étonnez, affirma Délia. Il s'agit d'un homme cherchant une femme, pas l'inverse.

— Donc, toutes les filles se tenaient là, aucun meilleur endroit pour les rencontrer. Les plus belles étaient présentes, dont la plus jolie : j'y ai rencontré Corinne.

Celle-ci se concentra sur son assiette, les joues rosies. Ce soir-là, prier Félix de garder le silence sur la petite expédition aurait fait puéril. Et voilà que sa désobéissance et son mensonge étaient révélés d'un seul coup : « J'étais chez Aline », avait-elle prétendu en rentrant le vendredi précédent.

Quand ses yeux croisèrent ceux de sa mère, elle comprit l'imminence d'une conversation « entre femmes ». Toutefois, Délia eut la délicatesse de demeurer discrète.

— Voilà qui remplacera sans doute le parc municipal, les soirs où la fanfare de Douceville ne s'y produit pas, comme lieu de rencontre.

Le docteur devinait bien l'intérêt des jeunes gens pour ce qui n'était sans doute qu'un canular au départ.

— Exactement ! Maintenant, nous devons tous y aller, sous peine de risquer le célibat perpétuel.

— Vous voulez dire que vous vous promenez de long en large, et vous abordez des jeunes filles inconnues ?

Délia devinait que, pour un garçon doté d'un tel bagout, l'exercice n'était certes pas bien difficile. Cependant, tous les timides de Douceville préféraient assurément être présentés à des jeunes filles intéressantes lors d'une fête familiale.

— C'est ça. Enfin, ce sera ça si j'y retourne. Vendredi dernier, j'ai parlé à Corinne, et Georges à Aline. Nous sommes tous les deux restés en pays de connaissance.

Cette façon de faire rompait avec les usages, mais dans un lieu public, devant tous ces témoins, personne n'y perdrait sa réputation.

❖

Si, lors de ses visites, Félix Pinsonneault côtoyait volontiers les Turgeon au salon ou dans la salle à manger, la chambre de Georges procurait un cadre plus intime pour aborder certains sujets. Un lit était poussé contre un mur, un vieux pupitre à rouleau contre l'autre. L'unique fenêtre donnait sur la cour arrière.

— Les curés vont finir par me rendre dingue, déclara Félix.

— Tout de même, ce n'est pas si terrible.

— On sait bien, toi, tu es un chouchou.

Plus exactement, Georges était un bon élève, aussi ses rapports avec les enseignants étaient plutôt cordiaux. Si son camarade échappait au titre de cancre, la queue de peloton lui était coutumière. Ce jour-là, l'insatisfaction de Félix découlait d'une mauvaise note pour une traduction d'un texte de saint Thomas.

— Je me demande pourquoi mon père veut que je fasse le classique, grogna-t-il. Pour vendre du charbon, l'école des frères aurait suffi, surtout qu'on y apprend la tenue de livres.

— Pour la culture générale.

— Bien sûr, connaître une langue qui ne sert à rien, ça fait cultivé. Au moins, si on apprenait l'anglais, ce serait bon pour les affaires…

Le latin ne lui paraissait pas susceptible de rendre riche un fils de marchand. Il secoua la tête de droite à gauche, comme pour chasser cette idée.

— La nouvelle bonne n'est pas vilaine.

Georges haussa les épaules, comme s'il n'avait pas remarqué.

— À la maison, on a une petite vieille. Rien pour me donner envie de tenter ma chance.

— … Que veux-tu dire ?

— Ne me dis pas que je devrai t'expliquer ce qu'on peut faire avec une fille !

Le garçon timide se troubla. Il savait bien que l'on pouvait faire « des choses » avec une fille, sans toutefois s'en faire une idée bien précise. Ou plutôt, ce qu'il en savait lui semblait improbable.

❁

Trahie par les babillages de Félix Pinsonneault, Corinne était montée à l'étage juste après les garçons, peu désireuse de partager le salon avec sa mère. Sa fuite ne la mettrait pas à l'abri des reproches de Délia. À peine cinq minutes plus tard, trois petits coups contre sa porte lui tirèrent un « oui » timide.

La femme entra. Comme l'adolescente était étendue sur le lit, elle s'installa sur la chaise.

— Comme ça, tous les jeunes de la ville marchaient dans la rue Saint-Charles la semaine dernière.

— … Presque tous.

— Et toi aussi.

La blonde hocha la tête de bas en haut.

— Tu te souviens de ce que je t'avais dit ?

— … De ne pas y aller.

Délia lui adressa un demi-sourire. Finalement, sa petite escapade ne lui vaudrait pas de reproche.

— Je ne comprends pas pourquoi l'histoire d'un jeune homme désireux de se marier t'intéresse autant.

— Oh! S'il m'avait demandée en mariage, j'aurais dit non tout de suite.

La répartie de la jeune fille tira un rire franc à la mère.

— Ce chercheur d'épouse n'existe sans doute pas. Personne ne songerait à mettre une annonce dans un journal dans cc but.

À ce sujet, madame Turgeon se trompait tout à fait. Tant aux États-Unis qu'en Europe, la recherche de l'âme sœur passait souvent par des presses d'imprimerie.

— D'un autre côté, plaida sa fille, tous les chercheurs d'épouse de la ville se promenaient sur le trottoir.

— Tu n'as pas l'intention de te marier cette année, tout de même.

— … Non.

L'hésitation laissait penser que la concession lui pesait. Si sa silhouette était celle d'une femme, son âge la confinait toujours au monde des petites filles.

— Je suis heureuse de l'apprendre. Je ne te vois pas avec une grande robe blanche l'an prochain, ni moi grand-mère l'année suivante.

La blonde répondit avec un sourire et un hochement de tête. Délia quitta sa chaise pour venir l'embrasser, puis lui souhaita bonne nuit en sortant.

❉

Le mercredi suivant, 15 novembre, Aldée se sentit obligée de prendre sa demi-journée de congé. Pendant l'après-midi, une promenade la conduisit jusque dans le parc devant l'hôtel de ville. Après une petite heure passée sur un banc à regarder les badauds aller et venir, elle se décida à rentrer rue de Salaberry. Son manteau la protégeait bien mal du froid humide.

Jusqu'au souper, elle s'enferma dans sa chambre afin de parcourir un petit roman intitulé *Après la pluie, le beau temps*. Des décennies plus tôt, la comtesse de Ségur avait produit à la chaîne des textes affreusement moralisateurs destinés aux enfants. Une petite bonne pouvait les lire pour tuer le temps.

Quand elle revint dans la cuisine, et malgré les protestations peu convaincues de Graziella, il lui fut impossible de ne pas aider à la préparation du repas. Toutefois, elle évita de participer au service dans la salle à manger, comme si elle craignait de se faire disputer pour ne s'être pas suffisamment reposée.

Quand le téléphone sonnait à son domicile, le docteur Turgeon prenait le plus souvent l'appel, car il pouvait s'agir de patients ayant besoin d'une consultation à son cabinet, ou alors réclamant une visite à domicile. Aussi, il décrocha dès la première sonnerie, donna son nom.

— Vous êtes en communication, fit l'employée de la société Bell.

— Évariste, c'est bien toi?

Au ton familier, le docteur sut que cet homme le connaissait, sans pouvoir l'identifier par le timbre de la voix.

— Norbert à l'appareil.

Le curé de Saint-Luc. Tout de suite, le praticien lui dit:

— La petite fait très bien son travail. Enfin, elle n'est pas encore habituée au travail de maison, mais elle se montre pleine de bonne volonté.

— Eh bien… Je suis heureux d'entendre cela, mais je ne venais pas prendre des nouvelles. Plutôt en donner.

Mauvaises, à en juger par son ton.

— Un demi-frère d'Aldée est décédé cet après-midi. Je lui ai donné l'extrême-onction hier.

— Que s'est-il passé ?

— Un rhume qui a viré en pneumonie, pour autant que je sache. Tu sais comment ça se passe. Une toux persistante, soignée avec un bas de laine autour du cou, des tranches d'oignon dedans, ou alors avec une mouche de moutarde.

Oui, Turgeon connaissait la panoplie des remèdes de bonne femme. Dans le meilleur des cas, ils ne nuisaient pas à la santé, mais ne guérissaient jamais personne. Dans le pire, les souffrances étaient abrégées.

— Tu vas lui annoncer la nouvelle, ou tu veux la faire venir au téléphone ?

— Je vais le lui dire.

— Tu penses qu'elle viendra aux funérailles ? C'est demain matin.

— Je ne sais pas. On parle d'une marche de plusieurs milles, et elle n'a pas les moyens de louer une voiture.

Il y eut une pause, puis le prêtre dit :

— Écoute, je ne sais pas si l'information peut être utile, mais le notaire doit recevoir une livraison de bois demain matin. Le commis du marchand acceptera peut-être de lui donner le passage.

À la campagne, les commerçants transportaient parfois des voisins ou des amis. Le curé précisa le nom de la société concernée. La conversation dura encore un moment, puis ils se quittèrent sur un « à bientôt » dénué d'enthousiasme. Ensuite, le docteur Turgeon resta songeur, assis à son bureau. Dans son travail, l'annonce d'un décès probable, ou d'un décès avéré, faisait partie de la routine. Toutefois, son épouse s'occupait du personnel de maison, et lui déléguer la corvée d'informer la petite bonne du décès de l'enfant lui épargnerait un moment pénible.

Délia lui présenta de grands yeux effarés en entendant la nouvelle, puis accepta d'emblée la tâche.

— J'irai le lui annoncer, mais elle ne pourra pas se rendre là-bas par ses propres moyens.

Peut-être la femme espérait-elle voir son époux se dévouer et effectuer ce trajet pour le bénéfice d'Aldée. C'était impossible, sa journée du lendemain se passerait largement à l'hôpital. Cependant, il lui donna l'information à propos du marchand de bois.

— Bon, je vais d'abord téléphoner de ce côté.

La bourgeoise se dirigea tout de suite vers l'appareil posé sur le bureau de son mari.

Chapitre 6

Vers huit heures, une fois la vaisselle du souper terminée, Aldée songeait déjà à regagner son lit. L'arrivée de Délia Turgeon dans la pièce la prit au dépourvu, et la mine grave de celle-ci lui glaça le cœur. Tendant la main pour la poser sur son épaule, la patronne chuchota :

— Aldée, mon mari vient de parler au curé de Saint-Luc, au téléphone. J'ai peur d'avoir une très mauvaise nouvelle pour toi.

Le contact physique troubla la domestique encore plus ; elle en avait si peu l'habitude. Ce ton catastrophé, elle le connaissait. Aussitôt, le souvenir de la mort de sa mère lui revint en mémoire.

— Papa…

— Non, ton père va bien. Il s'agit de ton petit frère. Évariste n'est pas certain d'avoir bien compris son nom. Paul…

— Polidor.

— Oui, c'est ça. Il est mort cet après-midi.

L'adolescente demeurait immobile, muette. Son chagrin ne s'exprima que par des larmes coulant sur ses joues. La patronne parut sur le point de la prendre dans ses bras, mais l'impavidité de la jeune fille la retint.

— Monsieur le curé a dit à mon mari qu'une livraison de bois de construction devait avoir lieu demain. Le commerçant veut bien te prendre avec lui.

Il s'agissait d'un heureux hasard. Autrement, Aldée n'aurait sans doute pas pu se rendre dans sa paroisse à temps pour la cérémonie funèbre.

— Il partira à sept heures. Voici son adresse.

Avant de venir lui apprendre la mauvaise nouvelle, Délia avait réglé les détails de l'expédition. Sur un morceau de papier, Aldée reconnut le nom de la rue, Richelieu. Graziella et elle s'étaient promenées dans ce coin presque deux semaines plus tôt.

— Je suis désolée.

Le silence de la domestique dura une demi-minute. Près du gros poêle, la cuisinière était figée, ne sachant trop quelle attitude adopter. Quand madame Turgeon fit mine de quitter la pièce, Aldée réussit à murmurer :

— Je vous remercie, madame.

La bourgeoise lui adressa l'ombre d'un sourire, puis retourna vers sa famille.

— La petite… murmura Graziella.

Sans écouter, l'adolescente s'élança vers l'escalier dérobé, grimpant deux marches à la fois.

❋

Corinne se couchait assez tôt les soirs de semaine, afin de se lever fraîche et dispose pour aller à l'école. Quand elle passa devant la porte du salon, déjà en robe de chambre, elle distingua sa mère assise dans son fauteuil habituel, songeuse. Seule une petite lampe jetait dans la pièce un éclairage discret.

— Maman ?

La femme sursauta.

— Il se passe quelque chose ?

— Non… Enfin, oui. Entre, et ferme la porte.

La jeune fille se sentit très impressionnée par la tristesse du ton. Quand elle fut assise sur le canapé, sa mère expliqua :

— Tout à l'heure, j'ai annoncé à Aldée la mort de son petit frère. Depuis, de très mauvais souvenirs me reviennent en mémoire.

Des larmes montèrent aux yeux de l'adolescente. Pourtant, dans son cas, les événements évoqués ne représentaient même pas une réminiscence. Tout au plus un vague sentiment de désespoir.

— Dans ta main, c'est lui ?

Délia tenait un tout petit cadre. Elle le lui tendit. Il s'agissait d'un portrait d'elle, avec un poupon dans les bras.

— De quoi est-il mort ?

Sa mère haussa les épaules, comme pour signifier son ignorance.

— De la fièvre, une diarrhée. Selon ton père, cela a pu être causé par quelque chose dans l'eau ou par des aliments pas frais. Les jeunes enfants sont fragiles, tous les parents enterrent l'un ou même plusieurs des leurs. Je dois me compter chanceuse, j'ai deux enfants en très bonne santé.

Tout de même, son regard comportait une pointe d'inquiétude. Il restait tant de risques, avant de parvenir à l'âge adulte. L'année précédente, la tuberculose avait frappé au couvent Notre-Dame. Une jeune fille de quinze ans avait passé toute une journée en chapelle ardente au milieu de la salle académique.

— Tu devrais aller dormir, maintenant.

Corinne se leva, embrassa la joue de sa mère, puis monta à l'étage.

Le jour où Aldée avait quitté Saint-Luc, Polidor toussait. Le début d'un rhume, pas même mauvais. Deux semaines avaient suffi à le tuer. Pour l'adolescente, la nuit s'écoula seconde après seconde. Pas le moindre instant de sommeil n'abrégea sa souffrance.

Quand elle mit les pieds dans la cuisine, le lendemain à cinq heures trente, Graziella la reçut en disant :

— T'as toute ma sympathie, la petite.

Elle répondit par un hochement de tête à peine perceptible. Quand elle fit mine d'ouvrir le garde-manger, la vieille femme la prit par les épaules pour la pousser vers la table.

— Assis-toé là, j'vas te donner des œufs.

— Je n'ai pas faim.

— Bin, tu vas manger pareil. T'as une longue journée devant toé.

Une protestation n'aurait servi à rien.

Une fois qu'Aldée eut l'assiette sous le nez, son appétit s'éveilla. Graziella continua de s'affairer à la préparation du déjeuner de ses patrons. Cela ne l'empêchait guère de parler.

— Moé, c'est pour ça qu'j'ai jamais voulu me marier. Les enfants, une fois sur deux, on les fait pour les enterrer.

Sans détenir de grandes compétences en statistiques, elle ne se trompait pourtant pas. Télesphore et Hémérance avaient eu six rejetons ensemble jusque-là. Aujourd'hui, ils porteraient au cimetière un troisième petit cercueil.

— C'est pas que les prétendants se bousculaient à ma porte, mais un mari, ça se trouve toujours. J'préférais gagner ma vie comme cuisinière. J'peux m'entretenir moé-même, au lieu de voir un homme me condamner à crever de faim.

Aldée se demanda si ce court exposé visait à la convaincre de ne pas s'intéresser aux garçons.

— Vous auriez dû faire une sœur.

Même dans ces circonstances, l'adolescente ne perdait pas tout à fait son ironie.

— Pour ça, je d'vais pas être assez bonne catholique, ou assez instruite. Mais toé, si tu voulais devenir maîtresse d'école, t'as certainement pensé à ça.

Aucune petite fille de la province de Québec n'atteignait ses seize ans sans avoir été habitée, pendant deux ou trois ans, par la certitude d'entendre l'appel de Dieu. Pour la plupart, le désir de mener une vie plus libre, quoique plus précaire, l'emportait.

— Ça aurait voulu dire que je n'aurais pas pu aider papa.

— Ouais, t'es une bin bonne fille.

La cuisinière laissa échapper un long soupir. À être trop bonnes, certaines finissaient par passer à côté de leur propre destin.

❋

La perspective de faire un long trajet avec un parfait inconnu ne réjouissait guère Aldée, mais elle ne pouvait pas faire autrement. Quand elle arriva chez le marchand de bois de la rue Richelieu, elle découvrit deux gros chevaux attelés à un camion. Un homme se tenait debout sur sa cargaison de planches, occupé à les attacher pour n'en perdre aucune en chemin. Il toisa la jeune fille, puis demanda :

— C'est toé qui vas à Saint-Luc ?

— Oui, monsieur.

— Bon, bin monte en avant.

Il voulait dire sur la banquette. Mais l'idée de passer une heure collée à un étranger l'intimidait beaucoup trop.

— Je préfère m'asseoir sur les planches.

— Bon, si tu y tiens.

S'installer sur la cargaison présentait un autre avantage : ainsi, Aldée ne serait pas forcée de faire la conversation. Bientôt, la voiture se mit en branle. Assise à six pieds du sol, appuyée sur ses mains posées derrière elle, elle laissa ses pensées la ramener aux années précédentes, quand le gentil Polidor ne ménageait pas son affection. Parmi les enfants d'Hémérance, il était son préféré. Un enfant trop doux, trop gentil pour survivre dans un monde aussi cruel que celui d'une petite ferme de Saint-Luc.

À neuf heures trente, le livreur s'arrêta devant l'église. Déjà, des cultivateurs attachaient leurs chevaux aux clôtures environnantes. Dans une si petite communauté, le rite funèbre attirait tout le monde.

— Moé, je livre mon bois, pis je retourne à Douceville dans une heure, tout au plus une heure et demie.

En s'occupant de lui procurer un moyen de transport vers sa paroisse d'origine, Délia ne s'était pas souciée de son retour. Ou alors son guide n'estimait pas sa compagnie suffisamment agréable pour avoir envie de l'attendre.

— Des funérailles, c'est long, puis il y a la visite au cimetière. Ce ne sera pas fini.

— Bah ! Dans tout ce monde, y en aura un qui ira dans la bonne direction tout à l'heure. Il s'agit de demander.

Pendant l'échange, Aldée était descendue de son perchoir. L'homme fit claquer les guides sur le dos de son attelage pour le faire avancer, puis s'éloigna sans un au revoir. Abandonnée sur le chemin public, Aldée le regarda un moment, puis un frisson l'incita à aller se réfugier dans l'église.

Elle aurait été embarrassée d'aller s'asseoir toute seule au premier rang, alors elle préféra occuper le banc familial en attendant sa parenté. Des paroissiens vinrent lui offrir leurs sympathies. Ses remerciements furent à peu près inaudibles.

Après une quinzaine de minutes, les grandes portes s'ouvrirent pour laisser passer un petit cortège. Télesphore marchait en tête, portant le petit cercueil par un bout pendant qu'un voisin soutenait l'autre. Avec ses planches mal assemblées, la boîte évoquait une caisse destinée au transport de légumes. Derrière lui venaient Hémérance et leur fille la plus âgée. Chacune portait un enfant dans ses bras. Personne n'avait pensé à éviter aux bambins la cérémonie lugubre. D'un autre côté, peut-être que la nécessité de s'occuper des vivants épargnait à la mère de sombrer dans le désespoir.

Des yeux, Aldée renoua avec son père, puis marcha avec les siens. Comme sa cadette peinait sous son fardeau, elle prit le bébé dans ses bras.

Sur le banc de droite de la première rangée, la petite famille endura le long service, écouta le curé parler du nouveau petit ange rappelé si tôt pour tenir compagnie à Jésus. Le Messie devait s'ennuyer beaucoup, pour réclamer un si grand nombre de jeunes camarades.

Après la messe, la famille Demers, avec des oncles et des tantes, marcha jusqu'au cimetière. Le sol glacé rendait difficile la tâche de creuser la tombe. Télesphore avait élevé la voix en face du fossoyeur, menaçant de faire lui-même le trou dans la terre s'il se désistait. Après des heures d'effort, une fosse de trois pieds de long put accueillir le petit corps. L'autre option aurait été de le mettre dans le charnier jusqu'au printemps.

Pendant les dernières prières, Télesphore se planta près de son aînée pour lui expliquer :

— Depuis le début du mois, y a pas arrêté de tousser. La dernière semaine, y quittait pus son lit.

Aldée se contenta de hocher la tête, réprimant l'envie de demander quel traitement avait recommandé le médecin.

Peut-être qu'on ne l'avait même pas appelé, faute de moyens. Parfois, mieux valait ne pas savoir. Puis tout le monde revint vers la rue. La voiture du cultivateur les attendait tout près. Le père demanda :

— Tu viens à la maison ?

— … Non, je ne veux pas rater le retour du livreur à Douceville.

Elle mentait. Celui-ci était certainement déjà loin. Toutefois, l'idée de faire le long détour vers la ferme familiale avec ces gens désespérés ne lui disait rien. La fuite lui permettrait de réduire sa souffrance.

Graziella avait bien raison : les domestiques mangeaient bien, dormaient à peu près au chaud, sans travailler plus que les paysans. Ses demi-frères et demi-sœurs la fixaient avec de grands yeux effarés. Elle eut l'impression qu'ils lui demandaient de les sortir aussi de la misère. Leur présence ajoutait à sa déprime. Hémérance paraissait hébétée. Quant à son père, toujours distant, il ne saurait ni la consoler ni la rassurer. Autant regagner bien vite l'oasis de la rue de Salaberry.

Pendant un long moment, les Demers demeurèrent silencieux, puis le plus jeune toussa. Cela agit comme un signal.

— Y fait frette. Nous aut', faut y aller.

— Oui, moi aussi.

Après un nouveau silence, Aldée murmura :

— Bonne chance.

Elle tourna les talons. Elle avait fait trois pas quand son père lança :

— On essaiera de se revoir à Noël.

— Oui, bien sûr.

L'adolescente n'en croyait rien. Chez les Turgeon, les visiteurs devaient se succéder à bon rythme pendant la période des fêtes. Non seulement les domestiques ne profitaient pas de congé, mais on devait en embaucher d'autres pour une semaine ou deux.

La distance jusqu'à Douceville n'était pas très longue, un adulte en bonne condition physique pouvait la couvrir à pied en deux ou trois heures. Pour une jeune fille plutôt petite, pauvrement nourrie depuis sa naissance, il en faudrait quatre. L'effort la réchauffait malgré ses vêtements légers, au point où la sueur lui coulait dans le dos. La recette parfaite pour attraper la mort. L'image de Polidor couché dans sa petite boîte de bois, quatre pieds sous terre, la hantait. Quand le rejoindrait-elle ?

À trois heures et demie, Aldée entrait directement dans la cuisine, par la porte de côté.

— Bonté divine ! s'exclama Graziella, t'es pas r'venue à pied ?

L'adolescente ne répondit pas. Elle accrocha son manteau à un clou, se laissa choir sur une chaise.

— Quelqu'un devait t'amener là-bas !

— Il l'a fait, mais il ne voulait pas attendre la fin de la cérémonie pour revenir. J'ai marché.

Malgré la chaleur du poêle, un grand frisson parcourut son corps. Une théière chauffait déjà, la cuisinière lui servit une tasse. La boisson lui réchauffa d'abord les mains, puis tout le corps.

— En plus, j'parie que t'as pas mangé.

Aldée secoua la tête de droite à gauche. Bientôt, l'odeur du pain en train de rôtir sur les plaques de fonte du poêle la fit saliver. Avec une bonne couche de beurre et de sucre brun, cet en-cas la remonta. Toutefois, ses jambes la faisaient souffrir. Après avoir avalé la dernière bouchée, elle annonça :

— Je vous demande pardon de délaisser ainsi mon ouvrage, mais je vais aller m'étendre. Je descendrai pour vous aider à servir le souper.

— J'veux pas te voir au travail avant demain midi. À soir, tu descendras manger. Là, t'as besoin de te reposer.

— M'occuper me ferait du bien.

— Dormir aussi.

Inutile de protester. Après la dernière nuit passée sans sommeil, elle dormirait comme une bûche. Quand Aldée se dirigea vers l'escalier de service, sa collègue lança :

— Pis là, j'm'en vas dire ma façon de penser au salaud qui t'a laissée r'venir à pied.

La menace serait mise à exécution, déjà elle enlevait son tablier.

— Voyons, il avait à retourner à son travail.

— Ouais, bin, s'il est pas trop grand, j'vas lui botter le cul, à ce bourreau de travail.

La précision sur la taille du quidam tira un sourire à la jeune fille. Haute de cinq pieds, Graziella ne présentait peut-être pas une bien grande menace. Pourtant, la voir prendre ainsi son parti lui fit chaud au cœur.

❧

Ce soir-là, le service laissa à désirer. Graziella demeurait scandalisée du sort fait à sa collègue.

— C'est comme j'vous dis, madame. Est revenue à pied. Est arrivée gelée d'un travers à l'autre.

— Le curé de Saint-Luc avait lui-même parlé à mon mari de cette livraison chez l'un de ses paroissiens, signala la bourgeoise.

Délia Turgeon tenait à identifier le vrai responsable de cet impair.

— Cela signifie des heures et des heures de marche ! intervint Corinne.

Elle essayait de s'imaginer dans la même situation. Après un mille, elle se serait sans doute assise au bord de la route pour pleurer toutes les larmes de son corps.

— Quatre bonnes heures, mam'zelle.

— Maintenant, où est-elle ? voulut savoir la patronne.

— Dans son lit. J'vas lui monter de quoi manger tout à l'heure.

Le sujet de la précarité de l'existence et du manque de générosité du genre humain occupa les Turgeon jusqu'à la fin du souper.

En soirée, Corinne se présenta dans la cuisine, un peu mal à l'aise ; il était rare qu'elle entrât ainsi dans le quartier des domestiques à une heure où celles-ci étaient en droit de se reposer.

— Graziella, avez-vous monté quelque chose à manger à Aldée ?

— Non, pas encore.

La cuisinière s'était levée dès l'arrivée de sa jeune patronne, et là, elle se sentait totalement prise en défaut.

— Dans ce cas, si vous me le permettez, je vais m'en charger.

Comment refuser ? La vieille domestique chercha un morceau de pain, du jambon, un verre d'eau. La fille de la maison trouva la pitance peu ragoûtante, mais jugea préférable de taire son opinion. Gravir l'escalier dérobé avec un plateau dans les mains sans rien renverser se révéla difficile, frapper à la porte de la chambre aussi. Surtout qu'elle dut s'y reprendre à deux reprises avant d'entendre un « entrez » endormi.

— Peux-tu venir ouvrir ? J'en ai plein les mains. Je t'apporte de quoi manger.

Dans la chambre, Aldée demeura un instant immobile, souhaitant renvoyer la jeune bourgeoise d'où elle venait. Elle ne pouvait pas se l'autoriser. Cependant, l'idée de se montrer dans ses sous-vêtements de pauvresse lui était intolérable.

— Attendez un instant, je m'habille.

Après avoir enfilé son uniforme de bonne, elle ouvrit.

— Mademoiselle…

— J'ai pensé venir te dire combien je compatis à ta peine, tout en me rendant un peu utile.

— Vous n'auriez pas dû…

— Je sais, m'imposer comme ça n'est pas bien délicat. Je peux rester un moment avec toi ?

Au moins, elle ne s'illusionnait pas sur la situation : elle s'imposait. L'employée de la maison ne pouvait lui refuser l'accès à sa chambre.

— … Oui, je suppose que oui.

Corinne chercha un endroit où poser le plateau, trouva le mobilier très sommaire. Après une pause embarrassée, Aldée poursuivit :

— Je vais m'asseoir sur le lit et le prendre sur mes genoux.

À cause du verre d'eau, l'opération nécessitait une certaine habileté. De son côté, Corinne approcha une chaise.

— Maman a perdu un enfant alors que j'avais quatre ans, révéla-t-elle à Aldée. Je ne m'en souviens pas vraiment, mais que la même chose t'arrive aujourd'hui me fait une impression étrange. Comme un vide ici.

Elle posa sa main sur son cœur pour bien se faire comprendre. Aldée s'étonnait qu'un événement comme celui-là puisse aussi survenir dans la maison d'un médecin.

— Pour moi, c'était la troisième fois. Mais ma vraie mère a aussi perdu des bébés avant ma naissance.

— Ta vraie mère ?

La situation familiale des Demers fit l'objet d'une mise au point : une mère à la santé fragile qui n'avait mené qu'une seule grossesse à son terme, une belle-mère enterrant un enfant sur deux.

— Comme c'est triste.

Le constat ne méritait aucun autre commentaire. Pourtant, la sollicitude de son interlocutrice toucha encore plus Aldée que la révolte de Graziella, au point de lui faire monter les larmes aux yeux. Une quinte de toux la dispensa de répondre.

— Tu as pris froid.

— … Ce n'est rien.

Mais elle ne pouvait ignorer les similitudes entre son état et celui de Polidor le jour de son départ de Saint-Luc. Tous les rhumes, bénins ou mortels, commençaient de la même façon.

— Tout de même, tu devrais voir papa.

— Non, ce n'est pas la peine.

— Il ne te demandera rien, tu sais.

La précision heurta encore plus profondément son amour-propre.

— Demain, ce sera rentré dans l'ordre.

— Peut-être pas. Puis ta réaction me gêne, parce que je voulais te proposer autre chose.

Jolie blonde aux yeux bleus, Corinne savait sourire de façon désarmante. Il devait être difficile de lui dire non.

— Selon Graziella, tu es revenue congelée cet après-midi. De mon côté, pendant la dernière année, j'ai beaucoup… profité.

Le dernier mot vint avec un éclat de rire et un regard vers sa poitrine.

— Tu pourrais porter mon manteau d'hiver de l'an dernier.

— Non, ce n'est pas…

— … la peine, je sais. Comme pour une consultation avec mon père. Mais nous ne sommes qu'en novembre. Si tu préfères, tu peux geler jusqu'en mars, et moi je peux donner mon manteau à quelqu'un d'autre.

Corinne quitta sa chaise pour la remettre près du mur. Debout au centre de la pièce minuscule, elle conclut :

— Tout à l'heure, je le laisserai dans la cuisine. Si tu n'en veux pas, Graziella s'occupera de le remettre à l'une de ses connaissances susceptibles de le porter. Une fois encore, je t'offre toute ma sympathie. Bonne nuit.

Elle sortit sur ces mots. Aldée lui retourna le souhait dans un murmure. Pendant un long moment, elle songea à sa difficulté d'accepter qu'on lui fasse la charité. La pitié des autres avait quelque chose de blessant… mais le froid aussi.

❧

Passé la mi-novembre, plus rien ne subsistait de la dernière querelle entre Corinne et Aline. La seconde, partant de la rue Richelieu, s'était arrêtée rue de Salaberry pour effectuer le dernier bout de chemin avec son amie. Après quelques pas, la blonde interrogea :

— Tu connais Aldée ?

Inutilement, elle précisa :

— Notre petite bonne.

— Évidemment, depuis deux semaines je la vois chez vous.

— Hier, son petit frère est mort.

Aussitôt, la nouvelle attrista Aline.

— Quand je l'ai appris, cela m'a fait tout drôle. Je ne me souviens pas vraiment quand mon frère est mort, mais c'est comme si l'émotion de cette époque était revenue.

Quand le deuil pénétrait dans une maison, tout devenait gris, même pour les très jeunes enfants. Profondément déprimée, Délia avait communiqué son désarroi à ses deux rejetons.

— Moi, je me souviens bien des deux fois, lui confia Aline.

À titre d'aînée, aucun des drames familiaux ne lui avait échappé.

— Tu sais pourquoi on laisse le cercueil d'un enfant dans le coin du salon pendant plus d'une journée ?

Pendant cette exposition du cadavre, parents et amis devaient venir et compatir au malheur de ses proches.

— Moi, la nuit, je m'imaginais qu'Albert ou Édouard, c'étaient leurs noms, marchaient dans la maison, venaient me retrouver dans ma chambre. Je tentais de les chasser, mais ils s'accrochaient à moi, avec des doigts comme des griffes et des dents de chien.

Voilà pourquoi les religieuses mettaient tant d'énergie à conserver hors de portée de leurs élèves des romans aussi terribles que le *Dracula* de Bram Stoker et les ouvrages d'un certain nombre de ses imitateurs. Quand de véritables décès survenaient dans la vie, inutile de chercher à se faire peur dans la fiction.

Ensuite, toutes deux accomplirent le trajet dans le plus grand silence.

Le lendemain matin, les longues heures de marche avaient imprimé sur le corps d'Aldée leur mauvais souvenir :

des jambes endolories au point de nuire à ses déplacements. Elle entra dans la cuisine en esquissant une grimace.

— T'as pas l'air dans ton assiette, commenta Graziella.

— Ça ira. Je pourrai faire ma journée.

Comme pour le lui prouver, la jeune fille sortit les couverts de l'armoire. Sur la table, elle dut déplacer un amoncellement de vêtements.

— Tu peux les monter tout de suite, pour faire de la place.

— Les monter?

— Hier soir, la petite patronne a déposé tout ça pour toé.

La petite patronne, c'était Corinne. En quittant la chambre d'Aldée, elle avait fait une razzia dans ses vêtements devenus trop petits, pour ensuite les abandonner dans la cuisine. Un manteau se trouvait bien dans le lot, mais aussi une robe, des bas, des sous-vêtements.

— C'est du beau linge. T'auras l'air d'une bourgeoise, là-dedans.

Le commentaire agit comme une piqûre.

— Je ne veux pas de ses vieilles choses.

— Pour du monde comme nous autres, du linge vieux comme ça, c'est du neuf.

La bonne secoua la tête de droite à gauche, puis reporta son attention sur le petit déjeuner. Quand elle servit à table, Corinne lui adressa un sourire entendu, comme pour dire: «Tu vois, j'ai tenu parole.» Silencieuse, Aldée détourna les yeux. Le souvenir du froid enduré la veille érodait sa fierté.

Pourtant, en lavant la vaisselle, quand la cuisinière lui demanda quand elle débarrasserait la table de ce tas de vêtements, Aldée répliqua:

— Je n'en veux pas. Je ne veux pas recevoir la charité de ces gens. Chaque fois que je les croiserai, je serai gênée.

Graziella arrêta de frotter la poêle à frire pour lever les yeux vers elle.

— Tu vas faire quoi, quand y fera vraiment frette ? T'enfermer de décembre à avril ?

— C'est mieux que de me promener dans les vêtements d'une autre…

— Tu le fais déjà avec ton uniforme. Pis ta robe trop petite, que t'avais quand t'es arrivée icitte, a v'nait directement de chez Dupuis Frères ?

La cuisinière marquait là un bon point. Jamais Aldée n'avait porté un vêtement neuf, pas même ses couches, pas même les sous-vêtements taillés dans des sacs de farine. Après un dernier moment d'hésitation, elle céda dans un soupir.

— Je monterai tout ça quand nous aurons terminé.

Le ton dépité amena sa collègue à préciser :

— Tu sais, la fierté, c'est pas pour nous autres. De toute façon, la p'tite va donner son linge, comme a l'a toujours faite. À toé ou à une autre. A d'vient une poule toute grasse, a rentre pus dedans.

— Elle est plus jeune que moi.

— Bin visiblement, est mieux nourrie. J'le sais, j'y fais à manger depuis qu'est au monde.

Quelques minutes plus tard, Aldée rangeait ses nouveaux vêtements dans la commode et la penderie de sa chambre. Elle allait sortir quand une envie lui vint. Vivement, elle se troussa, puis détacha le cordon retenant sa culotte en toile à sac pour la remplacer par un sous-vêtement de coton venu d'un grand magasin.

Chapitre 7

Près de la rivière Richelieu, les notables de Douceville, et certains Montréalais qui y possédaient des résidences secondaires, avaient créé un club nautique. Être propriétaire d'un bateau exigeait des moyens importants. Même s'ils comptaient pour une faible minorité de la population, les anglophones représentaient la majorité des membres, au point où l'appellation Yacht Club s'imposait le plus souvent. Les embarcations les plus imposantes étaient mues par la vapeur, certaines par des moteurs à essence. Tout de même, la voile et la rame dominaient, quant à la force motrice.

Avec le départ des derniers estivants, l'établissement fermait ses portes jusqu'au printemps suivant. Toutefois, un samedi de novembre, un groupe de matrones était venu enlever les housses des meubles et balayer la poussière pour permettre une activité sociale, un thé dansant qui se prolongerait en soirée. Bien que l'activité vise d'abord à réunir des jeunes gens, madame Turgeon y avait été conviée, comme d'autres épouses de notables. Un peu après quatre heures, elle se retrouvait flanquée de madame Nantel, l'épouse du juge. La dame arborait une coiffure complexe, ramassée sur le dessus de son crâne, si ample que l'on s'attendait à la voir pencher la tête vers l'avant.

— Je suis tout de même surprise que monsieur le curé ait autorisé une petite sauterie de ce genre, déclara l'épouse du médecin. Dans bien des paroisses, la danse est défendue.

— Nous ne sommes pas en pays de colonisation, mais en ville ! Il ne peut surveiller tous les comportements.

Dans les campagnes, les jeunes gens se déplaçaient quoi qu'il en soit, souvent sur de bonnes distances, pour se réunir dans une paroisse au pasteur plus tolérant. Partout, on tentait de profiter de la modernité. Tout en regardant son fils, Jules, qui se tenait au centre d'un petit groupe de collégiens, madame Nantel ajouta :

— Puis l'abbé a imposé un certain nombre de conditions pour assurer le bon ordre de la réception.

D'abord, les parents y avaient été chaleureusement invités. Ceux des jeunes filles en fleur viendraient assurément. Les garçons échappaient plus facilement à une telle surveillance. Ensuite, aucun alcool n'était toléré.

— Votre époux se joindra à nous ? demanda Délia.

— Il s'est trouvé un compte-rendu de procès à revoir de toute urgence pour se désister. Le vôtre ?

— Il a promis de venir dès la fin de ses consultations.

L'épouse du juge lui adressa un sourire peut-être un peu envieux, puis se dirigea vers son fils en disant :

— À tout à l'heure.

Délia la regarda rejoindre Jules, un grand garçon à l'air sage. Georges se tenait à côté de lui. Dans un autre coin de la salle de réception, des jeunes filles papotaient tout en lançant des regards furtifs aux représentants de l'autre sexe.

Évariste apparut dans l'entrée. Le temps de déposer son manteau et son chapeau au vestiaire, il vint rejoindre sa femme.

— Je suis surprise de te voir arriver si tôt.

— Il y a sans doute une épidémie de bonne santé dans la ville. Je ne m'en fais pas trop, la situation reviendra vite à la normale. Et ici ?

— Si le but était de recréer une fête de village pour permettre à ces jeunes de se parler, c'est raté.

Des yeux, elle désignait les filles regroupées d'un côté de la salle, et les garçons de l'autre. Et entre les deux, une espèce de *no man's land*.

— Tu sais, je ne vaudrais pas mieux, à leur place. De toute façon, les musiciens ne sont pas encore là.

Justement, au même moment, une demi-douzaine de types en habit de soirée, des instruments à la main, montaient sur une petite estrade. Des membres du Cercle philarmonique de Douceville. Leur arrivée marqua le début de la fête. Les familles se rassemblèrent autour des tables ; les jeunes dont les parents étaient absents se joignirent à leurs meilleurs amis.

❁

Félix Pinsonneault et Aline Tremblay retrouvèrent les Turgeon à leur table. Assise juste en face du garçon, Corinne rougissait comme jamais. Pour l'occasion, elle portait une robe bleue. Ses cheveux blonds relevés dégageaient son cou et ses oreilles. Sa silhouette déjà généreuse était celle d'une femme, pendant que son teint et ses traits étaient ceux d'une petite fille.

Pour rompre le silence, Délia demanda :

— Monsieur Pinsonneault, vos parents n'ont pas désiré vous accompagner ?

Le jeune homme commença par rire de bon cœur, puis répondit :

— Papa ne se déplace que pour gagner des clients, ou des votes. Il ne pensait trouver ni les uns ni les autres ici… Remarquez, je crois qu'il a tort. Au contraire, c'est lui qui aurait dû avoir le premier l'idée de ce petit rassemblement, et venir l'inaugurer. Les pères de tous ces jeunes ont le droit de vote.

Comme il ne s'agissait que de propriétaires, le garçon disait vrai.

— Et votre mère ?

— Ses trois fils la tiennent occupée. Enfin, surtout les deux qui sont à la maison ce soir.

L'autodérision rendait le collégien charmant. Les musiciens entamèrent une valse, mais personne ne bougea. Aline se pencha vers son amie pour murmurer :

— Tu as vu ? Il est là.

Corinne ne comprit pas instantanément, mais en suivant son regard, elle aperçut Jules Nantel. Le garçon et sa mère étaient à la table d'une autre famille.

— Tout à l'heure, il m'a observée.

L'événement serait sans doute noté dans son journal intime, si elle en tenait un.

Quand l'orchestre amorça un second morceau, la piste de danse était toujours déserte. Évariste dévisagea sa femme, puis remarqua :

— Décidément, si personne ne se lance… Toutes ces jeunes personnes se sont dotées d'un carnet de bal, et aucune n'y inscrira le moindre nom.

Alors, il se tourna vers sa fille, lui tendit la main.

— Mademoiselle, m'accorderiez-vous le plaisir de cette danse ?

Depuis cinq minutes, Corinne espérait que Félix agisse exactement de la même façon. En acceptant l'invitation de l'auteur de ses jours, elle renonçait pour un instant à ce que cela arrive. D'un autre côté, quitte à danser pour la première fois devant un public, autant que ce soit avec le partenaire le plus tolérant qui soit.

Ils commençaient à tourner quand Félix, tout de même un peu intimidé, s'adressa à Délia :

— Madame, me feriez-vous l'honneur… ?

Elle hésita juste un moment, puis prit sa main. À la veille de ses quarante ans, elle demeurait une partenaire très attrayante.

— J'espère que je ne suis pas trop maladroit, dit-il après quelques pas.

Cet aveu d'insécurité la toucha.

— Le jour de vos noces, vous serez devenu un danseur compétent.

La présence de deux couples sur la piste rendit les autres convives moins timides. Quand ils furent une dizaine, Georges passa outre à son malaise et, malgré des joues rouges et la certitude de sa maladresse, il invita Aline. Finalement, personne à cette table ne dansait avec le partenaire de son choix, sauf lui.

❋

À huit heures, des jeunes gens âgés de quinze à vingt ans quittaient le Club nautique, pour la plupart avec au moins un de leurs parents, souvent les deux. Les autres continuaient de se greffer à une famille connue. Personne, même parmi les gardiennes autoproclamées de la moralité publique, ne trouverait un motif pour condamner l'activité de la soirée.

Dans la rue, le docteur Turgeon marchait avec son épouse à son bras. Derrière venaient Georges avec Aline Tremblay, ensuite Corinne avec Félix Pinsonneault.

Le fils du médecin jetait des regards en biais à sa cavalière, comme pour jauger de nouveau ses charmes. La petite brune présentait de jolis traits. Ses yeux sombres avaient quelque chose de brûlant. Son bref examen justifiait qu'il se soucie de l'effet qu'il avait produit.

— J'ai bien peur de m'être montré un piètre danseur tout à l'heure.

L'adolescente esquissa un léger sourire au souvenir de la première valse de la réception.

— Je ne pense pas être très apte à juger la performance des autres. Chez moi, les sets carrés sont plus à la mode.

Elle évoquait les *square dances*, l'un des nombreux emprunts des Canadiens français à la culture anglaise. Les marchands de la rue Richelieu gardaient sans doute un meilleur souvenir de leurs origines rurales que les professionnels longtemps scolarisés au cours classique.

— Tout de même, tu bouges mieux que moi.

La remarque tira un sourire à Aline. Comment devait-elle l'interpréter ? L'avait-il trouvée aguichante ? Comme dans le Nouveau Testament, quand Hérode payait avec la tête de saint Jean le Baptiste la danse de sa belle-fille ? Elle ne connaissait aucun autre récit de séduction.

— Vas-tu te dénicher un maître à danser, comme on dit dans les pièces de Molière ?

Le ton moqueur piqua l'orgueil de Georges, mais il choisit de prendre la chose en riant.

— Si tu vois une annonce dans le journal à ce sujet, tu me le feras savoir.

Trois pas derrière eux, Félix Pinsonneault n'aurait jamais eu l'idée d'admettre qu'il manquait d'habileté en quoi que ce soit. Ce soir, il se sentait fier d'avoir tenu dans ses bras une douzaine de jeunes filles, sachant chaque fois trouver les mots pour les flatter. Sa seule vraie déception tenait au fait qu'aucune de ses relations avec ces couventines élevées dans la crainte de Dieu ne dépasserait jamais le niveau des conversations bien sages, puisqu'il fallait attendre le passage devant l'autel pour se livrer au moindre geste d'intimité.

— Tu es particulièrement séduisante dans cette robe bleue.

La chaleur monta aux joues de Corinne. Oui, sa robe bleue soulignait parfaitement la couleur de ses yeux. Puis, elle s'arrêtait tout au plus deux pouces au-dessus de ses chevilles. Une robe de femme, et non un vêtement de fillette allant à mi-mollet.

— … Merci.

Devait-elle dire « Toi aussi, ton costume te va bien », ou demeurer silencieuse ?

— J'espère que des rencontres de ce genre se produiront encore. Voilà qui nous change de jouer aux charades sous la surveillance de nos parents.

La blonde résolut aussitôt de ne plus remettre ce jeu au menu de la soirée quand Félix viendrait à la maison.

— Pourtant, releva-t-elle, je suppose que plusieurs personnes trouveront à redire. Les bonnes âmes ne sont pas en faveur de la danse.

— À entendre les grenouilles de bénitier, je me demande comment elles ont fait pour avoir des enfants. Nous devons tous tenir notre naissance à une intervention du Saint-Esprit.

Cette fois, Corinne se réjouit de l'obscurité ambiante, car cette allusion aux mystères de la naissance lui paraissait terriblement osée. Personne ne parlait de cela, sauf au confessionnal. Et encore. Jamais elle-même ne trouverait le courage de le faire.

Tous les jeunes gens devaient se féliciter de cette réception. Chacun et chacune avait la satisfaction d'avoir dansé avec l'élu de son cœur, ce qui compensait la déception de l'avoir vu tenir dans ses bras au moins une demi-douzaine de ses compétiteurs dans la course au bon parti.

Restait à espérer que, la prochaine fois, le malaise dû à la nouveauté de l'expérience s'estomperait afin que chacun puisse mieux en profiter.

❁

Les jours suivants, rien ne se vit de la nouvelle garde-robe d'Aldée. Cette discrétion ne pouvait pas durer toujours, elle revêtirait le manteau de Corinne à son prochain congé. Quant à la consultation médicale qu'avait mentionnée Corinne après son retour de Saint-Luc, elle y échappa jusqu'à ce qu'un soir, une quinte de toux la secoue au moment de servir la soupe.

— Je m'excuse, balbutia-t-elle en portant sa main devant sa bouche.

Le docteur Turgeon détailla son visage, puis s'enquit :

— Cela dure depuis votre longue marche, n'est-ce pas ?

— J'ai sans doute pris froid ce jour-là.

— Tout de suite après le repas, vous passerez par mon bureau.

L'homme l'impressionnait tant qu'elle n'osa pas protester. Pareille attitude aurait ressemblé à de l'insubordination. Cependant, de retour dans la cuisine, Aldée plongea les mains dans l'eau de vaisselle au lieu de se plier à l'injonction. Vers huit heures, ce fut madame qui vint dans l'entrée de la cuisine pour l'avertir :

— Aldée, mon mari t'attend.

— Je ne veux pas déranger.

— Ne dis pas de sottises. Un examen prendra une minute, et il ne te fera pas de mal.

Après s'être essuyé les mains, la petite bonne se rendit devant la porte ouverte du bureau du praticien. Comme il penchait la tête sur des documents, elle dut frapper sur le cadre.

— Monsieur…

— Ah! Vous voilà. Entrez et fermez derrière vous.

Machinalement, les yeux d'Aldée se portèrent sur le squelette. Dans les circonstances, il faisait plus sinistre encore.

— Passez derrière le paravent et enlevez votre uniforme. Je vous rejoins tout de suite.

Elle voulut protester, mais une quinte de toux la rendit docile. Momentanément à l'abri des regards, la jeune fille retira sa robe noire. En sous-vêtements, avec toujours sa coiffe blanche de domestique, elle aurait pu provoquer le rire. Le médecin se montra toutefois très sérieux quand il s'approcha d'elle.

L'adolescente était extrêmement mal à l'aise. Pour la première fois de son existence, elle se montrait peu vêtue à un étranger. Or, même avec les membres de sa famille, sa pudeur avait été indéfectible. Elle croisa les bras devant sa poitrine. Son patron plaça les embouts de son stéthoscope dans ses oreilles, puis murmura :

— S'il vous plaît.

Dans son bureau, le vouvoiement d'usage entre un médecin et sa patiente s'imposait. Heureusement, il ne lui demanda pas d'enlever sa camisole. Il promena le pavillon sur sa poitrine, dans son dos. Le froid rendait les pointes de ses seins turgides, ajoutant à son trouble. Des seins de petite fille encore, malgré ses seize ans.

— Respirez à fond, par la bouche.

Elle s'exécuta, puis toussa à sa demande. Le moment de s'allonger sur une couchette surélevée augmenta encore son embarras. Le docteur palpa son abdomen tout en la questionnant sur ses maladies d'enfant.

— Remettez votre robe et venez me rejoindre.

Enfin, l'expérience prenait fin. Aldée se rhabilla, puis se planta debout devant le pupitre du praticien. Celui-ci lui indiqua la chaise devant lui.

— Vos poumons sont clairs…

La mine de sa domestique l'amena à préciser :

— Vous n'avez ni tuberculose ni pneumonie. Je vais vous donner un sirop pour soulager votre gorge. Vous n'avez pas encore vos règles, n'est-ce pas ?

Comme le visage d'Aldée montrait son incompréhension, il dut préciser :

— Vous n'avez jamais saigné, là…

Le mot « là » désignait toujours quelque chose de gênant. Les joues brûlantes, elle fit signe que non.

— Je vais dire à Graziella de vous donner de l'huile de foie de morue, puis, mangez plus que nécessaire à tous les repas. J'aimerais que votre poids augmente de quelques livres.

Le médecin alla fouiller dans l'une des armoires, revint avec une fiole contenant un liquide brunâtre. Il lui indiqua la posologie, puis la renvoya dans ses quartiers avec des paroles rassurantes.

❀

Ce soir-là, dans la chambre à coucher des Turgeon, Délia posa son magazine sur sa table de chevet quand son mari vint la rejoindre dans le lit conjugal.

— Puis, comment se porte-t-elle ?

— Pas mal, compte tenu de son histoire. Elle est trop maigre, trop petite, mais ce sont des maux que Graziella saura soigner.

— Quand elle se tient près de Corinne, on voit bien qu'elle a été pauvrement nourrie.

Le père se retint de signaler que si leur domestique devait manger davantage, sa fille, elle, pourrait réduire ses rations.

— Au point qu'elle n'a pas encore ses règles. Je me demande même si elle sait de quoi il s'agit. Enfin, je n'ai pas voulu le lui expliquer, ce n'est pas mon rôle.

Le sous-entendu était clair pour Délia : « Si tu veux t'en charger, libre à toi. » La tâche ne la réjouissait guère.

✺

La vie des femmes se partageait entre le soin de leur époux et celui de leurs enfants. Dans le cas des bourgeoises, puisque les domestiques assumaient les aspects les plus pénibles de ces tâches, les œuvres charitables les distrayaient pendant les heures creuses. À Douceville, l'hôpital bénéficiait des plus grands efforts. Il s'agissait de confectionner des tricots, d'organiser des loisirs admissibles, et même de rendre visite aux plus isolés. Mais surtout, il fallait trouver de l'argent.

Très régulièrement, ces dames patronnesses organisaient des tournois d'euchre pour les notables. En aidant sa femme à enfiler son manteau, Évariste maugréa :

— Nous avons si souvent des cartes à la main, je gagnerais une fortune s'il s'agissait de poker.

— Ou tu la perdrais, cette fortune.

— Peut-être. Allez, viens.

Le couple s'engagea dans la rue de Salaberry. Le trajet vers l'hôpital ne leur prendrait que quelques minutes.

— Quel prix vais-je offrir au gagnant, ce soir ?

Tout l'exercice prenait la forme d'une compétition, aussi les dames patronnesses achetaient à tour de rôle un objet susceptible d'exciter les convoitises. Le grand gagnant le remporterait en guise de trophée.

— Une jarre à tabac de terre cuite.

— Oh ! Je ne serai pas trop peiné de perdre.

— C'est une belle jarre, fabriquée à la main en Angleterre.

— Comme ça, tu n'as pas encouragé la manufacture d'à côté ?

— Elle a fermé ses portes l'été dernier.

Douceville avait abrité une poterie industrielle dont les produits, en réalité, auraient été trop grossiers pour un pareil aréopage.

À l'approche de l'hôpital, le couple eut l'occasion de saluer de nombreuses connaissances. Ils s'arrêtèrent un instant pour échanger quelques phrases avec les Pinsonneault, puis entrèrent dans l'édifice. Au passage, ils déposèrent cinquante cents dans une soucoupe. La soirée rapporterait une cinquantaine de dollars grâce à ce droit d'entrée.

Une grande salle au demi-sous-sol pouvait recevoir des dizaines de personnes. Des banderoles pendaient du plafond, des bouchées et des biscuits pour les dents sucrées étaient étalés sur des tables contre le mur. Une cafetière et une théière fumaient déjà. En plus des prix pour les meilleurs joueurs, des dames charitables avaient fourni la nourriture et les boissons, et décoré la pièce avec goût. Tôt le lendemain matin, elles verraient à tout nettoyer. Ces tâches, confiées à des servantes chez elles, elles les accomplissaient de bonne grâce dans ce contexte.

— On va s'asseoir là, suggéra Pinsonneault.

Le docteur Turgeon réprima une grimace. Le maire de la ville affectait une bonhomie et une familiarité qui tombaient facilement sur les nerfs. Il comptait parmi ces connaissances que l'on souhaitait plus distantes.

La pièce était dotée d'une vingtaine de tables à cartes provenant d'autant de foyers. Délia s'assit la première, le médecin fit mine de se placer juste en face.

— Ah non! On ne fait pas équipe avec nos femmes.

Le gros homme en pinçait visiblement pour l'épouse de son interlocuteur. Toutefois, il présenta des arguments plus neutres :

— Tu comprends, quand on est trop complices, ça devient tentant de tricher. Et ainsi, les forces seront plus équilibrées.

À ce sujet, il avait raison. Évariste et Délia jouaient bien, le maire convenablement, mais son épouse était totalement novice. D'une table à l'autre, les bourgeois échangeaient des salutations. Le juge Nantel s'attarda un moment auprès du médecin pour un bout de conversation, puis alla s'installer un peu plus loin.

L'euchre retenait l'attention des amateurs de cartes dans de larges régions du sud-ouest de l'Angleterre, des États-Unis et du Canada. Au Québec, toutes les sociétés de bienfaisance, les amicales d'ouvriers ou de professionnels, ainsi que les associations d'étudiants organisaient de telles compétitions. Dans une multitude de foyers, les familles les imitaient.

Évariste prit sur lui de distribuer les cartes. Dans ce jeu, on en gardait seulement vingt-quatre : les neuf, les dix, les valets, les reines, les rois et les as. Chaque joueur en recevait d'abord trois, puis deux au tour suivant. Le médecin posa les cartes restantes au milieu de la table, celle du dessus la figure vers le haut.

Chacune des parties durait un peu plus de vingt minutes. Après un tour, les perdants étaient éliminés, les vainqueurs passaient au tour suivant. Sans surprise, le docteur Turgeon et l'épouse du maire furent éliminés.

— Je m'excuse, marmonna celle-ci.

Évidemment, sa compréhension limitée du jeu laissait peu de chances à son coéquipier.

— Ne vous désolez pas, je ne tenais pas à passer deux heures à jouer, puis le prix pour les hommes vient de chez moi.

Elle lui adressa un sourire reconnaissant. Peu après, d'autres perdants, un avocat vieillissant et sa femme, vinrent les rejoindre à leur table. Ceux-là tenaient une tasse de café et un beignet. La conversation porta sur des connaissances communes, sur l'hiver prochain, puis sur les progrès économiques du pays. Depuis dix ans, les Canadiens étaient entrés dans une ère de prospérité sans précédent.

Un peu après dix heures, le juge Nantel et sa femme affrontèrent en finale un couple de marchands. Ceux-là prenaient la victoire très au sérieux. Au terme de la compétition, le magistrat parut très fier de rapporter chez lui la jarre à tabac, comme son épouse de revenir avec un panier où ranger son matériel de couture et de broderie.

Sur le chemin de la maison, pendue au bras de son mari, Délia commenta :

— Tu as eu l'occasion de passer presque toute ta soirée près de madame Pinsonneault, et je me demande si elle t'a dit six phrases.

— Son Honneur le maire parle pour trois personnes. À la maison, elle ne doit pas avoir l'occasion de pratiquer l'art de la conversation.

— Lui ne converse pas, il se livre à d'interminables monologues.

Chacun des époux souhaitait qu'à la prochaine occasion, qui aurait lieu un mois plus tard tout au plus, le hasard leur donne d'autres compagnons de jeu.

❉

Le couple Pinsonneault avançait d'un cône de lumière au suivant, sur le chemin du retour à la maison de la rue Richelieu. Tous les deux de petite taille, affublés d'un embonpoint compatible avec leur statut de marchands prospères, ils marchaient en se dandinant. Des témoins se seraient amusés de les voir. Eux ne s'amusaient pas vraiment.

— Franchement, Délia sait demeurer très jolie, observa le bonhomme. À quarante ans, avec ses deux enfants, elle garde un corps de jeune femme.

Cet éloge de l'épouse d'un autre était en partie dû à son mépris, en partie à sa cruauté. Sa conjointe gardait toutefois une langue acérée.

— Je pourrais en dire autant d'Évariste. Grand, mince, élégant, instruit, raffiné.

En cinq mots, elle venait de faire la liste des attraits dont son mari était privé. Il serra les dents, mais n'osa pas rétorquer. La femme continua :

— Je ne sais pas pourquoi tu m'emmènes à ces activités. Je déteste les cartes, je n'ai rien de commun avec tous ces gens.

— Tu es mon épouse, ta place est à mes côtés. Aucun de ces bourgeois n'est venu seul ce soir.

— Puis, si je ne t'encombrais pas, tu pourrais chanter la pomme à toutes leurs femmes ! Je te voyais tout à l'heure avec l'épouse du juge Nantel. Elle buvait tes paroles.

Les mots atteignirent leur cible. Tout le long de leur conversation, madame Nantel avait gardé la tête rejetée en arrière, les lèvres et le nez pincés, comme si une mauvaise odeur l'incommodait. Grande et mince, elle dépassait le maire de cinq ou six bons pouces.

— Cette vieille chipie, ronchonna ce dernier, elle se prend pour la reine, dans cette ville.

Celle que les gens appelaient «madame la juge» se donnait le rôle d'arbitrer les mœurs de Douceville. Un commentaire cinglant lui permettait d'ostraciser la femme à la langue déliée, à la robe trop courte ou à la démarche ondulante. Même la formation des nouveaux couples devait recevoir l'aval de la dame Nantel. Tout cela parce qu'elle avait le pouvoir de faire et de défaire les réputations.

— Si celle-ci ne te convient pas, tu pourras réserver toutes tes attentions à Délia.

— Ta place est à côté de moi.

Avec son statut de *pater familias*, lui seul régentait la vie de la famille.

Chapitre 8

Le samedi, Félix Pinsonneault vint passer un bout d'après-midi chez les Turgeon, sous pretexte d'étudier pour les examens d'avant Noël. Si les coups de heurtoir s'entendirent dans tout le rez-de-chaussée, la maîtresse des lieux ne quitta pas son fauteuil. La jeune bonne sortit de la cuisine pour aller lui ouvrir. L'adolescent entra sans qu'on l'y invite et annonça :

— Je viens voir Georges. Il est là ?

— Oui… Enfin, je crois, murmura Aldée.

— Tu crois ?

L'ironie ne lui échappa pas, et le tutoiement spontané la heurta.

— Monsieur ne me tient pas au courant de ses allées et venues.

— Monsieur ! Ça me fait drôle que quelqu'un l'appelle monsieur. Pour toi, je suis un monsieur aussi ?

— … Évidemment.

Voulait-il se moquer d'elle ? Des yeux, il la détaillait. Son regard scrutant sa poitrine la mit mal à l'aise. Pourquoi la fixer là ? Il n'y avait rien à voir, de toute façon.

— Toi, si je me souviens bien, c'est Aldée.

Ne sachant trop quelle contenance adopter, l'adolescente garda le silence.

— Bon, t'es pas trop jasante.

Tout en parlant, il enlevait son manteau. Elle le prit pour l'accrocher dans la penderie, fit de même avec son chapeau melon.

— Vous l'êtes pour deux, rétorqua-t-elle.

La répartie arracha un ricanement au visiteur. Après avoir enlevé ses couvre-chaussures, il déclara :

— Pas nécessaire de m'accompagner, je connais le chemin.

Pour s'engager dans le couloir, Félix la contourna en laissant son bras effleurer son corps, sa paume esquissant une caresse sur les fesses de la bonne. D'un coup, le sang d'Aldée envahit ses joues. Un « Oh ! » murmuré passa ses lèvres. L'idée de protester, ou même de le gifler, ne lui vint même pas. La surprise l'avait figée sur place.

Bien élevé, le garçon se planta dans l'entrée du salon pour saluer son occupante :

— Bonjour, madame Turgeon. J'espère que tout va bien pour vous.

Il la lorgnait avec aplomb. Délia portait une jupe bleue, un chemisier de même couleur mais plusieurs tons plus pâle. La tenue soulignait avec élégance ses yeux, ses cheveux blonds. Ceux-ci comprenaient bien quelques fils blancs, mais si peu nombreux qu'ils ne la déparaient pas. Son allure pouvait fort bien retenir l'attention d'un garçon de seize ans visiblement attiré par le sexe faible.

— Très bien, dit-elle. De votre côté, la vie vous traite à votre convenance ?

Elle esquissait un sourire moqueur devant cet adolescent volontiers charmeur.

— Si l'école n'existait pas, le monde serait parfait.

À ce moment, Aldée passa derrière lui d'un pas vif pour regagner la cuisine. La conversation lui montrait la connivence entre ces « gens-là ». Une plainte concernant le geste déplacé du jeune homme n'aboutirait pas.

— Sans elle, vous demeureriez parfaitement ignorant.

— Ne croyez-vous pas que les choses les plus importantes s'apprennent à l'extérieur de l'école ?

— Bon, vous n'allez pas m'entretenir de l'école de la vie, n'est-ce pas ?

Cela valait un congédiement en bonne et due forme. Félix échangea encore quelques mots avec la maîtresse de maison, puis il monta l'escalier.

❧

Georges, dans sa chambre, était étendu sur son lit, un roman populaire dans les mains. Manifestement, les prochains examens le troublaient très peu.

— C'est bon ?

— Des cow-boys, des sauvages et un million de coups de fusil. Le plus drôle, c'est que l'auteur est un Allemand, Karl May.

— Tu mènes une vie trépidante.

Le visiteur se laissa choir sur la chaise placée près de la table de travail de son ami.

— Ça te dit de venir faire un tour à Montréal ? proposa-t-il.

— Pour quoi faire ?

— Quelque chose de plus amusant que lire de mauvais livres. Aller voir le spectacle du parc Sohmer, par exemple.

L'endroit servait de terrain de jeu à plusieurs catégories de personnes. Le jour, les enfants contemplaient divers animaux pas tellement exotiques, ou effectuaient des tours de manège. Le soir, différents types de spectacles étaient offerts aux adultes. Un dénominateur commun les liait : des femmes à diverses étapes du déshabillage.

— Je me vois mal quêter dix dollars à mon père pour aller voir Dalila, la séductrice de Samson, en pleine action.

Dans la très catholique province de Québec, des sujets bibliques servaient de cadre à des spectacles osés. Un article dans un journal anglais avait évoqué celui-là.

— Alors, demande-lui vingt dollars pour aller visiter les locaux de l'Université Laval à Montréal. Il sera tout content de te voir si bien disposé à suivre de brillantes études et il ne te posera pas de questions indiscrètes.

Cela vaudrait sans doute la peine de tenter l'aventure. Du reste, avant de se ranger, il convenait de vivre un peu. Ils en étaient à préparer leurs plans quand quelques coups contre la porte les interpellèrent.

— Qu'est-ce que c'est ? demanda Georges.

La poignée tourna, puis la tête de Corinne apparut dans l'embrasure.

— Je croyais bien avoir entendu des voix. Bonjour, Félix.

— Bonjour, Corinne, la salua celui-ci en lui adressant son meilleur sourire.

— Vas-tu souper avec nous ?

— Je ne sais pas… Personne ne m'a invité.

La blonde lui fit un grand sourire, comme si sa présence ensoleillait sa journée.

— Moi je t'invite. Je vais dire à Graziella d'ajouter un couvert pour toi.

— Merci, tu es la plus accueillante.

Le plaisir sur son visage s'avéra si perceptible que Georges se sentit gêné, comme s'il assistait à un moment d'intimité. Sa sœur disparut. Sans doute voudrait-elle participer à la confection du repas.

— J'espère que je ne m'impose pas, remarqua le visiteur quand la porte se fut refermée.

— Comment douter, après cet accueil ?

L'emballement de Corinne dérangeait son aîné, d'autant plus que son attirance pour son camarade d'école ne paraissait pas payée de retour. Il en eut immédiatement la preuve.

— La petite bonne, tu en penses quoi ?

Le garçon de la maison haussa les épaules, incertain du sens de la question.

— La trouves-tu jolie ?

— ... Oui, je suppose.

En réalité, Georges ne s'y était pas vraiment intéressé. La nouvelle domestique était si timide et discrète, se déplaçant en longeant les murs, craignant toujours d'attirer l'attention. Félix, pour sa part, gardait inscrite dans son souvenir la rondeur dans sa paume. Une expérience suffisamment grisante pour qu'il ait envie de la répéter.

❖

Le geste de Félix avait déclenché une tempête dans l'esprit d'Aldée. Et dans son corps aussi. La notion de mauvais toucher ne lui était pas étrangère. Si les mots « Œuvre de chair tu ne désireras qu'en mariage seulement » paraissaient bien mystérieux, les remontrances par couches successives de sa belle-mère, Hémérance, de la maîtresse d'école et du curé les lui avaient fait comprendre.

Dans le confessionnal, le prêtre posait aux enfants de plus de douze ans des questions susceptibles de les éclairer. « As-tu de mauvais touchers sur ton corps ? » La question la troublait encore bien davantage quand l'ecclésiastique la tutoyait. Certains affichaient cette familiarité. Ces touchers, pour être mauvais, ne concernaient ni le nez ni les cheveux, mais bien l'entrejambe, et accessoirement la poitrine et les fesses. Un an ou deux plus tard, l'interrogation prenait une autre forme : « Quelqu'un te touche-t-il ? »

Pour la première fois, on l'avait touchée, sans lui procurer de plaisir. De son côté, Félix en avait-il tiré la moindre satisfaction ? Avoir grandi dans une ferme permettait à Aldée de comprendre l'enchaînement des réactions physiques masculines, sans toutefois lui avoir révélé grand-chose sur le désir des êtres humains et sur sa satisfaction. Elle n'avait rien remarqué de particulier chez ce garçon, mais bien sûr, jamais ses yeux ne s'étaient portés sous sa ceinture. Et puis, cela ne devait pas être aussi apparent – bestial – que chez un cheval ou un bœuf.

Ces pensées troublantes donnaient à son visage un air revêche, au point que, quand elle entra dans la cuisine, Graziella s'exclama :

— Seigneur ! Viens-tu de voir un croque-mort ?

— Non, seulement monsieur Félix.

— Bin, il te fait un drôle d'effet ! C'est vrai que le fils de monsieur le maire, c'est pas rien.

Qu'était-elle en train d'imaginer ? Tout de suite, elle regretta de l'avoir nommé. Cependant, la curiosité l'emporta :

— Son père, c'est vraiment quelqu'un d'important ?

— Y a un gros commerce dans la rue Richelieu, pis pour être maire, y doit avoir beaucoup d'influence.

Une influence suffisante pour avoir réussi à se faire élire d'abord, et une influence plus grande encore depuis son accession à ce poste.

— T'as pas entendu le patron, à table ? Maintenant, il rêve de devenir député. R'marque, moé, ça m'est bin égal, j'ai pas le droit de vote, pis toé non plus.

La cuisinière venait de clore le sujet. Aldée aurait bien voulu en apprendre davantage, mais en même temps, jamais elle n'oserait formuler ses questions les plus importantes à haute voix. Ni à voix basse, d'ailleurs. Déjà, elle prenait la résolution de ne pas mentionner ce mauvais toucher dans ses péchés lors de sa prochaine confession. De toute façon, l'initiative ne lui appartenait pas, et puisqu'elle n'y avait trouvé aucun plaisir, la faute ne lui revenait pas non plus.

Une trentaine de minutes plus tard, Corinne arrivait, le rose aux joues, pour annoncer :

— Ce soir, nous serons cinq à table. Monsieur Félix se joindra à nous.

— Ah ! Avec un hôte de cette qualité, faut-y sortir le service des grands jours et préparer un repas de six services ? s'informa Graziella.

La raillerie échappa totalement à la jeune fille.

— Non, ce ne sera pas nécessaire. Ajoutez seulement un couvert de plus, et préparez plus de tout ce qui se trouve au menu.

— Ça s'ra faite, mademoiselle.

Quand Corinne eut disparu, la domestique prédit en riant :

— Bin, celle-là, si a sait s'y prendre, ça finira à l'église.

— Que voulez-vous dire ?

— Tu r'marques pas ? A n'en voué pus clair.

La situation parut d'autant plus troublante à Aldée. Un jeune homme lui empaumait une fesse, et sa jeune maîtresse se pâmait sur lui.

❁

Avec son chapeau melon sur la tête et son beau paletot sur le dos, Félix Pinsonneault réussissait à se donner une allure de dandy. Tandis qu'il retournait au domicile de ses parents, le souvenir de la caresse à Aldée lui tirait un sourire satisfait. La bonne n'avait pas dit un mot. La honte sans doute, la peur de perdre son emploi, mais peut-être aussi un peu de plaisir.

Quand il entra dans la grande demeure de la rue Richelieu, il nota que la lampe électrique était allumée dans le salon. Son père était seul dans la pièce, un journal dans les mains.

— Tu passes beaucoup de temps chez le docteur, nota-t-il en repliant le périodique. Je finirai par penser que tu t'intéresses à la jeune fille de la maison.

— Je l'aime bien. C'est une belle fille.

— Ouais, on peut dire que la nature l'a gâtée.

Le commentaire fut souligné d'un rire gras. Dans la bouche du maire, l'évocation de la générosité de la nature désignait directement l'ampleur de la poitrine de l'adolescente. Félix fouilla un bref instant dans une petite armoire, en sortit une bouteille de bière, but une gorgée au goulot tout en prenant place dans un fauteuil.

— Mine de rien, sa mère la surveille de près.

Le garçon venait de donner le motif pour lequel il n'avait pas encore tenté sa chance auprès de la demoiselle.

— Délia l'amènera au mariage avec sa fleur, j'en suis sûr.

Pour les filles de bonne famille, il ne pouvait en aller autrement. Le maire tendit la main pour prendre son verre de gin sur un guéridon, en avala une gorgée.

— Ça veut dire que si elle t'intéresse, tu ne la touches pas.

Sous des airs de butor, Pinsonneault tenait à certaines valeurs. Les filles à marier, il convenait de les respecter.

— Moi, pour le moment, j'ai l'œil sur la servante. Le mariage, c'est pour dans dix ans.

— La p'tite maigrichonne?

Le bonhomme secoua la tête de droite à gauche, avec l'air de dire: «Tous les goûts sont dans la nature.»

— Certainement pas la cuisinière!

Cette fois encore, Pinsonneault laissa entendre un rire gras.

— Tu t'es déjà demandé pourquoi ta mère veut pas d'une p'tite bonne dans la maison? Bin là, t'as ta réponse.

Avant le fils, le père avait manifesté un certain intérêt pour les amours ancillaires. Avec à-propos, l'épouse se contentait d'une vieille femme pour toute aide domestique. Elle préférait que les accrocs au contrat de mariage se déroulent ailleurs que sous le toit familial.

Le maire marqua une pause, puis expliqua, un ton plus bas :

— Tout de même, vas-y doucement chez le bon docteur. J'veux en faire un échevin.

— Il se désintéresse totalement de la politique.

— Voilà sa principale qualité ! Jamais il n'a trempé dans des magouilles, le peuple lui fera confiance.

La politique partisane recevait son lot de critiques, surtout à propos des malversations permettant un enrichissement personnel. Un collaborateur irréprochable procurait une virginité d'emprunt, en quelque sorte.

— À part sa réputation intacte, à quoi servira-t-il ?

— *Le Canada français* multiplie les articles sur les problèmes de salubrité publique. Turgeon pourra diriger le comité d'hygiène.

Félix devait convenir que son père savait se montrer habile en recrutant un homme respectable et respecté. La bonne réputation du médecin faciliterait la prise de décisions difficiles qui seraient nécessairement contestées par les personnes soupçonnées d'empoisonner la population.

❀

Finalement, le docteur Turgeon ne s'était pas montré réticent au projet d'expédition de son fils vers la métropole. Dans la chambre à coucher, étendue sur le lit conjugal, Délia demanda :

— Crois-tu que ce soit une bonne idée de le laisser partir seul pour Montréal ?

— Il ne sera pas seul, le jeune Pinsonneault l'accompagnera.

— Penses-tu me rassurer ? Quand un garçon de seize ans se trouve en compagnie d'un camarade du même âge, cela s'appelle voyager seul.

Georges ne serait majeur que dans cinq ans, mais des adolescents plus jeunes que lui entraient à l'usine tous les matins. Des jeunes filles aussi.

— Que proposes-tu ? Que nous envoyions Graziella avec eux ? Ça leur ferait un charmant chaperon. Avec elle, leur vertu serait farouchement protégée.

Dans le cas des jeunes filles, cette précaution s'imposait absolument, sous peine de perdre tout à fait leur réputation. Personne ne se montrait aussi regardant sur la moralité des garçons.

— Cesse de te moquer ! Je pourrais très bien y aller avec eux. Cela me donnerait l'occasion de visiter Dupuis Frères. Je me risquerais bien chez Morgan, mais là-bas, aucun employé ne parle français.

— Voilà qui me rassure, je n'aurai pas à donner des consultations tous les soirs afin de payer la facture.

Le grand magasin de l'ouest de la ville semblait inaccessible à la plupart, même aux bourgeois de Douceville.

— Toutefois, Georges n'aimerait pas faire l'objet de ta surveillance. À son âge, on ne visite pas Montréal avec sa maman.

Le praticien s'étendit, un journal à la main. Ses occupations de la journée lui permettaient rarement de le parcourir en entier.

— Par ailleurs, ta compagnie paraîtrait un peu étrange à l'université.

— Quelle curieuse idée, cette visite. Il fréquentera encore le collège pendant plus de deux ans.

— Connaître cet établissement le motivera sans doute.

Jamais Turgeon ne doutait que son fils suivrait ses traces. Il rêvait même de lui céder plus tard son cabinet.

— Il perdra une journée d'école.

— Ce qui ne devrait pas nuire à ses études. Comme je suis médecin, le directeur croira à son indisposition.

Délia avait envie de poursuivre la discussion, mais jamais son époux ne changerait d'avis.

❀

Douceville connaissait un certain développement industriel grâce à la présence de deux voies ferrées, celles du Canadien Pacifique et du Grand Tronc. La gare de cette dernière société était située au bout de la rue Longueuil, pas très loin du domicile des Turgeon.

Debout sur le quai, Georges ne cachait pas son impatience.

— Nous descendrons à la gare Bonaventure un peu avant midi. Nous pourrions y dîner.

— Pas question ! Nous allons profiter de la ville. Il y a des dizaines de bons restaurants. Tiens, pourquoi ne pas manger à l'hôtel Windsor ?

Il mentionnait l'établissement le plus chic de Montréal. Mentalement, le fils du médecin fit l'inventaire de ses ressources. S'offrir un repas à cet endroit risquait de le condamner à jeûner le soir. Il lui restait le trajet vers la ville pour ramener son ami à plus de modestie.

Un coup de sifflet indiqua que le train s'engageait sur le pont traversant la rivière Richelieu. Bientôt, la locomotive s'approcha dans un nuage de vapeur blanche, s'arrêta dans le crissement du métal contre le métal. Les deux amis montèrent dans un wagon avec l'impression d'entamer une grande aventure.

❊

Avant de se rendre à la gare, Georges était venu dans la cuisine pour manger une rôtie avec de la confiture. Graziella l'avait accueilli avec une affection bourrue. Seize ans plus tôt, le poupon braillard lui paraissait condamné à mourir jeune tant il était maigre. Maintenant, il était devenu un jeune «monsieur», un bon parti pour les demoiselles de la paroisse Saint-Antoine.

Après son départ, les domestiques servirent le repas de la famille, puis s'occupèrent de la vaisselle. Ensuite, la cuisinière monta sur un banc afin d'atteindre le haut d'une armoire.

— Je peux le faire à votre place, proposa Aldée, craignant de la voir tomber.

— Déjà, j'devrais même pas faire ça devant toé. Là, tu sais où s'trouve la fortune de la patronne.

En réalité, il s'agissait des quelques dollars nécessaires pour faire fonctionner le ménage. Si la somme disparaissait, le sergent Lanciault, de la police municipale, n'aurait aucun mal à désigner un coupable : l'une des deux domestiques.

— Vous auriez dû me demander de sortir, dans ce cas.

Ce manque de confiance apparent la blessait.

— Fais pas simple. La prochaine fois, tu t'en occuperas. Bon, pis là, on y va.

— D'habitude, le marché se tient le samedi.

— Bin, cette semaine, ce s'ra pendant deux jours. Ça fait deux semaines que les ch'mins sont mauvais. Les bourgeois doivent faire leurs provisions pour l'hiver.

Aldée aida sa collègue percluse à endosser son manteau, puis elle mit le sien. Dans la rue, elle demanda :

— Êtes-vous déjà allée à Montréal ?

La jeune fille se souvenait de la discussion, à la table familiale, sur le projet du garçon d'aller visiter la métropole.

— Ça va te surprendre, bin oui, chus déjà allée. J'ai même travaillé dans la grande ville.

En effet, cette révélation étonna Aldée. Les gens de la campagne passaient souvent toute une vie sans jamais se déplacer à plus de dix milles du lieu de leur naissance.

— Pour y faire quoi ?

— La même chose qu'icitte.

Après avoir marché quelques minutes, les deux femmes arrivèrent au marché. Ce jour-là, les routes s'avéraient sans doute meilleures que deux semaines plus tôt, puisqu'une vingtaine de charrettes de cultivateurs s'alignaient sur la place. La cuisinière se dirigea tout de suite vers l'une d'elles. Un homme au teint rougeaud la reçut en lançant :

— Mam'zelle Nolin ! Content de vous voir !

Ainsi, la vieille fille avait un nom de famille.

— Moi aussi, m'sieur Monet.

— C't'aujourd'hui qu'vous faites vos réserves ?

— Jusse si les prix m'conviennent. Vous avez d'la compétition.

Des yeux, Graziella examinait la marchandise. Dans la voiture du paysan, des sacs de jute s'entassaient. Un garçon dans la jeune vingtaine était appuyé dessus. Élancé, les cheveux blonds, il ressemblait bien peu à son employeur. En touchant le bord de sa casquette, il salua Aldée. Celle-ci répondit d'un signe de la tête.

— Voyons, mam'zelle, ça fait cinq ans qu'vous achetez de moé.

— Pis je continuerai si les prix sont bons. C'est combien, pour quatre poches de patates ?

Les grands manufacturiers et même les banquiers ne devaient pas négocier plus âprement. Chacun gardait le sourire, le jeu plaisait à tous deux. Puis ils passèrent aux oignons, aux carottes, aux navets. Le tout se conclut avec une poignée de main.

— Vous v'nez porter ça tu suite à la maison ?

— Oh ! mam'zelle, moé, j'dois vendre mon stock avant de partir courir en ville. Ce sera dans deux ou trois heures.

— Ouais, bin, j'vous paierai dans deux ou trois heures, d'abord.

Le jeune homme échangea un regard amusé avec Aldée. Celle-ci emboîta le pas à la cuisinière pour se rendre dans l'édifice en brique du marché. Elles devaient encore acheter du pain, de la viande et du fromage.

La gare Bonaventure n'avait rien de commun avec celle de Douceville. Dans la grande salle, de magnifiques chandeliers pendaient du plafond et des fauteuils formaient deux grands îlots. Les passagères étalaient leurs robes sur le velours rouge, se tenaient toutes droites sous de larges chapeaux. Georges les contemplait comme s'il découvrait cette moitié du monde.

Finalement, Pinsonneault avait dû refaire ses calculs, car il proposa, comme si l'idée venait de lui :

— Nous allons manger ici, cela me paraît très bien.

Tous les passagers ne roulaient pas sur l'or, seuls les plus prospères se permettaient de fréquenter ce restaurant. Dans la grande salle, le fils du médecin apprécia une nouvelle fois les jolies toilettes des clientes.

❋

Une heure après s'être attablé au restaurant de la gare, le duo avait gagné la rue Sainte-Catherine. Tout le long du chemin vers l'est, des vitrines retinrent leur attention. Dans un peu plus de trente jours, ce serait Noël, alors côté décorations, les commerçants se mettaient en frais.

— Je devrais acheter quelque chose à ma mère.

— Quel bon fils tu fais !

L'ironie vexa Georges, comme si son camarade lui avait révélé qu'il préférait passer pour un mauvais garçon. Son attitude goguenarde finissait parfois par lui tomber sur les nerfs. Le trajet vers l'Université Laval à Montréal représentait une bonne distance, qui lui donna l'occasion de s'arrêter dans une boutique.

Quand ils arrivèrent à l'établissement d'enseignement supérieur, le grand bâtiment en pierre fit son effet. Un escalier monumental, en forme de deux demi-cercles, conduisait à l'entrée. Des étudiants circulaient dans des couloirs, d'autres cherchaient un coin pour tenir des conciliabules.

— C'est comme au collège, commenta Félix. Des salles de cours, puis d'autres salles de cours.

— Tout de même, ici les professeurs sont des laïcs, puis aucun de ces gars n'est obligé de porter un uniforme ridicule.

Le suisse, serré à la taille avec une ceinture de tissu, était tiré d'un autre âge. En comparaison, l'université paraissait être une terre de liberté.

— Puis, j'aimerais bien voir à quoi ressemble un cours de médecine. Je ne sais pas si je pourrais obtenir la permission d'y assister, reprit Georges.

— Ce sera sans moi. Bon, maintenant, tu pourras dire à tes parents que tu as vu le campus, que tu as aimé ça, que tu feras ton apprentissage de médecin ici dans quelques années.

Quant à lui, Félix se serait volontiers passé de cette visite.

— Nous pouvons y aller ?

Le jeune Pinsonneault paraissait heureux d'avoir achevé une corvée. Il lui tardait de quitter les lieux pour passer au côté plus ludique de l'expédition.

— Toi, tu ne veux pas faire d'études ?

— Pourquoi ? Je vais reprendre le commerce de mon père.

« Évidemment, hériter ne demande pas beaucoup d'efforts », pensa Georges, envieux. Pour lui, son patrimoine consisterait en une formation universitaire longue et difficile.

— Je ne sais même pas si j'arriverai à terminer ce foutu cours classique. Peux-tu me dire pourquoi nous perdons des années à apprendre des déclinaisons latines ?

Répondre : « Pour acquérir une culture d'honnête homme » ne donnerait rien. Georges, railleur, déclara :

— Pour nous apprendre la patience, je suppose.

Dans les minutes suivantes, ils arpentèrent la rue Saint-Denis. La grande ville offrait de multiples occasions de s'encanailler. Le tout était de dénicher la plus intéressante.

Chapitre 9

Dans la grande maison des Turgeon, Graziella servait la soupe quand elle entendit les coups contre la porte d'entrée.

— Nous attendons quelqu'un ? interrogea le médecin en regardant sa femme.

— Non, et les visiteurs ne se présentent pas à l'heure du souper.

— Ça doué être mon cultivateur, ça. Y d'vait livrer dans deux ou trois heures, ça lui en a pris six ou sept. Aldée, peux-tu t'en occuper ? L'argent convenu est dans l'tiroir.

La bonne quittait la salle à manger quand la cuisinière précisa :

— Pis tu l'fais rentrer par en arrière.

Cela, Aldée l'avait déjà compris. Quand elle ouvrit, ce fut pour se retrouver devant le jeune homme du marché. Après un échange de saluts, l'adolescente lui indiqua de passer par la porte de côté. Cela signifierait un long chemin pour apporter les vivres jusqu'à la cuisine. Pourtant, il se présenta avec un sac sous chacun de ses bras.

— Vous arrivez bien tard.

— Vous irez dire ça à mon oncle. À midi, y se sentait riche. Quand j'le r'prendrai à la taverne t'à l'heure, j'espère juste qu'y s'ra pas r'devenu pauvre.

Des yeux, il désigna les poches de jute.

— J'mets ça où ?

— Dans la cave. Attendez un instant.

Au milieu du plancher de la cuisine, on voyait se découper un carré. Un anneau permettait de soulever la trappe. Quand Aldée se plia en deux pour tirer dessus, elle sentit le regard du visiteur sur son corps.

— Vous travaillez pas icitte depuis longtemps.

— Trois semaines.

Le jeune homme posa ses sacs, puis la prévint :

— Je vais chercher les autres. En r'venant, j'vas les mettre dans le caveau pour vous.

À son retour, il descendit l'escalier très raide vers la cave, fraîche en toute saison. De grandes boîtes en bois attendaient les légumes. Sur des étagères, il vit les alignements de pots de confiture.

— Vous aurez de quoi manger tout l'hiver, affirma-t-il assez fort pour qu'elle l'entende.

— Je n'ai jamais vu autant de nourriture dans une maison.

— C'est pareil dans toute la rue.

Le garçon devait trouver la petite bonne à son goût, car il se donna la peine de ranger la marchandise. Ou peut-être voulait-il seulement récupérer ses sacs de jute vides. Quand il émergea de la cave pour refermer lui-même la trappe, elle dit :

— Donc, vous travaillez pour votre oncle.

— Disons que j'lui paie ma pension de cette façon. J'suis menuisier, j'ai passé une couple d'années aux États, pis là, j'suis revenu.

— Pourquoi ? Les gages sont meilleurs là-bas, non ?

Même dans un coin aussi perdu que Saint-Luc, au moins une trentaine de familles comptaient des membres vivant aux États-Unis. Le pays voisin gardait des airs d'eldorado, même si la situation économique s'améliorait dans la province.

— Ouais, mais quand tu te casses une jambe, personne est là pour toi.

Juste à ce moment, elle se souvint de la légère claudication.

— Mon oncle me garde depuis l'été dernier.

— Vous retournerez là-bas ? Je veux dire aux États.

— L'hiver, les chantiers de construction renvoient du monde partout. J'aimerais avoir des gages à l'année longue. La compagnie Willcox & Gibbs agrandit son usine, j'irai voir de ce côté-là.

Tous deux demeurèrent un moment silencieux, à se regarder. Enfin Aldée expliqua :

— Je dois retourner faire le service…

— Ah ! Bin sûr. J'espère qu'on se croisera de nouveau, mademoiselle…

— Demers.

Tout de suite, elle se demanda pourquoi lui donner son nom. Pourtant, elle précisa :

— Aldée Demers.

— Moi, c'est Jean-Baptiste Vallières.

Elle accepta la main tendue, murmura « Bonsoir » en réponse à son salut. La main sur la porte, il répéta encore :

— J'espère vous revoir.

❁

Le parc Sohmer se trouvait en face du fleuve, le long de la rue Notre-Dame, un peu à l'est des bâtiments de la compagnie Molson. Si, l'été, la plupart des activités se déroulaient en plein air, les promoteurs avaient construit un grand « pavillon » capable de contenir sept mille spectateurs. Les représentations les plus populaires mettaient en scène des lutteurs, des boxeurs et quantité d'hommes forts. Après avoir admiré des leveurs d'haltères, Félix proposa :

— Les meilleurs spectacles se donnent dans les maisons au bout du terrain. Tu viens?

— Ils ne nous laisseront jamais entrer. Pas à seize ans.

— Bof! Du moment où on paie, personne ne posera de questions.

Tous deux avaient soupé dans une taverne. L'effet des pichets de bière s'estompant lentement, ils se sentaient encore audacieux. Assez pour risquer de se faire refouler par des portiers zélés. Quant à la possibilité d'être arrêté par des policiers, aucun des deux garçons n'y pensait.

Dix minutes plus tard, ils tendaient leur dollar à un homme qui devait avoir connu toute une carrière de lutteur, à en juger par les cicatrices sur son visage. Le colosse les examina des pieds à la tête, puis leur désigna l'entrée d'un mouvement de la main.

La fumée de pipe et de cigarette s'avérait si dense qu'elle coupait le souffle. Des tables, toutes occupées par des hommes aux mines patibulaires, se tenaient près d'une scène surélevée. Tous les autres spectateurs restaient debout au coude à coude, un verre à la main.

Les deux collégiens se sentirent tout petits dans cet endroit. Georges se surprit à penser que si l'un de ces quidams cherchait la bagarre, juste pour s'amuser, son ami et lui représenteraient de parfaites victimes. On voyait cela dans toutes les cours d'école : les plus grands tapant sur les plus petits.

— Les jeunes, vous voulez quoi? hurla quelqu'un derrière le bar. Icitte, on fait pas rien que r'garder.

Pour le moment, de toute façon, il n'y avait rien à voir. Félix décida de continuer de s'en tenir à la bière, et d'en demander une autre pour son ami. Bientôt, le son d'un piano désaccordé, une musique entraînante, envahit la salle enfumée. Les cris commencèrent aussitôt et devinrent assourdissants quand une demi-douzaine de femmes investirent la salle. Leurs jupes n'allaient pas plus bas que les genoux, dégageant des jambes nues. Chacun de leurs pas laissait apercevoir un pantalon de dentelle. Pour être certaines que personne ne serait privé de le voir, elles troussaient leurs vêtements, tournaient le dos aux spectateurs pour agiter les fesses.

— Ça s'appelle le French cancan. À Paris, ça fait fureur.

Puisque le garçon n'avait jamais traversé l'Atlantique, son étalage de connaissances venait certainement de mauvaises lectures. Ces danseuses montraient une belle souplesse, suffisante pour lever une jambe bien haut et tenir leur talon dans la paume de la main. L'effet fut immédiat : un hurlement strident. Georges discerna très bien la tache brune au milieu des dentelles. Elles portaient des sous-vêtements fendus, laissant voir leur sexe au moment du grand écart.

Les collégiens ne perdirent pas leur érection avant leur retour à Douceville, passé minuit.

❃

Tous les soirs, Délia passait la première à la salle de bain, puis allait dans sa chambre. Quand il la rejoignait, Évariste la trouvait invariablement assise devant son miroir, déjà en robe de nuit, les cheveux défaits. Très longs, ils atteignaient le milieu de son dos. Elle mettait de longues minutes à les brosser. Parfois, son époux tendait la main pour prendre la brosse, puis continuait le travail. Cela témoignait de son désir de la voir venir le rejoindre au lit plus vite.

Pourtant, ce soir-là, elle continuait de se soucier de l'excursion de son fils. À cette heure tardive, il brillait toujours par son absence.

— Franchement, tu ne crois certainement pas à cette visite des locaux de l'université ! Ce n'était qu'un prétexte pour rater l'école.

— Tu le suspectes d'avoir inventé cette histoire pour se donner un jour de congé ?

Délia hésita un moment. En réalité, Georges ne lui avait donné aucune raison de douter de lui jusque-là.

— Il ne terminera pas son cours classique avant trois ans.

— Deux ans et demi.

— Un peu plus, tout de même.

Sur ces derniers mots, elle esquissa un sourire. Si Évariste ne s'inquiétait pas, autant prendre exemple sur lui. Son mari lui tendit la main en disant :

— Viens.

Tous deux se couchèrent, et elle accepta de se lover contre lui. Toutefois, son grand garçon occupait toujours son esprit. Tellement que le père jugea bon de revenir sur le sujet :

— Cette journée passée à Montréal ne peut pas nuire à ses résultats scolaires. Au contraire, un moment de détente lui fera le plus grand bien.

— Je n'aime pas l'influence de Félix sur lui. Il me semble un peu trop… déluré pour un garçon de seize ans.

— Moi, j'espère que son contact le rendra un peu plus audacieux. L'existence ne se limite pas aux études.

Si le médecin ne tenait pas à avoir un fils trop sage, son épouse différait d'opinion.

— Le voir devenir un émule de ce garçon ne me plaît pas du tout. Tu vois bien Félix essayer ses talents de séducteur sur moi !

La main d'Évariste caressait maintenant son flanc, de la hanche jusque sous l'aisselle.

— Mais je suis certain que tu préfères mon charme d'homme mûr à celui d'un blondinet de seize ans.

— Franchement…

Un baiser la fit taire. Son inquiétude maternelle céda devant ses désirs de femme.

Finalement, les deux adolescents revinrent à la maison très tard, mais en un seul morceau. Délia entendit la porte s'ouvrir, puis se refermer. Elle allait se lever pour accueillir son fils – et apprécier son état –, mais Évariste posa la main sur son épaule, tout en murmurant :

— Georges est de retour, maintenant tu peux dormir.

Elle fit comme il lui demandait, tout en dissimulant son sourire dans l'obscurité. Son époux aussi était demeuré éveillé pour attendre le retour de leur garçon.

Le lendemain matin, au petit déjeuner, Georges présentait des yeux cernés. Sa mère plissa le nez, puis constata :

— Tu empestes la cigarette.

— Et la pipe, ajouta son fils. Dans tous les restaurants de Montréal, l'air est irrespirable.

Le docteur Turgeon esquissa un demi-sourire. Dans les tavernes et les cafés aussi, tous les hommes sacrifiaient à cette mauvaise habitude. Puis, l'excès de bière pesait sur les estomacs peu habitués. L'haleine du garçon puait. Sans doute utiliserait-il toutes les ruses pour échapper au baiser maternel, en partant à l'école.

Tolérant à l'égard de ces petites entorses à la morale, le médecin passa outre pour s'enquérir :

— Es-tu passé à l'Université Laval ?

— Évidemment, puisque nous allions à Montréal pour ça. J'ai beaucoup aimé. Penses-tu que je pourrais assister à un cours ?

— À seize ans, sans doute pas, mais avant ton examen de fin d'études, ce sera possible.

— Je serais curieux d'y aller… pour savoir si je tiendrais le coup.

Georges faisait allusion aux côtés indigestes de la formation, comme l'obligation de découper un cadavre en tout petits morceaux.

— Ce n'est pas si terrible.

— Tout de même, je garde en tête une ouverture pour le droit, juste au cas.

— La fréquentation quotidienne des criminels ne doit pas être tellement plus réjouissante.

Le docteur Turgeon disait vrai. Même les notaires devaient rencontrer leur lot de personnes méprisables. Peut-être les corps en décomposition n'étaient-ils pas si terribles, après tout.

— Vous n'êtes pas restés sur le campus jusqu'à onze heures, quand même, raisonna la mère.

Cette intervention inquiéta le garçon. De son côté de la table, Corinne suivait la conversation avec attention. Les activités de son frère ne l'intéressaient guère, mais celles de Félix, oui.

— Nous avons traîné à table, et ensuite nous sommes allés au parc Sohmer.

— En cette saison ?

— Dans le grand bâtiment, il y a des spectacles toute l'année.

— C'était de la lutte ? voulut savoir son père.

Décidément, le médecin s'empressait de tendre la perche à son fils.

— Non, des tours de force, comme soulever un haltère de trois cents livres d'une seule main tout en se décrottant le nez.

— Ouache ! s'exclama Corinne.

Après une courte pause, elle renchérit :

— J'aimerais aller voir ça. Nous pourrons, papa ?

— Pourquoi pas ? Avec un peu de chance, nous assisterons aux exploits de Louis Cyr.

Debout près du mur, soucieuse de prévenir tous les désirs de ses patrons, Aldée esquissa un sourire triste. Elle aussi aurait aimé voir ces spectacles. Elle en avait eu un avant-goût lors du passage de cirques misérables au village de Saint-Luc.

Alors, le docteur Turgeon eut envie de rappeler ses souvenirs d'étudiant.

— Dans les années 1880, le directeur de l'école de médecine faisait campagne contre la vaccination antivariolique.

— Tu parles d'un ignorant ! De ton côté, tu étais pour ?

Le terrain des réminiscences plaisait à Georges. Il éloignait la tablée du récit de ses péripéties de la veille.

❈

En 1905, la fête de la Sainte-Catherine tombait un lundi. Une semaine plus tard, ce serait le début de l'avent. Aucun bon catholique ne tiendrait la moindre réception entre cette date et Noël. Aussi, les jeunes Turgeon entendaient bien profiter de cette dernière occasion.

Dans la cuisine, Graziella montrait un élan beaucoup moins grand.

— C'est-tu Dieu possible ? Ça a quinze ans, pis ça veut fêter les vieilles filles.

— Chez moi aussi, on célébrait la Sainte-Catherine.

C'était exact, mais les festivités étaient infiniment plus modestes. Le sucre, blanc ou brun, et la mélasse coûtaient cher. En réalité, les célébrations dans le cadre de la vie familiale des Demers dataient de plusieurs années, alors que la mère d'Aldée vivait toujours.

— Pas avec la moitié des habitants d'la paroisse, chus certaine.

Dans la grande maison du docteur seraient accueillis le quart des habitants de la rue de Salaberry âgés de quinze ou seize ans, et cela lui paraissait beaucoup trop. La cuisinière malaxait une masse brunâtre. Elle tendit les mains en lui disant :

— Prends ton boutte. Tu sais comment faire. Tu tires, pis tu tords.

D'un brun assez dense, la masse passa à une belle teinte dorée. Pendant quelques minutes, toutes deux préparèrent une longue tresse, la posèrent sur la table, recommencèrent l'opération à trois reprises. Chacune des tresses fut coupée en morceaux d'un pouce. Au bout du compte, un plateau contenait une bonne centaine de ces tires, ou «*kiss*», comme on les appelait parfois. Assez pour donner des maux de cœur à chacun des invités.

❋

À la fin des classes, la plupart des élèves du couvent Notre-Dame s'empressèrent de quitter les lieux, car dans bien des demeures, on planifiait de petites fêtes. Corinne croisa Aline dans le grand vestiaire où elles laissaient leur manteau le matin.

— Tu vas voir, signala la première, Graziella doit préparer de la tire pour tous les invités.

— Nous en aurions eu autant chez moi, tu sais.

La brunette se montrait un peu vexée, comme si sa compagne la soupçonnait de ne pouvoir recevoir des amis. La susceptibilité de la moins nantie des deux perçait.

— Oui, je sais. Désolée, parfois je suis trop enthousiaste.

Dans le cas présent, cet enthousiasme s'expliquait du fait qu'elle avait pu choisir seule les invitées de la réception. D'ailleurs, une dernière occasion d'exercer cette liberté se présenta tout à fait par hasard. Sophie Deslauriers venait vers elles. Corinne l'arrêta d'un geste pour lui proposer :

— Veux-tu venir à la maison ce soir ? Pour la Sainte-Catherine ?

La jeune fille sourit timidement, puis répondit :

— Tu sais bien que les pensionnaires n'ont jamais le droit de sortir.

Elle exagérait à peine. Excepté quelques jours à Noël, à Pâques et lors des grandes vacances, ces écolières ne quittaient pas les lieux.

— Si tu le demandais à la directrice…

— Bonne soirée à vous deux.

La couventine s'éloigna, une jolie silhouette dans une robe noire. Les amies endossèrent leur manteau, mirent leur bonnet, puis se dirigèrent vers la sortie. Dehors, Aline s'étonna :

— Pourquoi l'inviter ? Tu connais le règlement, toi aussi.

— Elle ne sort jamais d'ici.

— Paraît que le curé paie ses études.

— Pourquoi donc ?

Des prêtres assumaient le coût des études de jeunes garçons à la condition expresse que ceux-ci embrassent la vocation ecclésiastique. Mais les religieuses ne manquaient pas dans la province, aussi pareille générosité envers les filles ne servait à rien.

— Son lien de parenté. Ce serait son oncle.

Bientôt, elles arrivèrent à la demeure du docteur Turgeon. Georges vint les accueillir. Il eut la gentillesse d'aider Aline à enlever son manteau tout en lui souhaitant la bienvenue.

— Tes amis sont arrivés ? s'informa Corinne.

— Oui, tous les deux.

L'interrogation dans les yeux de sa sœur l'amena à préciser :

— Non, il ne sera pas là. Son père participe à une réunion politique ce soir, et il a tenu à l'y emmener.

Corinne dissimula difficilement sa déception. L'invité dont la présence lui tenait le plus à cœur, Félix, serait absent. Tout de même, elle s'accrocha son meilleur sourire au visage et précéda son amie dans le salon. Deux garçons, des visiteurs occasionnels au domicile des Turgeon, se levèrent. Le premier lui tendit la main :

— Mademoiselle Turgeon, je suis heureux de vous revoir.

Tous deux avaient le même âge qu'elle. Chez ces jeunes bourgeois, surtout entre sexes différents, les prises de contact demeuraient très formelles. Il s'agissait de s'entraîner à la vie adulte, en quelque sorte.

— Moi aussi, monsieur Dupuis. Vous connaissez mon amie Aline ?

Le même scénario se répéta avec un jeune monsieur Ouellet. Quelques minutes plus tard, deux autres adolescentes entrèrent. Délia avait permis à chacun de ses enfants d'inviter trois amis. En se dérobant, Félix rompait l'équilibre des genres.

Au même moment, dans la cuisine, Délia Turgeon exprimait sa satisfaction à Graziella :

— Vous vous surpassez.

Du bout des doigts, elle prit une tire, puis la mit dans sa bouche.

— Ça fait bin quarante ans qu'j'en fais, je commence à savoir la recette.

La vieille cuisinière montrait un visage revêche. Laisser les enfants de la maison inviter des amis de leur âge lui paraissait tenir du caprice. Quel genre d'adultes deviendraient-ils, si déjà ils n'en faisaient qu'à leur tête ?

— Vous servirez le repas à la même heure que d'habitude, puis le thé et le café dans le salon. Les alcools sont dans un cabinet fermé à clé, mais si l'un de ces invités a apporté une bouteille, vous avez l'autorité de le mettre à la porte.

— Vous s'rez pas là ?

— Évariste et moi souperons à l'extérieur ce soir. La Sainte-Catherine ne nous concerne ni l'un ni l'autre ! Alors, bonne soirée.

Si Aldée répondit à son souhait, Graziella se contenta d'un grognement. Évidemment, dans la maison, elle seule se qualifiait de catherinette. Passé cinquante ans, son état civil ne la réjouissait pas tous les jours. Madame Turgeon se rendit dans le salon afin de converser avec les invités de ses enfants.

— Bin ça, si c'est pas des enfants gâtés ! ronchonna la cuisinière quand elle fut seule avec Aldée.

— Ils font ça souvent ? Je veux dire, inviter des jeunes de leur âge au souper ?

Pour la bonne, une telle largesse était inconcevable. Dans son rang, des adultes organisaient des veillées. À l'occasion, si une jeune fille offrait du sucre à la crème à un visiteur, cela revenait à dire qu'elle avait fait son choix parmi ses prétendants.

— À six ans, y en a qui venaient pour la collation. Pour un repas, oui, c'est nouveau. Paraît qu'y faut qu'y z'apprennent.

Qu'ils apprennent à être riches, en quelque sorte.

❊

Vers neuf heures, deux des invitées de Corinne exprimèrent le désir de rentrer chez elles. Ces jeunes filles respectables devaient rejoindre leur lit avant dix heures. Aline Tremblay s'avérait tout aussi respectable, mais elle continua pendant une trentaine de minutes encore à se goinfrer de tires et à discuter des affres du célibat féminin.

— Si je n'arrête pas bientôt, je vais renvoyer toutes ces gâteries sur le beau tapis de Turquie de ta mère.

La jeune fille de la maison eut une moue dégoûtée. Son amie jugea bon de préciser :

— Je blague, mais tout de même, je dois partir.

La conversation se poursuivit un court moment dans l'entrée, puis, sous le regard insistant de Corinne, Georges offrit galamment :

— Je vais te raccompagner.

— Ce n'est pas nécessaire, j'habite à quelques minutes.

— Cela lui fera du bien, insista la blonde. Lui aussi a trop mangé.

Si le garçon se voyait assez fortement poussé dans le dos, il se pliait de bonne grâce à cette exigence. Son manteau enfilé, son chapeau à la main, il ouvrit la porte et laissa l'invitée passer devant lui. Sur le trottoir, il lui offrit son bras. Aline murmura :

— Je suis gênée de t'imposer ça. Tu ne voulais pas sortir.

— Ma sœur a raison, marcher me fera du bien. Finalement, tout ce sucre finit par tomber sur le cœur.

Pendant un moment, tous deux demeurèrent silencieux. En arrivant rue Richelieu, Aline reprit :

— Corinne m'a parlé de ton petit voyage à Montréal, pour visiter l'université.

À cette allusion, Georges se souvint surtout des danseuses du parc Sohmer. L'image d'une jeune femme, une jambe levée presque à la verticale, découvrant son sexe par l'ouverture de son pantalon et sautillant sur place au son de la musique, lui revint à l'esprit. Il imagina ensuite la jeune fille à ses côtés dans la même posture. La vision entraîna une érection immédiate.

Heureusement, sa compagne ne remarqua rien à son trouble.

— Penses-tu devenir médecin à ton tour ?

— En tout cas, aussi loin que je me souvienne, tout le monde dans la maison considère que ce sera le cas.

— Mais toi, qu'en penses-tu ?

— C'est un excellent métier.

À l'instant, un aspect particulier de cette profession lui paraissait attirant : les femmes se dévêtaient dans le bureau de son père. Une seconde, il se demanda même si un interstice dans une cloison lui permettrait de les voir.

— Me voilà arrivée, l'informa Aline en s'arrêtant devant une porte. Je te remercie de m'avoir accompagnée.

— Tout le plaisir a été pour moi. Comme tu le disais tout à l'heure, cette promenade nous a permis à tous deux de ne pas répandre notre repas un peu partout.

Bien que nettement exagérée, l'allusion tira une grimace à sa compagne. Ensuite, le couple resta figé. Dans une telle circonstance, comment devait-on se quitter ? Devant l'immobilité du garçon, la jeune fille prit l'initiative de tendre la main.

— Alors, bonsoir, et merci encore.

— … Bonsoir.

Sur le chemin du retour, Georges se consola en pensant qu'excepté Félix, personne parmi ses connaissances n'avait jamais quitté une jeune fille en lui faisant la bise. Pour cela, il fallait avoir déjà évoqué le mariage avec sérieux. Toutefois, le fils du maire méprisait ces convenances.

Chapitre 10

Quelques jours plus tard, au retour de l'école, Félix s'était arrêté chez les Turgeon, le temps d'un goûter et de quelques instants de conversation. Aux environs de six heures, Corinne s'excusa pour monter à l'étage, invoquant son désir de ne pas souper vêtue de son uniforme scolaire. Son empressement quand elle gravit les marches témoignait d'un besoin plus urgent.

Demeuré seul avec son camarade, Georges proposa :

— Souperas-tu avec nous ?

— Mon père a invité un lointain cousin, ce soir. Pour lui, la famille, c'est sacré.

Félix venait chez les Turgeon si régulièrement que ses hôtes ne se souciaient plus de le quitter avec les égards dus à un visiteur. Le garçon de la maison lui dit simplement : «À demain», puis regagna sa chambre.

Alors que Pinsonneault mettait ses bottes, sa présence dans l'entrée attira l'attention d'Aldée. Elle se planta à l'autre bout du couloir. Il l'appela d'un geste de la main tout en décrochant son manteau de la penderie. Quand elle fut suffisamment près pour l'entendre murmurer, il commença :

— Tu as certainement une journée de congé.

Elle ne répondit pas.

— Allons, madame Turgeon n'est pas cruelle au point de te traiter comme une esclave.

— Le mercredi.

La jeune fille pourrait toujours se convaincre qu'elle lui avait donné cette information afin que la réputation de sa patronne demeure intacte.

— Ça te plairait de te promener avec moi ?

Le long silence de la bonne l'amena à lui dire :

— Si tu ne refuses pas, je continuerai d'espérer.

Un bruit vint de l'étage ; un éclat de rire de Corinne en conversation avec son frère.

— Alors, à bientôt, mademoiselle Aldée.

Il tendit la main pour exercer une légère pression sur la taille de la jeune fille. Cela ne comptait sans doute pas pour un mauvais toucher, pourtant elle s'émut. Après un salut de la tête, il sortit.

❖

Une promenade avec lui. La proposition de Félix Pinsonneault tournait sans cesse dans l'esprit d'Aldée. L'idée lui semblait inconcevable. Les fils de bourgeois ne s'intéressaient pas aux filles nées au bout d'un rang, ni aux petites bonnes. Même le fils du propriétaire du magasin général, à Saint-Luc, ne l'aurait jamais considérée comme un parti acceptable. Pourtant, une fois ses certitudes sur l'imperméabilité des classes sociales longuement ressassées, les mots du jeune homme la hantaient toujours.

Encore le lendemain matin, son trouble était si apparent que Graziella constata un changement dans son comportement.

— Bin là, ma fille, si tu oublies de mettre du lait dans son café, la petite va s'exciter au point où les religieuses voudront l'attacher.

Les parents de Corinne lui permettaient de prendre cette boisson tous les matins, à la condition expresse que la dose soit très faible. Du lait au café, plutôt qu'un café au lait.

— Chus certaine que c'est un gars qui te trotte dans la tête. J'sais pas où t'as pu en rencontrer un, tu sors jamais d'icitte.

Quoique vieille fille, la cuisinière connaissait les émois des adolescentes. Depuis près de quarante ans, elle avait côtoyé au moins dix de ces gamines qui entraient en service toutes jeunes, pour rencontrer un garçon de leur âge sur le parvis de l'église ou au parc les jours de congé. Toutes abandonnaient le travail pour convoler en justes noces.

Graziella marqua une pause, puis elle murmura, inquiète :

— Georges t'a-tu serrée dans un coin ?

Aldée arqua les sourcils, surprise, puis fit non de la tête. Au même moment, une voix leur parvint de l'entrée de la pièce.

— Vous avez un problème ? Je peux vous aider.

C'était la façon toute délicate de Délia de souligner leur retard à faire le service.

— Je m'excuse, madame. Ça doit être le souper d'hier, j'ai mal dormi.

— Le souper d'hier était excellent, selon les enfants. Je ne suis pas étonnée, vous vous surpassez toujours. Je retourne dans la salle à manger.

La cuisinière sourit de toutes les dents qu'il lui restait. Maintenant, elle devrait se montrer à la hauteur de sa bonne réputation.

— Alors grouille, grommela-t-elle à l'intention d'Aldée, on va y aller.

Une fois les assiettes posées sur la desserte, elle se pressa d'aller faire le service, Aldée à sa remorque. Le docteur Turgeon soupira. En rendant visite aux domestiques, sa femme avait surtout cherché à le maintenir de bonne humeur.

Pendant tout le repas, Graziella toisa le fils de la maison du coin de l'œil. Sa jeune collègue en vint à craindre un esclandre. Georges discutait de devoirs scolaires avec sa sœur, incarnant l'image de l'innocence. Ça ne voulait rien dire aux yeux de la vieille fille : à cet âge, tous les garçons ne pensaient qu'à une chose.

En lavant la vaisselle, la jeune servante murmura :

— Monsieur Georges n'a jamais rien dit ni rien fait de déplacé.

— Ouais ! Y a l'air d'un bon p'tit gars. Faut sans doute donner ça à madame et à monsieur, personne dans la maison achale le personnel.

L'adolescente comprit que l'affirmation incluait aussi le chef de la famille. Cela signifiait qu'au cours des vingt années de mariage du docteur Turgeon, aucune femme de chambre ou fille de cuisine n'avait été victime de ses assiduités.

— Bin, c'est qui d'abord ?

— Personne. Je n'ai pas l'âge de m'intéresser aux garçons.

En contemplant sa mince silhouette, Graziella se dit que ça se pouvait bien. Elle ne faisait certainement pas ses seize ans, si on regardait sa poitrine.

❖

Aldée balayait le plancher du salon quand un bruit l'attira dans l'entrée. À cette heure, presque un jour sur deux, le postier glissait une ou plusieurs enveloppes dans la fente au bas de la porte. Elle alla les ramasser pour les mettre sur un meuble rangé contre le mur, dans le couloir. Au passage, elle reconnut une écriture familière.

Autant se rendre dans la cuisine pour lire sa correspondance personnelle. Graziella lui demanda :

— Une lettre de ton galant ?

Décidément, le sujet de ses amours passionnait la cuisinière.

— Je n'ai pas de galant, je vous l'ai dit.

— Ce s'rait pas péché, tu sais.

Pour se faire pardonner son ton cassant, la petite bonne confia d'une voix plus posée :

— C'est de mon père.

— Ah bon ! Y sait écrire, lui ?

Pour les gens de cette génération, savoir lire était assez courant, mais pouvoir écrire s'avérait plus rare.

— Je pense que maman lui a enseigné, le soir. Elle faisait la classe dans la petite école de mon rang.

— C'est pour ça que tu voulais faire pareil.

Ses aspirations déçues avaient meublé une de leurs conversations.

L'habileté de son père demeurait limitée. L'adresse sur l'enveloppe était à peine compréhensible, et le message, tracé avec peine sur une page ôtée d'un cahier d'écolier, pire encore.

Dée,

On vatu te voir à Nouel ? Les enfants aimerai sa.

Icitte, sa va meme si on a bin dla pene. Tu compran, pour Armanse setai le troisiem.

Ton pére

La signature se limitait à la lette « T », toute petite. Il évoquait la mort d'un troisième enfant pour sa seconde femme. La maison des Demers avait connu sa part de décès. Aldée fut songeuse un instant. Plonger de nouveau dans cette atmosphère lugubre ne lui disait rien.

— Qu'est-ce qu'y dit?

— Il écrit pour me dire que ça va mieux. Puis pour m'inviter à passer à Noël.

— Bin, tu d'vrais y aller.

Aldée fit un geste brusque de la tête, pour dire non.

— Ici, ce sera difficile, même pour deux personnes. Madame parle déjà de ses invités du 25 décembre, puis du 1er janvier. Je ne peux pas vous laisser seule.

Graziella hésita, puis elle convint:

— Pour ça, c'est pareil toutes les ans. On dirait qu'a veut avoir les plus belles réceptions d'la ville. Mais ta famille aussi, c't'important.

La cuisinière, pour sa part, ne mentionnait jamais aucun parent. Ni frère, ni sœur, ni cousin, ni cousine. Son isolement la rendait peut-être sensible au respect des valeurs familiales.

— Vous voyez, je dois rester.

Toutefois, si son père avait dit: «J'aimerais te voir», plutôt que de souligner l'envie des autres enfants, elle se serait laissé tenter.

❁

La jeune domestique achevait d'enlever la poussière dans la chambre des maîtres quand Délia vint l'y rejoindre.

— J'ai terminé, madame.

Déjà, elle faisait mine de sortir.

— Un instant, Aldée. Je voulais te dire un mot. En privé.

Une telle entrée en matière laissait craindre le pire. Le cœur de l'adolescente battit plus vite. Heureusement, sa patronne enchaîna tout de suite:

— Graziella m'a dit, au sujet des fêtes de Noël. Bien sûr, ce serait difficile, mais si tu souhaites y aller...

Aldée pesta intérieurement contre le manque de discrétion de sa collègue, mais impossible de lui en vouloir vraiment, car la trahison de sa confidence avait les meilleures intentions. De toute façon, en n'évoquant aucune solution de rechange, madame Turgeon lui indiquait la réponse à donner.

— Je préfère effectuer mon travail comme d'habitude. Et vous savez, cette année, il ne se passera rien à la maison. Rien, excepté les messes deux jours de suite.

En 1905, le 25 décembre tombait un lundi.

— Bon, dans ce cas, je serai heureuse de compter sur toi. De plus, j'essaierai de trouver une autre fille pour vous aider.

Cette fois, Aldée put quitter la chambre pour passer dans celle de Corinne. Avant que celle-ci rentre à la maison après l'école, le lit devait être fait, la poussière, balayée, et tous les objets abandonnés çà et là, rangés.

❊

Dans le journal *Le Canada français*, la publicité prenait souvent la forme d'un court article. «Merveilleuse présentation cinématographique à l'hôtel National», annonçait le titre de l'un d'eux. Sans doute le rédacteur en chef se passionnait-il pour les prouesses techniques de ce début de siècle.

— Maman, je veux y aller, supplia Corinne pour la troisième fois, au petit déjeuner.

L'hebdomadaire était posé sur la table, devant elle.

— Tu le sais bien, je ne peux pas t'accompagner. Le samedi après-midi, je dois me rendre à l'hôpital. C'est d'autant plus important que nous offrirons des cadeaux aux malades. Pour eux, ce sera Noël une semaine à l'avance.

Les bonnes œuvres occupaient une place importante dans la vie des bourgeoises, et faire faux bond à ces activités pouvait nuire à une réputation.

— Toutes les filles du couvent ont déjà vu des *movies*. Là, je passe pour une idiote.

— Tu exagères sûrement.

Si ces adolescentes commentaient toutes les nouveautés, rares étaient celles qui trouvaient réellement le moyen de satisfaire leur curiosité.

— Georges, tu pourrais venir avec moi.

— Non. Je suis désolé, mais nous avons une partie de hockey.

Décidément, tout le monde dans la maison savait meubler ses loisirs. Corinne ne se donna même pas la peine de demander à son père, celui-ci recevait des patients.

Aldée s'approcha pour verser du café dans sa tasse. Les domestiques se confondaient avec les meubles jusqu'au moment où ils se manifestaient.

— Aldée, que dirais-tu d'aller voir un *movie* avec ma fille ? demanda Délia. C'est certainement une activité morale, il paraît que toutes les couventines de la ville y sont déjà allées.

L'ironie de son ton trahissait son scepticisme à l'égard des affirmations de sa grande fille. Cette dernière la remercia d'un sourire, puis fixa des yeux implorants sur la domestique.

— Qu'en dis-tu, Aldée ? Évidemment, je te donnerai ta demi-journée et je paierai ton entrée.

— Je ne sais pas… Mon absence ne dérangera pas ? Le samedi, c'est toujours un souper assez élaboré.

— Alors, cette semaine, il le sera un peu moins. Je te remercie.

— Moi aussi, intervint Corinne, je te remercie. Après, nous pourrions nous arrêter au restaurant pour prendre un chocolat.

Des yeux, l'adolescente cherchait l'appui de sa mère, afin de s'assurer de recevoir tout l'argent nécessaire à sa petite escapade.

— Voilà une bonne idée, accepta Délia. Alors, c'est convenu ?

L'employée s'apprêtait à desservir. Elle hocha la tête pour donner son assentiment. En vérité, une sortie en compagnie de la fille de sa patronne la bouleversait. Ce n'était pas sa place.

❁

En se présentant dans l'entrée de la maison, le samedi en début d'après-midi, Aldée se sentait mal à l'aise. Après réflexion, l'idée de voir un film lui plaisait, et Corinne se montrait aussi agréable que possible. Cependant, porter l'ancien manteau de celle-ci en sa présence la gênait vraiment. Au moins, l'absence de sa coiffe, remplacée par un chapeau venant aussi de sa jeune patronne, enlevait du ridicule à sa tenue.

Évidemment, cela ne pouvait manquer, dès le premier regard la couventine constata :

— Ce vêtement te va mieux qu'à moi.

Aucune trace d'ironie ne marquait sa voix.

— Je suis certaine que non.

— Oh oui ! Surtout quand je me suis mise à pousser de là.

Des yeux, elle désignait sa poitrine.

— Je me demande où j'ai pris ça. Maman demeure toute… élancée.

Elle ne trouvait pas de façon plus pudique de décrire les seins de sa mère.

— Pourtant, vous lui ressemblez beaucoup.

— Pour tout le reste, oui.

Toutes deux sortirent. Le froid piquait les joues.

— Heureusement, ce n'est pas très loin, se félicita Corinne.

L'hôtel National, un grand immeuble en brique comportant à l'étage une galerie sur toute la largeur de la façade, se dressait rue Richelieu. La clientèle se composait surtout de Canadiens français. Une fois à l'intérieur, elles découvrirent un hall joliment décoré de plantes vertes. Une affiche portant une main à l'index dressé indiquait le chemin de la salle où se tiendrait la projection cinématographique. L'entrée coûtait un demi-dollar. La jeune bourgeoise régla pour elle-même et pour sa compagne.

Une douzaine de rangées de chaises occupaient presque tout l'espace disponible. L'appareil de projection, installé au fond, semblait tiré d'un roman de Jules Verne, avec toutes ses surfaces en laiton. Un technicien s'affairait à côté de l'engin. Auparavant, il avait pris la peine de suspendre au mur un drap tendu.

— Nous allons nous asseoir là, indiqua Corinne en désignant des places au troisième rang.

Ainsi, elles ne manqueraient rien du spectacle. Lentement, la salle se remplit, surtout de femmes. Leurs époux ou leurs fils travaillaient ou étaient engagés dans une activité sportive. Aldée se décida à rompre le silence :

— Alors, les autres filles ont toutes vu des…

— Des vues, compléta sa compagne avec un ricanement. Voilà un drôle de terme. Le plus souvent, on dit *movies*, pour indiquer le mouvement. *Moving pictures*, les images qui bougent. Je suppose qu'en réalité aucune n'en a vu, et ce ne sera pas aujourd'hui le grand jour. Sauf nous, personne ici n'a moins de vingt ans.

Ainsi, la blonde avait manipulé la vérité pour convaincre sa mère de la laisser sortir. L'absence des plus jeunes découlait certainement du prix d'entrée. Dans le rang d'où venait Aldée, les hommes œuvraient toute une journée pour un dollar.

— Depuis que j'habite Douceville, il s'agit de la première représentation, je pense.

— La deuxième. L'occasion ne se présente pas souvent, seulement lors des foires agricoles, ou d'un spectacle itinérant, comme aujourd'hui. Autrement, il faut se rendre à Montréal.

— Vous y êtes déjà allée ?

Elle voulait dire : dans la grande ville.

— Parfois. L'été, papa nous fait monter dans un train pour une excursion. Nous sommes allés à Québec, à Sherbrooke.

Des excursions vers des lieux lointains, réservées aux familles prospères. Aldée ne s'y rendrait sans doute jamais. La jalousie lui pinça le cœur. Violemment. Tout ça à cause du hasard d'une naissance. Dans une masure au fond d'un rang, ou dans une jolie rue en ville. Tous les jours, en imagination, elle cherchait un moyen de sortir de sa situation misérable, sans succès. Impossible de refouler sa frustration.

— Moi, je n'ai jamais rien vu de plus grand que Douceville. Le mercredi, je me promène juste pour admirer les grandes maisons. Vous avez déjà vu l'usine de moulins à coudre ?

— Oui, ce n'est pas très loin de chez nous.

En réalité, tout était à proximité dans la petite ville. Trente minutes suffisaient pour la traverser à pied.

— L'église de ma paroisse y entrerait cinq ou six fois. Pas en hauteur, mais en surface. Certainement que nulle part ailleurs n'existent des édifices plus grands que celui-là.

La bonne ouvrait de grands yeux, incapable d'imaginer une construction d'une plus grande envergure. Corinne aurait pu étaler ses connaissances, nommer des usines, des cathédrales, des hôtels même dont la taille dépassait celle de cette manufacture. Elle préféra demeurer attentionnée.

— Dans le monde, je ne sais pas. Je ne suis jamais sortie de la province.

«Et moi de mon trou», songea Aldée. Cette différence lui faisait sentir toute la distance entre elles.

Lentement, le nombre des spectatrices augmentait. L'adolescente avait eu raison de chercher des places à l'avant, car la plupart des chapeaux, très larges, comptaient autant de plumes que la coiffe des chefs indiens. Ils leur auraient bouché la vue.

Quand tous les sièges furent pris, quelqu'un éteignit les lumières. Les rideaux avaient déjà été fermés. Un cône de lumière blanche frappa le drap.

— Nous voilà rendus dans les montagnes Rocheuses, commença le bonimenteur.

Pendant une heure, les spectatrices et de rares spectateurs firent le tour du monde, et contemplèrent des paysages insolites et des populations aux costumes étranges.

❉

Au terme de la projection, les deux jeunes filles avaient marché dans la rue Richelieu jusqu'à un petit établissement bien éclairé, le Café Richard. Sur la fenêtre, en belles lettres tracées à la main avec de la peinture blanche, le mot «Restaurant» s'accompagnait, en plus petit, de l'inscription «et salon de thé». Quelques femmes occupaient des tables. Certaines sortaient aussi de la représentation, d'autres concluaient sans doute leur journée de magasinage.

— Tu te rends compte? s'extasia la jeune patronne. Ces films, c'était comme si nous étions dans tous ces endroits!

Corinne débordait d'enthousiasme à l'égard de son expérience de l'après-midi. Dorénavant, ses parents ne pourraient plus la priver de cinéma.

— Tout de même, l'absence de couleurs…

— Nous pouvons les imaginer.

Pour colorer toutes ces images, elle jouissait certainement d'une imagination débordante. De son côté, Aldée manquait de beaux souvenirs pour y arriver.

Elles s'installèrent dans un angle de la salle. Pour tous, au premier coup d'œil, il s'agissait de deux amies désireuses de papoter ensemble. Des couventines. Puis Corinne détacha son manteau, montrant sa belle robe bleue si joliment assortie à ses yeux, qui révélait une blonde potelée susceptible de recevoir les attentions d'un jeune homme de bonne famille.

Comme sa camarade ne l'imitait pas, elle lui dit :

— Nous risquons de rester ici une petite heure. Tu devrais l'enlever, sinon tout à l'heure, au retour, tu prendras froid.

Elle avait raison. Toutefois, Aldée portait son uniforme de domestique sous son paletot. Il permettrait à tous de comprendre la vraie nature de leur relation. Après un instant de malaise, elle défit pourtant les boutons un à un. Juste à ce moment, une voix familière les interpella :

— Mesdemoiselles, quelle belle surprise ! lança Félix Pinsonneault. Je ne m'attendais pas à tomber sur deux jolies filles à cet endroit !

Un ton plus bas, il ajouta :

— Ici, les clientes peuvent toutes être ma mère, ou même ma grand-mère.

— Tu aimes le thé et les petits gâteaux ?

Corinne lui adressait un sourire taquin. Une taverne lui aurait mieux convenu, à en croire le compte-rendu certainement censuré que Georges lui avait fait de leur visite à Montréal.

— Chaque fois que je mange chez vous, j'en prends au dessert. Vous me permettez de m'asseoir à votre table ?

Déjà, le garçon tendait la main vers une chaise libre, assuré de la réponse. La petite Turgeon ne refusait jamais sa compagnie.

— Oui, bien sûr.

— Alors, je vous invite pour vous remercier de votre gentillesse.

Son regard se porta sur Aldée. Elle se retint de ramener les pans de son manteau pour dissimuler son uniforme noir. Une serveuse vint prendre leur commande et s'éloigna tout de suite après.

— Mais ne devais-tu pas jouer au hockey cet après-midi ? C'est ce que Georges disait hier.

— Avec lui comme ami, impossible de mener une double vie, il vendrait la mèche. J'ai quitté la patinoire après notre glorieuse défaite contre les élèves de l'école de commerce des Frères des écoles chrétiennes.

— Je suis certaine que tu étais le meilleur joueur du collège.

Décidément, Corinne tenait à lui donner une excellente impression. Le garçon ne la détrompa pas.

— Puis, qu'avez-vous pensé de la représentation ?

— Merveilleuse. Toi, tu as déjà vu des… vues ?

— Oui, à quelques reprises. On en présente au parc Sohmer.

— Moi, c'était la première fois.

La blonde tentait d'accaparer toute la discussion, pourtant le regard de Félix revenait régulièrement sur la petite bonne. Comme pour l'intégrer à la conversation.

— Je demanderai à papa de m'y emmener de nouveau. L'été dernier, nous y sommes allés pour voir les manèges et les animaux.

— Monsieur Turgeon aime tellement sa grande fille, il acceptera certainement.

Tout à fait vraie, l'affirmation railleuse s'avérait blessante. Corinne accusa le coup. L'arrivée de la serveuse avec son plateau constitua une heureuse diversion. Corinne ajouta un peu de lait à son thé, et du sucre. Poussant l'assiette vers Aldée, elle lui dit :

— Sers-toi, c'est pour nous trois.

L'adolescente prit un biscuit Village dans l'assiette, mordit dedans. Il s'agissait d'un luxe totalement inconnu pendant son enfance à Saint-Luc. Depuis son arrivée à Douceville, elle goûtait chaque semaine un mets nouveau. Le travail d'employée de maison lui révélait un pays de cocagne. Ce serait encore plus vrai pendant les fêtes.

— Et toi, tu as aimé ce film ? s'enquit Félix, tournant son attention vers la domestique.

Il la regardait avec une mine goguenarde, rien pour réduire son manque d'assurance.

— Oui.

Le silence dura un court moment.

— Parfois, sais-tu te montrer un peu plus enthousiaste ?

— Oui, j'ai aimé la… représentation. D'un côté, cela paraît réaliste. Mais l'absence de couleurs… on aurait dit des fantômes.

Ainsi, les récits de spectres et d'ectoplasmes en tout genre atteignaient Saint-Luc. Pour Aldée, il s'agissait d'un long dialogue, aussi elle se crut autorisée à revenir à son mutisme. Pinsonneault reprit la conversation avec la fille du docteur Turgeon jusqu'à ce que celle-ci s'excuse pour se rendre aux toilettes.

— Tu sais, confia-t-il à Aldée une fois seul avec elle, Georges m'avait dit que tu allais voir des vues avec sa sœur cet après-midi. Je me suis dépêché de venir après le hockey juste pour te croiser. Quand je me suis pointé ici, j'en étais au troisième restaurant.

Félix avait débité rapidement sa révélation. La petite bonne demeura silencieuse.

— Lors de ta journée de congé, tu fais quoi?

«Que me veut-il?» Évidemment, elle savait que les garçons cherchaient à rencontrer les filles. À Saint-Luc, deux voisins avaient même passé un bout de veillée chez elle. À seize ans, malgré le manque de maturité évident de son corps, elle était éligible pour le mariage. Toutefois, ces bourgeois n'avaient rien à faire avec les servantes.

— Mercredi prochain, dit-il, j'irai faire un tour dans le parc en face de l'hôtel de ville.

Cela valait une promesse de rendez-vous. Elle restait toujours coite.

— Tu seras là? Ce sera le 27 décembre, insista le jeune homme.

Aldée se sentait de plus en plus embarrassée. Heureusement, Corinne choisit de revenir à ce moment.

Chapitre 11

Le samedi suivant, les domestiques se munirent de trois paniers vides pour aller au marché. Aldée devinait que, malgré la cave et les armoires bien garnies, elles reviendraient chargées. Graziella l'entraîna d'abord ruc Richelieu.

— C'est pus des enfants, mais y mangent encore des nananes.

La cuisinière poussa la porte du commerce Lipinski. La grande fenêtre en façade portait les mots *sweets, candies, candified fruits, crystallised fruits*. À l'intérieur, elle continua dans un murmure :

— C't'un juif qui tient ça.

La jeune fille ne savait pas si la précision devait l'inquiéter. Le bonhomme derrière le comptoir lui parut terriblement quelconque. À sa grande surprise, le peuple déicide se distinguait bien peu des autres.

— Il parle français ?

— Bin, tu peux l'entendre.

Il venait de dire : «Et pour vous, madame ?» à la personne entrée juste avant elles. Malgré son accent, elle l'avait très bien compris. Bientôt, au lieu de nommer les objets de sa convoitise, la cuisinière les montra du doigt en disant : «Ça, ça et ça.» Évidemment, lire le nom des produits lui était impossible.

— Quelle quantité ?

Graziella haussa les épaules, puis marmonna :

— Bin, une livre.

En voyant le commerçant emplir les sacs, Aldée songea que les Turgeon appréciaient sûrement ce genre de gâteries. Ou plus probablement, qu'au cours des deux prochaines semaines les visiteurs seraient nombreux à la maison. Lipinski la vit inventorier la marchandise. Il lui dit en souriant :

— Vous voulez goûter, mademoiselle ?

Du doigt, il désignait un grand contenant en verre.

— Ce sont des violettes, la recette vient du sud de la France. Je fabrique tout cela moi-même.

Avec une petite pince, il attrapa l'une des friandises, la lui tendit. La jeune fille hésita, puis ouvrit sa main pour l'accepter, la porta à sa bouche. Le marchand attendait, le regard dans le sien.

— C'est très bon.

Il retrouva son grand sourire, puis annonça à l'intention de tous les clients présents dans la boutique :

— Vous voyez, mesdames, c'est très bon.

La cuisinière régla ses achats et sortit avec sa collègue.

— Joyeux Noël ! leur souhaita le confiseur.

— Joyeux Noël, maugréa Graziella. Pourquoi il dit ça ? Le p'tit Jésus, c'est personne pour lui.

— Par politesse.

— En tout cas, y d'vait te trouver à son goût, pour te donner un bonbon. Les juifs, y donnent rien.

— Voyons, aucun homme ne me remarque.

À ce moment, le souvenir de la main de Félix revint la troubler.

— Je suis maigrichonne.

— Moins que quand j't'ai vue la première fois. Faut dire que j'te nourris bin.

Oui, en regardant son reflet dans le miroir, elle se trouvait les yeux moins cernés, les joues moins creuses. Lorsqu'elle faisait la chambre de madame, le grand miroir lui renvoyait une image moins filiforme. Toutefois, il lui était impossible d'être certaine d'un changement : avant son arrivée chez les Turgeon, les psychés étaient demeurées rarissimes dans son existence.

Au marché, des faisans, des poulets, des confitures de fruits exotiques, du miel alourdirent les paniers des deux domestiques. Chacune d'elles en portait un d'une main, elles se partageaient le troisième.

— Je mettrais au moins deux mois de salaire pour payer tout ça, nota la petite bonne.

— Y s'privent de rien, les bourgeois. Pis deux jours avant Noël, tout le monde monte les prix. Tant pis pour ceux qui font leurs commissions à la dernière minute.

Aldée termina le trajet le cœur gros, en se rappelant l'air pitoyable de ses demi-frères et demi-sœurs le matin où elle avait quitté Saint-Luc. Pour eux, quel que soit le moment de faire les courses, tout demeurait toujours trop cher.

❁

Alors que les domestiques achevaient la vaisselle du dîner, Corinne et son frère, Georges, se tenaient debout au milieu du salon.

— Nous aurions dû l'acheter la semaine dernière. Là, les plus beaux seront partis.

— Pas question de me retrouver avec un sapin à sécher dans la pièce à compter de la mi-décembre. Puis le choix sera peut-être meilleur aujourd'hui.

Sans doute pas, mais le 23 décembre, les prix quant à eux seraient plutôt salés. Aussi Délia remit de l'argent à son fils.

— Vous ne le prenez pas trop grand, car vous le mettrez sur un socle.

L'instant d'après, souriante, Corinne attachait les boutons de son manteau.

— Tu viens ? l'invita Georges en ouvrant la porte.

— Attends-moi. Pas question que je prenne froid. D'ailleurs, tu devrais te couvrir.

Son bonnet de vison la faisait ressembler aux belles des magazines américains. Georges demeurait nu-tête avec son manteau détaché, une provocation adolescente envers la rigueur du climat. Le frère et la sœur marchèrent ensuite d'un pas rapide vers la place du marché.

À leur arrivée, quelques voitures seulement s'y trouvaient toujours. Dans un coin, des sapins plantés dans la neige formaient une curieuse forêt. Trois minutes suffirent pour choisir le plus beau et le payer. Au moment de le soulever, l'adolescent découvrit un second motif de ne pas le prendre trop grand : le poids.

— Ne le laisse pas traîner derrière toi, commenta Corinne, tu vas l'abîmer.

— Si tu prenais l'autre bout, ce serait plus facile.

— Voyons, je ne veux pas salir mon manteau avec de la gomme !

— Et le mien, tu en fais quoi ?

La jeune fille semblait trouver qu'il y avait une grande différence entre les taches sur un vêtement féminin et sur un vêtement masculin.

Une fois à la maison, le garçon se dévoua encore pour poser l'arbre de Noël dans un seau rempli de terre, puis l'installer sur une table basse. Une grande pièce de feutre vert devait donner l'impression qu'il avait poussé sur une petite colline.

Les décorations – des boules, des guirlandes, des anges en plâtre – attendaient dans des cartons.

— Allons-nous mettre des bougies ? s'enquit Corinne.

— Tu te souviens certainement de ma réponse des dix derniers Noëls, répondit sa mère.

Délia restait assise sur le canapé, à regarder ses enfants. Dans le passé, elle avait participé à ces préparatifs, maintenant ils devenaient la prérogative des plus jeunes. Toutefois, souvent elle devait donner son avis sur la progression du travail.

Ils en étaient à la moitié de leur tâche quand des coups contre la porte retentirent. Aldée sortit de la cuisine pour ouvrir. Au passage, elle jeta un coup d'œil sur le sapin.

Félix se tenait sur la galerie, souriant. La domestique s'écarta pour le laisser passer.

— Comment va la vie ? s'enquit-il une fois la porte refermée.

— … Bien, monsieur.

Du salon s'éleva une voix moqueuse, celle de Georges.

— Tes parents t'ont jeté dehors la veille de Noël ?

— Non, mais je ne pouvais tout de même pas vous laisser monter cet arbre sans moi.

Toujours dissimulé aux autres, il laissa sa main caresser l'épaule d'Aldée tout en lui remettant son manteau. Ce ne fut qu'au moment d'entrer dans le salon qu'il prit conscience de la présence de Délia Turgeon.

— Bonjour, madame, j'espère que vous allez bien.

— Bonjour. Aussi bien que possible.

Puis le visiteur se tourna à demi pour apercevoir Corinne perchée sur une chaise, penchée vers l'avant, avec une boule rouge au bout des doigts.

— Tu risques de te casser le cou. Je vais te soutenir.

En trois pas, il s'avança et posa ses mains sur ses hanches.

— Garde tes grands doigts pour toi, et donne-moi plutôt cet ange, là.

Si la mère se réjouit du rappel à l'ordre, elle constata aussi le rouge sur les joues de sa fille. Le contact lui faisait plaisir. Sans témoins, sa protestation aurait-elle été aussi rapide ?

Après quelques minutes, un sapin bien décoré jetait un air de gaieté dans la pièce.

❄

Le dimanche matin, Délia Turgeon devait tendre l'oreille vers le fond de la maison, car dès que les domestiques entrèrent par la porte de service, elle les rejoignit. De retour de la basse messe, Graziella accrochait son manteau à un clou quand la patronne annonça :

— Je vous ai trouvé une jeune fille pour vous aider pendant les deux semaines à venir. Une fille de cultivateur des environs.

— A sait travailler ?

Le ton de la cuisinière se révélait cassant.

— C'est l'aînée d'une famille de dix enfants, alors je suppose que oui.

— Bon, j'vas la mettre au lavage d'la vaisselle.

Avec toujours son chapeau sur la tête, la grosse femme se pliait en deux afin de regarder la volaille dans le four. Madame Turgeon donna une liste de directives, puis s'esquiva.

— Tu vas voir ça, aujourd'hui, ça va nous faire trois gros repas à préparer, dit Graziella à Aldée.

La cuisinière faisait allusion au réveillon, après la messe de minuit. Cette journée promettait d'être épuisante, et les suivantes, tout aussi pénibles. Aldée se tenait au milieu de la pièce, pleine de bonne volonté, mais ne sachant par quel bout commencer.

— Cette fille ?

— T'auras une voisine pour une couple de semaines, pis a r'partira.

— D'où vient-elle ? Je veux dire, comment madame a pu la dénicher ?

— Même chose que pour toé. Un coup de fil à un curé, pis le saint homme trouve une famille mal prise qui peut se passer d'une grande fille. Ça donnera deux piasses au père.

Évidemment, comme Aldée, l'employée ne verrait pas un sou de sa rémunération. Graziella parut vouloir adoucir le jugement implicite :

— Au moins, a mangera à sa faim pendant un boutte.

Tout en cherchant dans le garde-manger, elle ordonna :

— Bon, épluche des patates.

Le plus difficile, dans des moments de ce genre, demeurait la planification des opérations pour que toutes les tâches s'enchaînent en douceur. Un couteau dans une main et un plat de pommes de terre sous les yeux, la petite bonne se mettait au travail au moment où les Turgeon quittaient la maison pour se rendre à la grand-messe.

❁

La nouvelle s'appelait Estelle, une grosse fille brune vêtue d'une vilaine robe et de bas de laine grise reprisés avec du fil rouge. Personne ne se donnerait la peine de lui fournir un uniforme, car on la garderait dans la cuisine. Les invités ne verraient que les employées habituées à faire le service.

— Comment t'as faite pour avoir cette *job*-là ? lança-t-elle.

Aldée tenait un linge à vaisselle. Au souper, un couple de voisins s'était joint aux Turgeon. Un autre, avec ses trois enfants, serait là pour le réveillon : les Pinsonneault. On manquait déjà de vaisselle. Il fallait chercher au fond des armoires pour récupérer le service hérité de grand-maman, y compris les plats les plus ébréchés.

— Le curé de ma paroisse connaît monsieur Turgeon. Il en a parlé à papa.

— C't'un peu comme ça pour moé. J'aimerais ça en maudit rester icitte.

La supposition de Graziella se vérifiait, sur l'appétit de cette fille et sur tout le reste. En rapportant les assiettes dans la cuisine après le souper, la nouvelle venue avait avalé les restes tout en tentant de se dissimuler. Il faisait très chaud dans la pièce, toute la journée la température du poêle n'avait pas baissé d'un degré. Aldée s'essuya le front sur sa manche pour en enlever la sueur.

— Le personnel de la maison est complet.

Soudainement, l'adolescente se sentit inquiète. Pouvait-on la renvoyer chez elle pour en prendre une autre ? Probablement. Bientôt, elle entamerait son troisième mois de service dans la maison, alors que dans sa famille, la nourriture devait déjà se raréfier sur la table. La situation s'aggraverait jusqu'au printemps. La saison de la grippe se révélerait la plus dangereuse.

Malgré le travail incessant, cette grande demeure devenait son havre. Devant Estelle, elle craignit d'y perdre sa place. À ce moment, Délia entra dans la pièce.

— Madame, je peux faire quelque chose ?

— Je veux parler à Graziella.

Sans faire de pause, elle continua à l'intention de la cuisinière :

— Les choses se déroulent bien ?

— Les pâtés sont dans le four, j'vas réchauffer les tartes t'à l'heure. Si le curé dit pas sa messe en dix minutes, tout s'ra prêt, craignez pas.

Comme le curé de la paroisse aimait s'entendre parler, les mets auraient plutôt le temps de refroidir.

— Estelle, tu te fais à ce travail ?

— … Bin sûr, madame. Marci encore de m'avoir pris.

En entendant ces mots, Aldée se résolut à incarner la meilleure domestique de la ville, le temps que la concurrence devienne moins menaçante.

❋

La famille Pinsonneault avait été conviée à réveillonner chez les Turgeon. Cela signifiait neuf personnes à table. Le retour de la messe de minuit se révéla bruyant, la conversation résonna jusque dans la cuisine.

— Y en a qui ont commencé à fêter dès le souper, je suppose, ronchonna Graziella. T'sais, les bourgeois c'est comme not' monde, ça trinque, sauf qu'au lieu de boire d'la bagosse, y achètent leur bibine dans des beaux magasins.

Elle parlait de l'alcool de contrebande, fabriqué dans les granges ou, plus prudemment, dans des cabanes au fond des bois.

— Dans mon coin, un vieux faisait du whisky blanc avec des patates.

— C'vieux-là doit faire la même chose dans toutes les paroisses, commenta Estelle. J'en connais un aussi.

Déjà, la cuisinière posait des plats sur son petit charriot, avec trois bouteilles de vin. Aucun des adultes de la tablée n'était tout à fait à jeun, ils le seraient encore moins deux heures plus tard.

❋

Horace Pinsonneault, un gros homme aux joues rougeaudes, portait un manteau en fourrure de chat sauvage.

Le vêtement arrondissait sa silhouette déjà replète. Des veines bleutées sinuaient sur son nez, signe habituel des abus d'un bon vivant.

— C't'un bon curé qu'on a, commenta-t-il à l'intention d'Évariste Turgeon. Mais y parle, y parle…

— C'est son métier, non ? Moi je soigne, toi tu vends, lui il prêche.

Le médecin aidait son épouse à enlever son manteau, le marchand en faisait autant. La famille Pinsonneault comptait deux garçons en plus de Félix, le plus jeune âgé de huit ans, le plus âgé, de seize. L'épouse avait au moins trente livres en trop, comme pour mieux s'assortir à son époux. La penderie ne suffisant pas, Aldée attendait tout près, afin de prendre les manteaux pour les ranger dans une pièce voisine. En lui remettant le sien, Félix lui adressa un petit clin d'œil, comme à une bonne amie.

— Passons tout de suite dans la salle à manger, les invita Délia. Nous pourrons y prendre un apéritif.

Corinne se fit l'hôtesse des invités les plus jeunes, les précédant dans le couloir. Félix l'arrêta en lui mettant la main sur l'épaule, l'index fixé vers le plafond, désignant un bouquet de feuilles vertes.

— C'est un gui, ça ?

— Oui. Georges a tenu à le suspendre là.

— Tu connais certainement la tradition…

Sans attendre la réponse, il se pencha pour poser une bise sonore sur la joue droite, puis la gauche de Corinne, laissant la jeune fille stupéfaite.

— Félix, en voilà des manières ! gronda la mère du jeune homme.

— Quoi ? C'est la tradition, tout le monde le sait. Quand on se trouve avec une fille sous un gui, on l'embrasse.

— Je ne t'ai pas élevé comme ça.

Le ton sévère ne faisait pas sérieux, d'ailleurs le garçon ne s'inquiéta pas du tout.

— Ce n'est rien, intervint Délia. Mon fils se trouvait très drôle quand il a installé ça. Je ne serais pas surprise que ces deux-là se soient concertés.

— Ces traditions américaines ! protesta madame Pinsonneault. On ne se reconnaît plus dans notre Belle Province.

Le thème de l'influence du pays voisin revenait sans cesse dans toutes les paroisses. La grosse dame répétait un discours à la mode. Corinne, de son côté, regagna sa place en gardant sa main posée sur sa joue droite, comme si elle brûlait.

✳

Les rires et les bribes de conversation des invités résonnaient jusque dans la cuisine.

— Bin au moins, y en a qui s'amusent dans la maison.

Graziella, de son côté, ne s'amusait pas du tout. Debout depuis une vingtaine d'heures, elle faisait passer son poids d'un pied sur l'autre, comme pour les reposer en alternance. Ses chevilles gonflées débordaient de ses chaussures. Les convives avaient quitté la salle à manger depuis cinq minutes pour aller dans le salon.

— La p'tite, tu devrais aller chercher la vaisselle qui traîne encore. Sinon, on finira d'la laver au moment de commencer le repas de demain.

La prédiction risquait bien de se réaliser. Aldée se dirigea vers la salle à manger. Plus près du salon, elle entendit distinctement :

— Parti comme c'est là, Laurier demeurera au pouvoir jusqu'en 1920.

Il s'agissait de la voix de Pinsonneault, terriblement avinée. Plus posé, Turgeon répondit :

— Ça lui fera quel âge, en 1920 ? Il faisait déjà de la politique en 1867.

— Ouais, pour s'opposer à la confédération. Juste les fous qui changent pas d'idée.

La bonne entrait dans la salle à manger quand Félix sortit dans le couloir.

— Hé ! Attends.

Il hâta le pas pour la rejoindre, le doigt brandi vers le plafond pour la seconde fois de la nuit.

— C'est un gui. Il faut embrasser la fille en dessous.

Cette fois, il donnait une interprétation autoritaire de la tradition. Il s'exécuta sur une joue, puis l'autre, en se penchant à cause de la différence de taille. L'épisode avec Corinne semblait lui avoir servi de répétition. Avant de se relever, il lui murmura dans l'oreille :

— N'oublie pas, je vais t'attendre après-demain.

Puis il s'engagea dans l'escalier. Les toilettes se trouvaient en haut, juste sur le palier. Aldée était bouleversée. Elle récupéra tant bien que mal des tasses et des verres, puis revint dans la cuisine.

— Fais attention, la p'tite, chuchota Graziella.

Ainsi, elle avait vu.

— … Il m'a prise par surprise.

— Ça, j'le sais bin, t'avais l'air figée. Ça change rien, tiens tes distances avec c'monde-là. Qu'il se passe n'importe quoi, ce s'ra ta faute. Avec eux aut', c'est toujours pareil.

Près de la cuvette, les mains plongées dans l'eau de vaisselle, Estelle les surveillait, comme si une perspective d'emploi venait de s'ouvrir à elle.

Aldée monta sous les combles vers trois heures du matin, la nouvelle sur les talons.

— C'est un beau gars, souffla-t-elle une fois rendue dans le grenier.

Donc, elle aussi avait vu. Évidemment, se faire embrasser dans le couloir, à la porte de la salle à manger, manquait tout à fait de discrétion.

— Je ne sais pas.

— Bin voyons, tu l'as pas vu d'assez proche ?

— Bonne nuit, pour ce qu'il en reste.

Morte de fatigue, la jeune domestique se laissa tomber sur son lit, ferma les yeux. Elle ne se sentait pas la force d'enlever ses vêtements, surtout qu'il lui faudrait les remettre dans deux heures environ. Pourtant, malgré ses yeux fermés et l'immobilité parfaite, le sommeil ne vint pas.

❀

À cinq heures, une voix appela du bas de l'escalier de service. Aldée se leva tout de suite, afin d'éviter à Graziella l'obligation de monter. En sortant, elle frappa contre la porte de sa voisine, recommença parce que personne ne lui répondait. Enfin, un « oui » bougon lui parvint.

— Il faut descendre, le curé ne nous attendra pas pour dire la messe.

Le grognement pouvait bien passer pour une réponse. Car pour ajouter au fardeau des domestiques, toutes les trois devaient assister à la basse messe en ce jour de Noël. Au rez-de-chaussée, elles passèrent à tour de rôle dans le cabinet de toilette.

— T'as l'air d'une déterrée, dit Graziella à Aldée dans le couloir.

— Vous ne semblez pas plus fraîche que moi, j'en suis certaine.

La cuisinière lui adressa un mince sourire, chercha le fragment de miroir contre le mur pour vérifier.

— Ouais. Bin, c'est pas aujourd'hui que j'vas trouver mon galant.

Elle frappa contre la porte des toilettes, éleva la voix :

— J'veux pas te bousculer, mais là faut partir.

La nouvelle sortit bientôt et toutes revêtirent leur manteau.

— Nous avons tout de même le temps, l'église est à côté.

— Moé, j'communierai aujourd'hui, pis avant, faut que j'me confesse. C'est pas que j'ai tant de péchés su' la conscience, mais ça me prend du temps à m'en souvenir.

Aldée réprima un ricanement. Dans les circonstances, elle aussi devrait passer par le confessionnal et devant la sainte table. Une attitude différente la ferait passer pour une mauvaise fille.

❀

Graziella s'attarda longtemps dans le confessionnal. À son retour, elle marmonna d'un ton bourru dans l'oreille de sa jeune collègue :

— J'te l'ai dit, j'me souviens pas si bin.

Sans doute parce que le célébrant savait que les paroissiennes présentes si tôt avaient une rude besogne à effectuer avant le dîner, il accéléra les choses, puis l'absence de toute musique, de tout cantique permit de boucler la messe en cinquante minutes.

Aldée présenta un visage morose pendant toute la cérémonie. Ce matin-là, l'idée de n'entendre ni le *Minuit chrétien* ni le *Ça berger* lui faisait de la peine. Sur le chemin du retour, la cuisinière évoqua le menu du dîner, la présence d'invités.

— C'est du monde important, y reçoivent de la belle visite, observa Estelle.

— Ouais, un docteur, ça compte dans une ville. Pis, nous aut', on se tape la *job*.

Dans la grande maison, elles s'occupèrent du repas de midi. Bientôt, Délia entra dans la cuisine. Les cernes sous ses yeux tirèrent un sourire à Aldée. La nourriture trop abondante, l'alcool tout comme les longues veilles laissaient des traces. On ne se fatiguait pas seulement par le travail.

— Mesdemoiselles, je veux vous remercier pour tout le service, hier.

— Bin, c'est normal, madame. On est là pour ça.

Tout de même, la cuisinière appréciait visiblement ces mots de reconnaissance. La patronne tenait deux enveloppes à la main. Avec une certaine maladresse, elle lui tendit la première, donna la seconde à Aldée.

— Ce soir, nous souperons à l'extérieur. Aussi, après la vaisselle du dîner, vous pourrez vous reposer jusqu'à demain.

Son attention se porta brièvement sur la dernière arrivée.

— Je vous remercie aussi, mademoiselle, mais…

Elle allait sans doute dire : «Vous ne faites pas vraiment partie du personnel», puis préféra sortir sans un mot de plus. Graziella décacheta son enveloppe tout en disant :

— Tout de même, a sait vivre.

Son sourire indiqua que les étrennes étaient à la hauteur de ses attentes. Aldée fit de même, découvrit deux billets de un dollar.

— C'est pour mon père, ça.

La vieille domestique la toisa, puis chuchota :

— Il reçoit tes gages depuis deux mois. La patronne te l'a mis dans la main, pour toé.

De son côté, Estelle montrait un visage buté. Même si son arrivée datait de la veille, se voir exclue de ces largesses la frustrait.

❋

Deux dollars, une petite fortune. Deux jours de travail dans un chantier forestier pour son père, à l'époque où il montait pendant l'automne jusque dans la région de l'Outaouais pour bûcher.

Qu'en ferait-elle ?

— Du linge ?

Graziella suivait sans mal le cours de ses pensées.

— Non, je n'en ai pas besoin.

Aldée marqua une pause, puis dit en ricanant :

— Maintenant, je porte tous les vêtements de mademoiselle Corinne, des bas au chapeau.

Le changement de silhouette rapide de la fille de la maison, au cours de la dernière année, l'avait obligée à renouveler totalement sa garde-robe. Plus fluette, la jeune bonne en profitait. Recevoir la charité demeurait difficile, mais elle ne pouvait se payer le luxe d'être fière.

— Alors ?

Après une pause, Graziella insista :

— Tu vas pas les donner à ton père, toujours ? Les étrennes, c'est pour toi, ça s'adresse à personne d'autre.

— … Je pensais envoyer des bonbons à mes frères et sœurs.

La générosité du geste toucha la cuisinière.

— Ça ne leur arrive pas souvent, vous savez. Ça me fera plaisir de leur… payer la traite.

Sa collègue hocha la tête pour donner son approbation. Toutes deux étaient assises sur une chaise droite, affalées plutôt, la tête rejetée en arrière, appuyée contre le mur.

— La nouvelle a pas beaucoup d'endurance.

La critique tira un sourire à Aldée. En préparant le dîner, Estelle avait affiché sa fatigue, multipliant les grands soupirs. Excédée, Graziella l'avait envoyée dans sa chambre avant même qu'elle ait terminé la vaisselle.

— C'est difficile, quand même.

— T'es pas plus grosse qu'un pou, pis tu y arrives.

Tout de même, l'allusion au petit insecte vexa la jeune fille.

Chapitre 12

Le lendemain après-midi, 27 décembre, Aldée enfilait son manteau tout en avouant :

— Je me sens coupable de vous abandonner comme ça.

— Bin voyons, dans dix minutes, je vais partir aussi.

Graziella entendait passer une partie de son temps libre dans la sacristie de l'église, pour une réunion des Dames de Sainte-Anne. Depuis peu, l'association multipliait les prières afin de faire échec au mouvement féministe. À une question d'Aldée au sujet de cette activité, elle avait répondu :

— Bin, ça permet de sortir un peu de la maison.

La vieille domestique ne se distinguait pas par une religiosité exacerbée.

— Moé, chus pognée icitte, maugréa Estelle.

La bonne appelée en renfort présentait le plus mauvais visage possible. Un bagnard aurait paru joyeux en comparaison.

— Tu t'imagines avoir besoin d'une journée de congé, après quequ' jours d'ouvrage !

Si un jour la cuisinière devait livrer une appréciation de la performance de cette adolescente, les mots « feignarde, chialeuse et chicanière » y figurcraient en bonne place.

Tout de même, Aldée quitta la maison mal à l'aise de laisser la nouvelle venue se débrouiller seule. Au fond de sa poche, sa main se serrait sur sa petite fortune, le cadeau reçu de sa patronne.

Tout près de l'église, un magasin vendait divers produits d'alimentation, des conserves et des fruits, secs surtout. Un gros homme l'accueillit d'un ton jovial :

— Bin, toé, t'es la nouvelle servante des Turgeon.

— Oui, monsieur.

— J't'ai vue à la messe, depuis une coup' de mois.

Aucun nouveau venu dans la paroisse ne pouvait passer inaperçu bien longtemps. Afin de couper court à un interrogatoire en règle, Aldée indiqua :

— Je voudrais des bonbons.

— À la cenne ?

— Pour cent cennes, c'est possible ?

— Oh ! Un oncle des États est en visite ?

Tout de suite, la cliente se dit que cinquante cents auraient peut-être suffi. En réalité, elle ne se figurait pas du tout la quantité que la somme annoncée représentait. Alors que le marchand ouvrait de gros bocaux en verre tout en l'interrogeant des yeux, elle commanda :

— Les rouges, là, et les blancs… Dites-moi pour combien il y en a.

En voyant le volume de ses achats, elle troqua les derniers cents de friandises contre une boîte en carton. Le bureau de poste situé tout près, un grand immeuble en brique, témoignait, avec le bureau des douanes, de la grandeur du gouvernement fédéral aux yeux des Doucevilliens. Comme il s'agissait de son premier envoi, le commis dut expliquer à Aldée comment rédiger l'adresse. Le lendemain, le paquet atteindrait Saint-Luc, son père en prendrait possession lors de son prochain passage au village.

Avec tous les excès de table typiques du temps des fêtes, Corinne comptait faire un peu d'exercice et prendre l'air. Une heure après le dîner, elle attendait dans l'entrée, une paire de lames de métal sur l'épaule. Dès qu'Aline Tremblay apparut sur le trottoir, la blonde sortit pour la rejoindre.

— Puis, Santa Claus a été généreux avec toi ? voulut-elle savoir.

— Le bonhomme Noël, je ne sais pas, mais mes parents l'ont été.

Pendant un moment, chacune fit la liste des livres, des vêtements et des promesses d'excursion reçus. Évidemment, à quinze ans, le temps des poupées était passé. Un peu trop vite, bien sûr. Cinq minutes plus tard, elles arrivaient à la patinoire aménagée par la municipalité. Parce que tous les écoliers profitaient d'un congé, l'affluence était grande. Quelques jeunes adultes s'ajoutaient à des dizaines d'adolescents.

— Oh ! Il y a de la musique ! s'exclama Aline.

Trois membres de la fanfare de la ville, juchés sur une estrade, jouaient les valses à la mode. Des bancs occupaient la périphérie de la surface glacée. Elles s'installèrent et troussèrent leurs jupes de laine de cinq ou six pouces pour révéler des bottines lacées.

— C'est compliqué à fixer, se plaignit Corinne. Si je les serre trop, le sang cesse de circuler, si ce n'est pas assez, j'en perds une et je me casse le nez.

Chacune des lames était surmontée d'une plate-forme en métal munie de courroies en cuir. Pliées en deux, elles se gelaient les doigts pour arriver à les attacher.

— Je peux vous aider ?

La voix masculine les fit sursauter. Un garçon de dix-sept ou dix-huit ans se tenait devant elles.

— Vous aider à attacher ça, précisa-t-il.

Seules, elles se seraient inquiétées de se faire aborder de cette façon. Ensemble, elles se sentaient audacieuses.

— Pourquoi pas, acquiesça Corinne en allongeant la jambe.

Le jeune homme se mit à genoux, posa un pied entre les pièces en fer et fixa les courroies, puis recommença avec l'autre patin. Au passage, il s'excitait certainement sur les bas bleus brodés, les quelques pouces de jupon blanc. Puis ce fut le tour d'Aline. En se relevant, il proposa :

— Maintenant, voulez-vous patiner un peu avec moi ?

Les filles se consultèrent du regard, firent entendre un petit rire nerveux, puis acceptèrent. Pendues à chacun de ses bras, elles tracèrent de grands ovales sur la glace. Les élections municipales se tiendraient un peu plus d'un mois plus tard, le maire Pinsonneault ne négligeait rien pour séduire ses commettants. La musique des trois membres du Cercle philharmonique donnait à chacune des patineuses un charmant mouvement des hanches.

— Je m'appelle Philippe, leur apprit le jeune homme. Et vous ?

Il ne croyait pas à sa chance : deux filles l'encadraient, un peu jeunes peut-être, mais mignonnes.

— Corinne, dit la première.

— Aline, dit la seconde.

Dans les minutes suivantes, elles évoquaient le couvent, et lui l'atelier qui l'employait. Normalement, leurs chemins ne se seraient pas croisés. Les filles de notables ne fréquentaient pas les travailleurs manuels. La période des fêtes et la présence d'un rond de glace permettaient de briser les barrières sociales, pendant une heure ou deux.

Les deux adolescentes marchèrent vers la maison dès la fin de l'activité.

— Il avait de beaux yeux bleus, souligna Aline.

Brune, elle appréciait cette teinte chez les autres. Corinne commenta surtout sa taille bien prise, sa force évidente. Le contact de sa main dans son dos, sa façon de remonter sa jupe un peu plus que nécessaire au moment d'enlever les lames, lui traîneraient dans l'esprit un moment quand elle irait au lit. Mais elle ne mentionnerait certainement pas ce petit émoi à haute voix.

Un autre sujet l'intéressait.

— Tu as eu l'occasion de rencontrer le beau Jules, depuis la soirée au Club nautique ? demanda-t-elle à Aline.

— Non, pas du tout.

La déception marquait sa voix.

— Tu sais, il a déjà dix-huit ans, et il fréquente le Collège de Montréal, poursuivit-elle.

Autrement dit, il se trouvait hors de portée d'une adolescente de quinze ans. Pas tellement à cause de la différence d'âge, mais parce qu'il lui restait encore entre cinq ou six ans d'études avant de recevoir ses premiers honoraires. Une véritable éternité.

— On ne sait jamais. Vous avez bien le temps tous les deux.

Cette façon de voir devait la rasséréner un peu. Pendant tout ce temps, Aline et Jules se verraient face à face au moins une vingtaine de fois par an, sur le parvis de l'église, dans un commerce, ou lors des spectacles publics donnés dans les parcs de la ville. Entre eux, il ne fallait qu'un regard complice pour tout déclencher. Le coup de foudre survenait ainsi, en une seconde.

— De ton côté ?

Aline faisait allusion à Félix, aussi blond qu'était blonde Corinne. Celle-ci laissa échapper un long soupir.

— Je le vois deux ou trois fois par semaine, en raison de son amitié avec mon frère, mais je ne suis pas plus avancée. Il prononce toutes les phrases qui font plaisir, mais ça lui vient machinalement. Il les répète sans doute à toutes les filles.

En réalité, même la mère de Corinne avait droit à toutes ses attentions. C'était certainement le plus vexant de la situation. Félix s'amusait à badiner avec une femme deux fois plus vieille que lui. Au lieu de ruminer sa déception, Corinne proposa :

— Ce soir, tu devrais manger à la maison. Après, nous pourrions écouter de la musique. Mon père a acheté une douzaine de disques, lors de son dernier voyage à Montréal.

— … Si tes parents acceptent, je veux bien.

— Quand il y en a pour quatre, il y en a pour cinq.

D'habitude, ces mots convainquaient Félix de souper chez les Turgeon.

— Je suis certaine qu'ils diront oui.

Toute à sa déception de ne pouvoir inviter le jeune Pinsonneault à la place, Corinne ne remarqua pas le changement de mine de son amie. Déjà, Aline songeait à un plan B. Après tout, Georges se montrait plutôt affable à son égard.

❀

Le froid pinçait les joues, heureusement les maisons rapprochées coupaient à peu près complètement le vent. Aldée se rendit bien dans le parc près de l'hôtel de ville. L'horloge sur le bâtiment public indiquait trois heures. Si quelques bourgeois des deux sexes y marchaient d'un pas vif, aucun Félix Pinsonneault ne figurait parmi eux.

La jeune fille se sentit totalement ridicule. Ce garçon avait voulu se moquer, et comme une sotte, elle était venue.

Comme les autres badauds, elle fit le tour des allées, un exercice prenant tout au plus quinze minutes. Puis elle retourna vers la maison de la rue de Salaberry.

❋

Une partie de la nuit, Aldée se fustigea pour sa naïveté. S'attarder dans un parc afin de rencontrer un fils de notable ! Pourquoi ce garçon s'amusait-il ainsi à ses dépens ? Une grande méchanceté l'animait sans doute. Pauvre, très ignorante en comparaison des gens de ce milieu, elle ne pouvait même pas concevoir que sa beauté la distinguait des autres.

Quand vint l'heure de se lever, elle chercha ses vêtements dans l'obscurité. En plus des cernes sous ses yeux fatigués, la jeune fille ressentait une légère douleur au bas-ventre. Avec tous les excès de table au cours des derniers jours, rien de déconcertant. Les friandises et les desserts offerts aux invités revenaient parfois à la cuisine sans avoir été touchés. Graziella, Estelle et elle se les partageaient.

— Bin, la p'tite, aujourd'hui, pas de visite, annonça la cuisinière en la voyant. On va pouvoir prendre les choses un peu plus lentement.

— Tant mieux.

Aldée esquissa une grimace pour signifier son malaise, et se dirigea vers les toilettes.

— C't'occupé, l'avertit la vieille femme.

Évidemment, comme Estelle ne traînait pas dans sa chambre ni ne vaquait dans la cuisine, elle était nécessairement au petit coin. L'odeur probable la convainquit de ne pas lui succéder tout de suite.

— Bon, je peux aider ? proposa la jeune bonne.

Jamais Graziella ne lui avait répondu non. La préparation du café l'occupa plusieurs minutes. La surnuméraire sut s'attarder suffisamment longtemps pour se manifester seulement quand la préparation du petit déjeuner fut terminée.

— Bin, tu peux commencer par laver la poêle, nous aut' on va servir.

La cuisinière poussa la desserte vers la salle à manger, Aldée à sa remorque.

— M'dame, m'sieur, bonjour.

Les Turgeon recevaient toujours les salutations de la cuisinière, et les enfants un simple geste de la tête. Aldée les salua à son tour, puis entreprit de servir le café. Une impression de chaleur se fit sentir sur sa cuisse.

— Excusez-moi, fit-elle avant de s'enfuir.

Après une hésitation, Délia demanda :

— Il se passe quelque chose ?

— Bin, j'sais pas.

— Allez voir, je vais m'occuper du service.

De retour dans la cuisine, Graziella ne vit pas l'adolescente.

— Est là-d'dans, lui apprit Estelle en désignant le cabinet de toilettes.

La vieille femme frappa contre la porte, s'inquiéta :

— Ça va-tu ?

Le silence dura, elle dut répéter sa question.

— Du sang, il y a du sang ! glapit Aldée derrière la porte close.

Heureusement, Graziella comprit immédiatement de quoi il s'agissait.

— Bin, à mon âge, c'est pas moé qui peux te fournir le nécessaire. J'vas vouère avec madame, bouge pas.

Aldée se désola que toute la maison soit au courant de cette nouveauté dans sa vie. D'un autre côté, peut-être perdrait-elle enfin tout à fait son corps de fillette.

❧

Déjà le 29 décembre était là. Encore trois jours, et la folie du temps des fêtes se terminerait. Au milieu de l'après-midi, alors qu'Aldée s'apprêtait à monter à l'étage pour faire les chambres, madame Turgeon entra dans la cuisine.

— Peux-tu m'accompagner ? J'aimerais te dire un mot en privé.

Près de la cuisinière au charbon, Graziella leva les yeux, curieuse. L'air soucieux sur le visage de la patronne ne laissait rien augurer de bon. Puis elle aperçut un sourire sur le visage d'Estelle.

Dans le couloir, Délia précisa :

— Allons dans le bureau de mon époux. Il effectue des visites chez des patients. La maladie ne prend jamais de repos.

L'idée de retourner dans cette pièce lugubre ne disait rien à l'adolescente. Une fois à l'intérieur, elle accepta de s'asseoir sur la chaise réservée aux visiteurs, alors que Délia occupait celle de son époux. Comme chaque fois, son regard se porta sur le squelette.

— Moi aussi, il me dérangeait, au début de mon mariage. Avec le temps, on s'y fait. Je viens ici pour faire les comptes de la maison.

La maîtresse des lieux paraissait hésitante. Elle se décida :

— Cela se passe bien, pour tes règles ?

La jeune domestique rougit jusqu'aux oreilles. On ne parlait pas de ces choses-là ! Mais comme la patronne lui avait fourni la ceinture et les linges, impossible de demeurer silencieuse.

— Oui, je suppose que oui.

— Tu ne ressens pas trop de douleur ?

Aldée secoua la tête de droite à gauche.

— Souvent, c'est le cas, au point de rendre une femme à peu près incapable d'effectuer son travail.

Madame Turgeon essayait-elle de lui adresser un reproche d'une façon détournée?

— Je ne pense pas avoir négligé mon devoir.

— Non, ce n'est pas ce que je veux dire. Je suis heureuse que, comme pour Corinne et moi, tu ne sois pas trop indisposée.

La jeune fille comprit à ce moment ce que le terme, entendu dans la bouche de sa belle-mère, Hémérance, ou d'autres femmes, signifiait. À peu près personne n'utilisait le mot «règles», Délia enrichissait sans doute son vocabulaire auprès de son mari. À Saint-Luc, l'expression «les crampes» l'emportait de loin sur le mot «indisposition».

— Tu comprends ce que ce changement signifie, n'est-ce pas?

Comme la jeune fille haussait les sourcils, sa patronne se fit plus limpide:

— Maintenant, si tu prends certaines libertés avec les garçons, tu risques de tomber enceinte.

Elle précisa encore:

— De partir pour la famille.

Cette fois, Aldée hocha la tête. Même si elle se représentait mal quelles étaient ces «libertés» si dangereuses, elle savait que, dorénavant, elle pouvait enfanter.

— Il te faudra donc te montrer très prudente avec les garçons. Je m'autorise à aborder ce sujet avec toi, car ta mère est loin.

— Je ne fréquente aucun garçon.

Ce fut au tour de Délia de se sentir très mal à l'aise. Après une hésitation, elle poursuivit:

— Au moment du réveillon de Noël, j'ai vu Félix Pinsonneault t'embrasser.

Elle mentait, Aldée en était certaine. Si la scène n'avait pas échappé à la cuisinière, la patronne ne se trouvait pas dans les environs. Le rôle d'hôtesse l'occupait totalement. Quelqu'un le lui avait dit. Graziella ?

— Non. Enfin, ce n'est pas comme ça. Il m'a raconté une histoire à propos de la drôle de fleur, au plafond. Une tradition.

— Le gui.

Délia hocha la tête. Le garçon avait fait la même chose avec Corinne. Avec juste un brin d'audace de plus, il aurait aussi tenté sa chance avec elle.

— Ce n'est pas ma faute, se défendit la petite bonne.

— Je comprends. Ce garçon sait se montrer très… insistant. Il faudra que tu tiennes tes distances.

— Je…

Comment se défendre ? Devrait-elle crier dès qu'il s'approcherait ? Elle était là pour faire le service, tous ces gens représentaient l'autorité, les personnes à qui il lui fallait obéir.

— Après tout, tu n'as aucune raison de te trouver en sa présence.

« Sauf pour lui ouvrir la porte, prendre son manteau, apporter des biscuits, du lait ou du thé dans le salon. Je ne peux pas l'éviter », pensa la domestique. Sa situation était toutefois ambiguë ; deux jours auparavant, elle se promenait dans le parc de l'hôtel de ville pour l'attendre. Cela, même s'il s'était montré bien plus entreprenant que les convenances ne le permettaient.

— Je n'ai rien fait.

— Oui, je sais. Des garçons de cet âge peuvent se montrer très… collants. J'insiste, garde tes distances.

Au petit silence qui suivit, Aldée comprit que l'entretien était terminé, mais il revenait à sa patronne de la renvoyer à son travail. À sa grande surprise, Délia enchaîna :

— Georges… mon fils, t'a-t-il importunée, déjà ?

— Le jeune monsieur ? Non, jamais.

L'expression « jeune monsieur » tira un sourire à la bourgeoise.

— Il se montre respectueux ?

La mère la croyait, mais elle désirait entendre dire du bien de son rejeton.

— Oui, tout à fait.

— Bon, tu peux retourner à ton travail.

Aldée quitta la pièce, à la fois soulagée et inquiète.

❋

Tout le reste de la journée, la jeune servante fut soucieuse. En soirée, quand Estelle monta à l'étage, Aldée commença à mi-voix à l'intention de Graziella :

— Pour le bec, elle savait. Mais je sais qu'elle n'a rien vu.

— Le jeune Pinsonneault ?

— Oui, ce gars-là, car il n'y en a pas d'autre. Vous avez vu les bons partis se succéder à la porte, les bons soirs ?

Le mouvement d'humeur de l'adolescente n'était pas coutumier. Elle se montrait d'un tempérament égal, d'habitude. La cuisinière se fit aussi douce que possible.

— J'voulais pas te vexer, tu sais. Comment veux-tu que j'sache comment ça s'passe, avec les gars de ton âge ? J'me souviens même pas d'avoir été jeune comme toé.

Pour Graziella, cela représentait un long plaidoyer. Elle continua :

— T'es certaine que la patronne a pas vu ?

— Je les entendais tous discuter dans le salon.

— Dans ce cas-là, j'en voués rien qu'une.

Les yeux de la cuisinière se portèrent vers le plafond, pour désigner la nouvelle, déjà au lit.

— Pourquoi elle aurait rapporté ?

— Tu l'demandes ? A veut ta *job*.

La méfiance d'Aldée se trouvait justifiée. Tout à coup, la raison de l'intervention de madame Turgeon devenait claire. Sans doute l'employée supplémentaire avait-elle agrémenté son récit de quelques détails inventés pour la déconsidérer.

❁

Le lendemain matin, alors qu'Aldée s'occupait de ranger les chambres à l'étage, Graziella vint se planter devant le plan de travail.

— Bavasser comme ça, ça se fait pas.

Estelle leva les yeux du plat de pommes de terre qu'elle pelait.

— Qu'esse vous voulez dire ?

— Tu le sais bin. Vider ton panier à la patronne, ça se fait pas.

— J'lui ai rien dit.

En biais, son regard mauvais se posa sur Aldée, qui revenait alors dans la pièce. Cette attitude valait un aveu.

— Nous aut' aussi, on forme une famille. Si on peut pas s'fier les uns aux aut', ça marche pus.

Elle parlait de la famille des domestiques, vivant six jours et demi par semaine dans un espace restreint. Et encore, parfois la jeune bonne et elle avaient partagé de longues promenades le mercredi après-midi.

— J'ai hâte que tu décrisses.

La cuisinière avait prononcé cette sentence à mi-voix.

❁

Le 1er janvier, à cause du va-et-vient continuel vers la porte, Aldée aurait dû mettre une chaise dans le couloir pour économiser ses pas. Un médecin figurait parmi les notables d'une paroisse, aussi de nombreuses personnes se présentaient chez les Turgeon pour offrir à Évariste leurs meilleurs vœux. Des parents, des amis évidemment, mais aussi d'autres professionnels, des marchands, et même des malades ou des proches de ceux-ci, reconnaissants pour une guérison.

Chaque fois, la domestique devait se rendre à la porte, demander les noms des visiteurs, les annoncer à la famille Turgeon. Certains se contentaient de poignées de main dans l'entrée, mais souvent Délia et même Corinne recevaient des bises parfois appuyées. Pendant la saison propice aux rhumes et aux grippes, ce genre de tradition aurait dû être interdite par le Conseil d'hygiène de la province de Québec. Dès le matin, la mère de famille avait donné une cuillérée de la mixture du bon docteur Lambert à ses enfants, à titre de prophylaxie, et elle leur servirait une autre dose avant le coucher.

Évariste demeurait tout à fait sceptique à l'égard de ce produit vendu à grand renfort de publicité dans les journaux, mais la paix de son ménage exigeait qu'il garde son opinion scientifique pour lui. Puis, savait-on jamais ?

D'autres gens s'attardaient longuement pour partager un verre. Dans ces cas-là, le maître de la maison n'osait leur refuser ses largesses. En milieu d'après-midi, il était un peu pompette. Le maire Pinsonneault se présenta à ce moment, dans un état pire encore. Quelques années supplémentaires d'abus de ce genre, et son nez brillerait davantage que la lanterne d'un train.

— Turgeon, je t'en souhaite une bonne et heureuse.

En lui serrant la main, il se tint suffisamment près de son interlocuteur pour partager son haleine avinée.

— Pis t'oublies pas, à la prochaine élection, tu s'ras élu échevin. Mon bras droit.

Le maire marqua une pause, et s'exclama :

— Voici la belle Délia !

Court de taille, il n'avait pas à se pencher pour embrasser la joue de la femme du docteur. Elle fléchit au contact des lèvres mouillées.

Le magistrat avait épargné à son épouse et à ses deux enfants les plus jeunes l'obligation de l'accompagner dans cette tournée de l'électorat. Au demeurant, les femmes ne votaient pas. Toutefois, comme Félix rêvait d'incarner le prochain Wilfrid Laurier, cet exercice lui servait d'apprentissage. Le garçon déclara :

— Je vous souhaite une bonne année 1906, docteur Turgeon, avec plein de malades mais aucun décès.

— Heureusement, les derniers mots rendent les précédents moins terribles ! répondit le docteur en riant. Alors, bonne année aussi, avec une foule de versions latines à rédiger, et des notes pas trop catastrophiques.

Félix lui adressa un sourire contraint. La prochaine fois, il choisirait plus soigneusement sa formule. Autant donner toute son attention à son hôtesse. Le souhait de bonne année prit une seconde, la bise légère réconcilia Délia avec cet usage. Le garçon passa ensuite à son camarade de collège, puis à sa sœur.

— Corinne, viens me souhaiter le paradis à la fin de mes jours, même si je mène une vie de barreau de chaise.

Cette fois, ses baisers furent insistants, et le rouge monta aux joues de l'adolescente. Du coin de l'œil, Délia surveillait la scène, constatait combien ce gamin aimait s'amuser des émois d'une jeune fille.

— Voulez-vous entrer un moment ? proposa le médecin.

Il lui était impossible de ne pas faire cette proposition, car le bonhomme enlevait déjà son manteau de chat sauvage.

— Bien sûr, avec plaisir.

Félix aussi se débarrassait de son paletot. En le remettant à Aldée, il dit dans un murmure :

— Où sont les toilettes ?

En habitué de la maison, il le savait pourtant très bien. Elle lui indiqua l'escalier.

❄

Le jeune homme demeura une minute sur le palier, à l'étage, puis redescendit juste au moment où la petite bonne revenait après avoir déposé les manteaux dans la salle à manger.

— Mercredi dernier, je t'ai attendue au parc.

Heureusement, il chuchotait, aussi personne ne pouvait l'entendre depuis le salon.

— J'y suis allée.

Félix eut un sourire satisfait, celui d'un pêcheur faisant une touche.

— Ah ! Nous n'y étions sans doute pas au même moment.

Aldée convenait que cela était possible, puisqu'elle n'était restée là-bas que quinze minutes tout au plus.

— Mercredi prochain, j'y serai à quatre heures et demie.

Il fit mine d'aller rejoindre les autres, puis revint sur ses pas pour lui plaquer un baiser sur les lèvres.

— Bonne année.

Il s'en alla, laissant la jeune fille médusée, la main sur la bouche. Dans l'embrasure de la porte de la cuisine, Estelle l'épiait, l'air mauvais. Dans la distribution des bises du Nouvel An, la récolte de cette dernière demeurait navrante.

Chapitre 13

Le 2 janvier, quand Délia Turgeon entra dans la cuisine, elle vit Estelle au milieu de la pièce, son manteau sur le dos.

— Je te remercie, ton aide a été précieuse.

— … Madame, j'peux vous dire un mot… tout seules ?

La patronne montra sa surprise, mais elle lui fit signe de la suivre. La nouvelle domestique pénétra dans le salon pour la première fois depuis son arrivée à la maison. Toutefois, la maîtresse de maison ne lui fit pas l'honneur de l'inviter à prendre place dans un fauteuil.

— Alors, que veux-tu me dire ?

— Hier, a l'a embrassé encore une fois.

— De qui parles-tu ?

— Le même gars que l'aut' fois, celui qui a réveillonné icitte.

Délia poussa un long soupir.

— Vas-tu dénoncer aussi Corinne ?

Estelle ressembla soudain à un poisson hors de l'eau, la bouche à demi ouverte.

— Il l'a embrassée aussi. Oh ! Et en passant, j'ai eu droit à ses baisers. Ce jeune homme semble résolu à les distribuer à tout le monde. Comme son père a rendu visite à la moitié de la ville, nous devons être quelques douzaines dans le même cas.

— … C'est pas la même chose.

Maintenant, la jeune fille aurait voulu se trouver à mille lieues. Son entreprise de dénonciation tournait court.

— Tu me dis ça parce que tu veux la place d'Aldée. Tu ne comprends pas que, même si je voulais la remplacer, jamais je ne t'embaucherais. Si tu trahis ta collègue aujourd'hui, cela signifie que tu raconterais aussi tout ce qui se passe dans cette maison. La discrétion, c'est certainement la qualité première d'une domestique.

Estelle se mordit la lèvre inférieure, prête à hurler sa frustration devant l'injustice du monde. Délia lui ouvrit d'abord la porte du salon, ensuite celle ouvrant dans la rue.

❋

Le lendemain, en lavant la vaisselle du dîner, Aldée confia à sa collègue :

— Je suis contente que la période des fêtes se termine. Les quinze derniers jours ont été épuisants.

— Malgré l'aide de ta bonne amie ?

Graziella trouva sa propre répartie très drôle. Le service chez les Turgeon représentait un emploi enviable. Les patrons avaient une excellente réputation, et le personnel jouissait d'une existence paisible.

— T'sais, c'est pas la première fois. Les p'tites qui viennent aider sont souvent jalouses. Pis, désolée de te décevoir, y reste encore la fête des Rois.

— Ce jour-là, ils donnent une grande réception ?

Le mot, utilisé en ce sens, était nouveau pour elle.

— Assez grande. Et cette fois, jusse des parents. Tu verras pas du monde comme les Pinsonneault le 6 janvier.

La précision déstabilisa Aldée. Elle baissa les yeux, incertaine de l'attitude qu'elle devrait adopter l'après-midi de la fête.

— Tant pis, nous aurons donc encore un grand repas à préparer avant le carême.

Quelques minutes plus tard, l'adolescente revenait de sa chambre située au grenier, vêtue de l'une des robes de Corinne.

— Bin, j'pensais que tu plongerais le nez dans un livre après-midi ! Si tu restes trop longtemps dehors, le frette va te faire tomber les oreilles.

— Respirer autre chose que l'odeur de la cuisine me fera du bien.

— Là, j'devrais me sentir insultée.

La vieille femme fronçait les sourcils, mais il ne fallait pas la prendre au sérieux.

— Je ne parlais pas de la nourriture, mais de la pièce.

— Pour ça, c'est sûr que les murs empestent le chou et les rôtis des trente dernières années. Mais moé, j'aime mieux ça que le frette, ça doit être mes rhumati'mes.

Déjà, un tricot était posé sur la chaise habituelle de la cuisinière. Elle prévoyait porter des bas de grosse laine brune au cours de l'hiver.

— Alors, on se reverra en fin d'après-midi.

L'instant d'après, Aldée passait par le côté de la maison afin de gagner la rue.

❖

La jeune fille aurait pu rester dans la maison jusqu'à la venue de l'obscurité, afin d'arriver en même temps que le garçon. Là, elle se trouvait dans l'obligation de tuer le temps pendant plus de deux heures. D'abord, elle marcha dans les allées du parc, puis s'installa sur un banc. Le froid était insupportable. L'idée lui vint de se réfugier dans l'église toute proche. Les portes restaient ouvertes toute la journée, afin de permettre aux fidèles de se recueillir.

En pénétrant dans le temple, Aldée constata la présence d'une dizaine de personnes, toutes des femmes, aucune âgée de moins de soixante ans. Certaines la suivirent des yeux jusqu'à ce qu'elle prenne place sur le banc des Turgeon. Elles devaient tenter de deviner quelle faute l'incitait à se réfugier dans la prière.

Ce genre de situation exigeait un comportement précis. D'abord, Aldée passa un moment à genoux, les mains jointes, puis elle se tint assise, la tête penchée vers l'avant, avec une mine recueillie. Du côté gauche du chœur, une porte s'ouvrit. L'abbé Grégoire descendit l'allée d'un pas vif. Tout de suite, trois vieilles paroissiennes allèrent se planter devant le confessionnal. Peut-être le temps des fêtes avait-il multiplié les occasions de pécher.

La jeune fille était terriblement mal à l'aise de sa décision de rencontrer Félix, aussi elle entendait demander la permission, en quelque sorte. Elle était la quatrième de la petite file d'attente. Déjà, sa présence dans l'église jurait. Qu'elle désire se blanchir l'âme fit naître un sourire narquois sur les visages des vieillardes. «J'espère qu'aucune d'entre elles ne me reconnaît comme la bonne des Turgeon», s'inquiéta-t-elle. De quelles fautes la soupçonnerait-on? Irait-on jusqu'à aborder sa patronne pour lui signaler sa visite à l'église?

Son tour vint rapidement, et son attente, les genoux posés sur un prie-Dieu, dura peu. Le guichet s'ouvrit sur la silhouette d'un prêtre d'une cinquantaine d'années. Après la formule habituelle, «Mon père, je m'accuse…», elle mentionna divers péchés assez anodins, puis parla de l'orgueil.

— J'ai honte de porter les vêtements de la fille de ma patronne.

— Ils sont laids? Abîmés?

— Non, presque neufs. Elle a beaucoup… grandi l'année dernière.

— Alors ?

Le « alors » lui semblait mystérieux. Elle-même avait un peu de mal à comprendre.

— Tout le monde sait que je porte les vêtements d'une autre. Des vêtements de riches, alors que je ne possède rien.

— Si on vous les donne, ils sont à vous, n'est-ce pas ?

Décidément, il ne saisissait pas. Parce qu'il s'agissait d'un homme ou d'un prêtre ? Toutefois, le ton demeurait bon enfant.

— Autre chose, ma fille ?

Aldée trouva enfin le courage d'aborder le sujet qui l'amenait :

— Tout à l'heure, je vais rencontrer un jeune homme. Est-ce que c'est mal ?

— … Vous le rencontrerez où ?

— Dans le parc.

Elle entendit d'abord le rire, puis la remarque amusée :

— Avec le froid d'aujourd'hui, vous ne risquez pas de pécher, même en pensée.

Ensuite, la voix devint tout à fait sérieuse.

— Car vous n'envisagez pas de l'accompagner… dans un autre lieu ?

— Non, pas du tout.

Que le prêtre ait même pu y penser la troublait.

— Il est marié ? Il est plus vieux que vous ?

— Voyons, mais non ! Mon âge, à un an près.

— Qu'est-ce qui vous tracasse ?

— Ce n'est pas possible, nous ne sommes pas du même monde.

Maintenant, combien la jeune fille regrettait d'avoir abordé le sujet !

— Que voulez-vous dire ? C'est un Nègre ? Un Chinois ?

Le prêtre pensait tout de suite à des mondes éloignés par la géographie. Évidemment, même entre catholiques, la différence de couleur de peau créait un obstacle insurmontable.

— Non... Lui ne porte pas les vêtements des autres. Je travaille comme bonne, c'est un ami du fils de la maison.

Le prêtre garda d'abord le silence. Aucun confesseur n'avait l'habitude de ce genre de situation.

— Il vous a invitée ?

— Oui.

— À le rencontrer dans le parc à côté ?

— Oui.

De nouveau, l'ecclésiastique se tut. La confession s'étirait tellement que les vieilles grenouilles de bénitier s'imagineraient une vie de débauche.

— Au fond, c'est comme les veillées à la maison. Des garçons vous ont déjà rendu visite ?

— Une fois.

En réalité, il y en avait eu deux, mais elle réduisait le nombre pour paraître plus sage.

— Si cela vous tente, parlez-lui, et vous verrez. Vous avez été élevée comme une bonne chrétienne, n'est-ce pas ?

Elle hésita un bref instant avant de confirmer.

— Alors, vous savez ce qui est convenable, et ce qui ne l'est pas.

Vraiment, ce prêtre différait de celui de Saint-Luc.

Peu après, elle se rendit dans la nef avec une pénitence à la hauteur de ses fautes : un seul petit *Je vous salue Marie*.

❧

À moins qu'une activité sportive ne soit prévue, Félix Pinsonneault ne s'attardait jamais au collège. Certains jours, Georges participait à la Société de débats. Assez curieusement, même si la politique ne lui disait rien, le fils Turgeon profitait de cette opportunité pour apprendre à s'exprimer en public. Son camarade, certain d'être promis à une grande carrière politique, ne s'en donnait pas la peine tant il croyait à ses moyens.

La plupart du temps, les deux amis sortaient ensemble de l'établissement scolaire pour marcher jusqu'à la rue de Salaberry. Ce jour-là pourtant, à mi-chemin, Félix s'arrêta.

— Tu vas continuer sans moi.

— Où vas-tu ?

Georges paraissait prêt à déclarer «J'y vais avec toi», sans même connaître la destination.

— À un rendez-vous galant.

La confidence était accompagnée d'un grand sourire satisfait. Avant que son camarade ne pose davantage de questions, il énonça :

— Un gentleman garde pour lui le nom de ses conquêtes. Toutefois, si jamais ma mère téléphonait chez toi pour me parler, réponds que je suis là, mais incapable de me rendre à l'appareil.

Le grand garçon si fier d'afficher son indépendance tenait tout de même à garder secrètes certaines de ses activités. Craignait-il que madame Pinsonneault ne réprime ses entreprises… non pas amoureuses, mais certainement coquines ?

— Incapable de prendre le téléphone ?

— Tu sais bien ce que je veux dire. Que je suis au petit cabinet pour un long moment, parce que le chou du dîner ne passe pas, ou plutôt qu'il passe trop vite.

L'allusion à des intestins en révolte fut assortie d'un sourire en coin. Sur ces mots, Félix s'engagea vers la droite dans une rue perpendiculaire, et Georges tourna à gauche.

❀

Finalement, Aldée était restée dans l'église passé quatre heures. Ce fut en se répétant «Il ne viendra pas, tout ça est ridicule» qu'elle marcha vers le parc. Puis elle le vit debout dans une allée, tapant le sol du pied pour se réchauffer un peu.

— Je me demandais si tu viendrais, avoua-t-il.

«Moi aussi», songea la jeune femme. Félix portait son chapeau enfoncé sur le crâne, pour le tenir au chaud. Il se pencha pour lui faire la bise. En l'absence de gui et le jour de l'An déjà passé, rien ne justifiait cette embrassade. Aldée se raidit, recula d'un pas.

— Avant d'être congelés d'un travers à l'autre, nous allons marcher jusqu'au café où nous nous sommes rencontrés, le jour des vues animées.

— … Non, vous aviez dit ici.

— Quand j'ai dit ça, nous étions au chaud chez les Turgeon. Là, je gèle. Viens.

Le garçon fit trois pas et se retourna, un sourire engageant sur les lèvres, pour voir si elle le suivait. Cela suffit à la convaincre.

L'établissement n'était pas trop loin. Félix la fit entrer la première dans le Café Richard, chercha une table discrète. Jusque-là, elle avait attendu qu'il lui donne son manteau, cette fois il l'aida à enlever le sien.

— Ça me fait tout drôle de me trouver ici.

Elle venait dans un restaurant pour la seconde fois de son existence, et un garçon l'invitait pour la première fois. Quand un voisin de Saint-Luc venait passer un bout de veillée, dans le meilleur des cas, l'hôtesse lui offrait du sucre à la crème. Quant à se tenir en compagnie d'un représentant du sexe fort sans la présence d'un père ou d'une mère à moins de quinze pieds, c'était impossible.

— Pourtant, c'est tout naturel.

Félix leva un doigt pour attirer l'attention de la serveuse. Ne sachant pas du tout quoi commander, Aldée murmura : « La même chose que vous. » Ce serait donc du thé et des biscuits. La jeune fille examinait les tables environnantes, pour y voir exactement la même scène se répéter. S'il y avait une prochaine fois, elle saurait.

— C'est la robe de Corinne, n'est-ce pas ?

Si Aldée avait été plus pâle de teint, le rouge lui serait monté aux joues. Comme elle demeurait muette, il précisa :

— Elle te va mieux qu'à elle. Tu sais, les coutures risquaient d'éclater.

L'allusion à la poitrine de sa jeune patronne ajouta encore au malaise de la bonne. Vêtue de cette façon, elle ne déparait pas dans cet environnement. Cependant, elle demeurait un imposteur. Une domestique déguisée.

— Georges m'a dit que tu voulais devenir institutrice.

La confidence faite à Corinne avait parcouru tout ce chemin.

— Oui, mais mon père avait besoin d'argent.

Félix hocha la tête, laissa la serveuse déposer les tasses, la théière et l'assiette de biscuits, puis déclara :

— C'est dur, dans les rangs. Je comprends que tant de cultivateurs vendent leur terre pour aller travailler en usine, dans la province ou aux États.

Parce que Télesphore Demers tenait coûte que coûte à conserver sa ferme, sa fille sacrifiait toutes ses aspirations.

— Dans les moulins, les choses ne sont pas si faciles.

— Quand même, c'est mieux que la vie de cultivateur.

Elle pouvait le laisser continuer à dénigrer le travail agricole ou tenter d'orienter la conversation dans une autre direction.

— Que pensez-vous faire plus tard ?

— Je suis l'aîné des garçons, mon père s'attend à ce que je reprenne l'affaire. Mais je ne veux pas perdre mon temps à Douceville, je veux faire de la politique.

— Mais pour ça, il faut se faire élire, n'est-ce pas ?

Le commentaire mit une ombre sur le visage de son interlocuteur.

— Mon père est maire de la ville. Pour moi, c'est comme un héritage.

Aldée se retint de dire que, sauf les rois, personne n'héritait de telles fonctions. Pendant la demi-heure suivante, il sut l'entretenir de ses aspirations professionnelles.

❋

Voilà, son premier rendez-vous se terminait. En sortant, Aldée s'interrogeait sur la suite des choses. Que lui voulait-il ? Malgré sa suffisance, il s'était révélé de compagnie agréable. Il la raccompagna jusqu'à la rue de Salaberry. Le couple se trouvait encore à une centaine de pieds de la demeure des Turgeon quand elle s'arrêta.

— Je vais continuer toute seule.

— Mais pourquoi ?

Devant son silence, il comprit.

— Tu as peut-être raison. Alors, nous recommencerons mercredi prochain.

— Je ne sais pas…

— Je serai au parc à la même heure, la semaine prochaine.

Félix se pencha pour lui faire la bise. L'adolescente détourna sa tête juste à temps et la bouche atterrit sur sa joue. Toutefois, les deux bras autour d'elle donnaient un caractère intime à cette salutation. Plantée sur le trottoir, elle le regarda s'éloigner.

Quant elle entra dans la cuisine, Graziella leva les yeux de la préparation de son repas pour la dévisager.

— Bin, tu rentres tard ! Tu as fait trois fois le tour de la ville à pied, j'suppose. J'commençais à m'inquiéter.

— Je suis allée à l'église. Je monte me changer.

Elle pendit son manteau à un clou, puis s'engagea dans l'escalier.

— T'es en odeur de sainteté, asteure ?

Le ton gouailleur augmenta la malaise d'Aldée.

Une nouvelle fois, Délia Turgeon entendait se comporter comme une mère moderne : ses enfants avaient obtenu la permission d'inviter des amis pour la fête des Rois. Au lieu de recevoir des parents, comme les années précédentes, le couple irait manger chez les Pinsonneault. Le maire entendait profiter de l'occasion pour mettre le médecin en présence de certains des échevins de la ville.

— Comme tu es le plus âgé, tu auras la responsabilité de la maison, dit Délia à Georges. Je peux compter sur toi pour tout retrouver en place ?

— Évidemment.

Le garçon pouvait se montrer d'autant plus sûr de lui que les domestiques se chargeraient de faire le ménage. Les deux enfants se tenaient dans le salon avec leur mère. Celle-ci, tout en parlant, mettait les disques dans leur pochette en papier afin de les ranger.

— Te sentais-tu à l'aise pour danser l'autre jour au Club nautique ?

La question indiquait qu'à ses yeux, ce n'était pas le cas.

— C'était la première fois dans un endroit public.

— Alors, ce soir, tu pourras t'exercer dans un endroit privé.

Délia posa un disque sur le gramophone, donna quelques tours de manivelle, puis tendit les bras à son fils. Comme il hésitait, elle l'encouragea, moqueuse :

— Profites-en, car sauf avec moi, toute ta vie, c'est toi qui devras faire les invitations.

Georges se laissa convaincre, commença une valse. L'épais tapis sous ses pieds n'améliorait en rien son maintien raide. Pourtant, au bout de la sixième reprise du morceau, il se sentit assez à l'aise pour faire la conversation tout en dansant.

— Papa acceptera de se présenter aux élections ?

— Il a déjà accepté, en réalité. En ce moment, il agit comme une jeune fille qui se laisse désirer un moment, pour le plaisir de se faire chanter la pomme.

— S'il t'entendait, commenta Corinne, serait-il d'accord ?

Elle se chargeait de tourner la manivelle dès que la valse ralentissait.

— Non. Mais cela ne signifie pas que j'ai tort.

Ces parents volontiers peu conformistes donnaient à leurs enfants une bien curieuse image des relations de couple. La perspective d'une autre soirée avec des jeunes de son âge réjouissait l'adolescente, et celle de voir Félix l'excitait.

❖

— Sont pas gâtés, ces jeunes-là, grommela Graziella, sont gâtés pourris.

Préparer un souper pour une douzaine d'adultes lui paraissait légitime. Mais pour une assemblée aussi nombreuse dont le membre le plus âgé avait tout juste dix-sept ans, elle estimait qu'elle gaspillait son talent.

— Ils garderont un beau souvenir de leur jeunesse.

Des jours comme aujourd'hui, Aldée réalisait combien la chance l'avait desservie au moment de sa naissance. Née quelques milles plus au sud, peut-être attendrait-elle des amis, vêtue d'une belle robe bleue. Plus le temps passait, plus ce monde lui faisait envie, et elle désespérait d'en faire partie.

— Ouais, bin, j'leur souhaite de pas connaître de coups durs dans la vie, parce qu'y s'ront pas préparés.

Bien que l'adolescente les ait accumulés, les coups durs, elle ne se sentait pas particulièrement prête à en affronter de nouveaux.

— Bon, tu peux toujours leur apporter ça, dit la cuisinière. Dans une demi-heure, nous servirons le souper.

Des verres et des bouteilles étaient déjà posés sur la desserte. Aucun alcool, avait décrété madame Turgeon. Seulement des jus de fruits, des eaux pétillantes parfumées avec un sirop. Aldée la poussa jusqu'au salon. À son entrée, Corinne vint la rejoindre en disant :

— Je vais t'aider à servir.

Huit jeunes gens se trouvaient dans la pièce. Aucun couple, toutefois. Seulement des espoirs. La fille de la maison commença la distribution. Appuyé contre le linteau de la cheminée, Félix la suivit des yeux. Cette charmante fille un peu potelée, à la poitrine devenue généreuse... La pensée d'y porter la main le troubla assez pour qu'il sente le besoin de se déplacer, afin que son « trouble » échappe aux regards. Tout de suite, il se reprit. Corinne représentait une parfaite candidate au mariage, l'une de celles que l'on amenait intactes au pied de l'autel, pas une candidate à des privautés.

Alors, le garçon se dirigea vers la petite bonne, proposa :

— Je peux vous aider ?

Aldée eut honte de son uniforme. La même émotion lui venait, plus vive encore, lorsqu'elle se montrait vêtue des vêtements de sa jeune maîtresse.

— Non, déjà mademoiselle fait une partie de mon travail.

— Au moins j'apporterai un verre à Georges et à mademoiselle Tremblay. Celui-là paraît bien occupé..

Le fils de la maison se penchait sur la brune Aline, assise dans un beau fauteuil. Celle-ci en venait à se dire qu'un fils de juge, efflanqué et plutôt prétentieux, ne valait sans doute pas celui d'un médecin, toujours affable et un peu timide.

— Désolé de vous déranger, mais me voilà promu valet de pied.

— Moi qui m'attendais à te voir un jour premier ministre.

Le fils du maire lui adressa un sourire ironique, puis alla se planter de nouveau près de la cheminée. Parmi les invités, la fille d'un marchand le suivait des yeux. Il se résolut à quitter bien vite son poste d'observation pour aller lui faire un brin de cour.

❧

Malgré ses réticences exprimées un peu plus tôt, Graziella vint de la cuisine en poussant son petit charriot. Elle devait admettre que ces jeunes gens se tenaient fort bien, s'efforçant d'incarner les adultes qu'ils seraient bientôt. Aldée l'aida à faire le service, puis toutes les deux quittèrent la salle à manger.

Au dessert, les convives jouèrent dans leur morceau de gâteau du bout de leur fourchette. Celui-ci était succulent, mais ce jour-là, l'enjeu était plutôt de trouver l'une des deux pièces de un cent qui désigneraient le roi et la reine de la soirée. Aline Tremblay fut la première à recevoir ce titre, puis ensuite, ce fut Georges.

— Franchement, ce résultat me paraît aussi douteux que l'élection d'un premier ministre conservateur à la tête du Québec, prétendit Félix. Mademoiselle, je vous soupçonne d'avoir fait exprès pour que votre patron trouve cette pièce.

Il s'adressait à Aldée. Un peu effarée, celle-ci dit :

— Non, je vous assure…

La répartie bredouillante déclencha l'hilarité des convives.

— Je badinais, bien sûr. Comment douter de votre honnêteté ?

Le ton était toutefois assez sarcastique pour que le malaise de la domestique s'approfondisse encore. Le roi et la reine coiffèrent une couronne découpée dans du papier doré. Pendant le reste de la soirée, les invités les désigneraient du titre de « Majesté ». À huit heures, tous se déplacèrent vers le salon.

Corinne se dévoua de nouveau pour actionner la manivelle du gramophone. Comme il convenait que les souverains de la soirée lancent la danse, Georges se réjouit de la petite répétition accomplie avec sa mère pendant l'après-midi. D'autant plus que tous les autres demeuraient immobiles, à les regarder.

— Je me sens gauche, murmura Aline à son compagnon.

— Voyons, nous nous débrouillons très bien.

Décidément, le fils du juge s'estompait dans la mémoire de la jeune fille, au profit de ce garçon plus accessible. Des yeux, elle regardait sa bonne amie. Félix était venu la rejoindre près de l'appareil. Le garçon gardait un œil sur le va-et-vient dans le couloir. Des bruits provinrent de la salle à manger, où Aldée s'occupait de desservir. Il abandonna l'hôtesse tout en désignant l'étage du doigt. Une façon de demander l'autorisation de se rendre aux toilettes.

Dans le corridor, il se hâta de rejoindre la bonne, ferma la porte derrière lui.

— Tu te rappelles, nous devons nous voir mercredi prochain.

Elle n'osa pas confirmer. Ce rendez-vous lui paraissait si improbable.

— À la même heure que l'autre fois.

Félix s'était avancé pour s'approcher tout près d'elle. Elle hocha la tête de haut en bas.

— Je suis certain que, dans la tradition de la fête des Rois, il y a un baiser.

Sa main se posa sur la taille de la jeune fille, puis il l'attira contre lui. Aldée put dérober sa bouche, mais les lèvres masculines se posèrent juste sous l'oreille, la paume glissa sur ses fesses.

— Monsieur, je vous en prie.

Son mouvement vif pour se dégager mit sa coiffe de travers. Elle se précipita vers la porte.

— À mercredi.

Dans le couloir, la jeune fille s'appuya un bref instant sur le mur afin de reprendre sa contenance. Puis, sa coiffe à la main, elle retourna à la cuisine.

Chapitre 14

Les attentions insistantes de Félix tinrent Aldée éveillée la majeure partie de la nuit. Le sommeil lui vint peu avant cinq heures, et elle devait se lever à six heures trente. L'envie la tenaillait de se précipiter chez sa patronne pour se plaindre de ce harcèlement.

Puis lui venait la certitude que, même si cette dernière la croyait, la solution serait très certainement de la mettre à la porte. Le père de Félix Pinsonneault était un ami de la famille Turgeon, le docteur projetait d'occuper un poste de conseiller municipal sous la tutelle du maire. L'intérêt déplacé de ce garçon cesserait si l'objet de son... affection disparaissait.

Déjà, la honte incitait Aldée à garder le silence. Les conséquences de son renvoi sur la situation matérielle de son père faisaient de sa discrétion un devoir impérieux. En descendant dans la cuisine, Graziella lui jeta un regard en biais en lui disant bonjour, puis enchaîna en demandant:

— Couves-tu queque chose? C'est pas encore tes affaires de femme. Ça dure jamais longtemps de même.

— Non, juste le manque de sommeil.

— Y a queque chose qui te tourmente?

La cuisinière lui avait déjà exprimé quelques remontrances à cause de l'intérêt de Félix. Évoquer encore celui-ci la rendrait suspecte.

— Je pensais à mon père.

Il ne s'agissait pas tout à fait d'un mensonge, le sort de ce dernier figurait au premier rang de ses inquiétudes.

— C'est normal que tu t'ennuies. Peut-être que tu pourrais lui écrire.

Aldée hocha la tête en guise d'assentiment.

❖

Désormais s'ouvrait une période plus calme pour les domestiques des Turgeon. Les festivités coûtaient cher, et les abus suscitaient toute une gamme de petits malaises. Les adolescents avaient repris l'école avec un certain plaisir, pendant que la maîtresse des lieux renouait avec ses œuvres de bienfaisance et le thé de cinq heures en compagnie de voisines.

Le mardi matin, Aldée se rendit dans la chambre de Délia avec un panier de linge. La veille, un lundi, était jour de lessive. Elle devait maintenant remettre en place les vêtements repassés tôt le matin. Une nouvelle fois, la jeune fille admira les pantalons de batiste, les jupons, le corset parfaitement inutile pour cette femme, mais porté tout de même en vue de suivre la mode. Avant d'accrocher une belle robe gris perle sur un cintre, elle la tint contre son corps en se contemplant dans un grand miroir. L'ourlet lui tombait sur les pieds. Pour bien la porter, elle devrait gagner trois bons pouces en hauteur, et autant autour de la taille et de la poitrine.

Le vêtement rangé dans la garde-robe, la servante s'examina des pieds à la tête dans la psyché. Si sa maîtresse montrait une silhouette plus généreuse, depuis son arrivée dans la rue de Salaberry, Graziella avait tout de même rempli sa promesse. Aldée avait grandi, grâce à une meilleure alimentation et à la maturation de son corps. Toujours menus, ses seins se discernaient mieux sous son uniforme, tout comme ses hanches et ses fesses.

— Mais à côté des autres… murmura-t-elle.

La venue des amies de Corinne à la maison lui permettait de faire quelques comparaisons. Ces jeunes filles lui semblaient tellement plus jolies qu'elle. Pourquoi un garçon comme Félix l'accablait-il de ses assiduités ? Simplement pour profiter de la situation ?

Aldée se trompait quant à son apparence. Sans un uniforme de domestique, avec une jolie robe de lainage, elle devenait tout à fait charmante. Comme lorsqu'elle portait celle de Corinne.

Même après s'être répété pendant une semaine que cette histoire ne rimait à rien, le mercredi suivant, la jeune domestique des Turgeon s'apprêtait à quitter la maison pour se rendre au parc.

— T'attends la fin de l'après-midi pour sortir pour être bin certaine de te geler les deux oreilles ?

— Depuis deux jours, je ne suis pas allée dehors. Je veux respirer un peu.

— Ouais, bin viens pas te plaindre si t'attrapes ta mort.

Sur ces paroles encourageantes, Aldée sortit. Graziella lui souhaita tout de même une bonne promenade. Passé quatre heures, l'obscurité tombait déjà sur Douceville, et bientôt les lampadaires électriques tout neufs – on les avait installés l'été précédent dans les rues les plus cossues – jetteraient des cônes de lumière sur le trottoir.

Au parc, deux ou trois personnes déambulaient dans les allées, des vieillards, car les plus jeunes étaient au travail.

Elle fit comme eux, le regard vers le sol, certaine d'être là pour rien. Puis Félix apparut devant elle.

— Mademoiselle Demers, je suis heureux de te revoir.

Le garçon voulut l'embrasser, Aldée se recula pour l'éviter. Il lança, railleur :

— Je ne suis pas contagieux, mais je peux bien tenir mes distances.

Puis Félix marcha vers le trottoir. Après une hésitation, elle lui emboîta le pas.

— Que dirais-tu de retourner au même endroit que la dernière fois ?

— D'accord.

Sans doute n'entendit-il pas son murmure.

À cette heure, seules quelques femmes se trouvaient là. En réalité, moins encore que la semaine précédente : toutes les ménagères faisaient leurs comptes après les excès des fêtes, et cherchaient des moyens d'économiser.

Son cavalier aida Aldée à enlever son manteau, le posa sur le dossier d'une chaise. Elle craignait de le voir commenter encore ses vêtements hérités de Corinne, mais il n'en fit rien.

— Tu dois être contente que tout le monde retourne à l'école et que les visiteurs cessent de défiler chez tes patrons.

— Évidemment, cela fait moins de travail, mais je suis payée pour ça.

Quand la serveuse vint près de leur table, il s'enquit :

— Que vas-tu prendre ?

— … La même chose que vous.

Félix paierait la facture. Sauf certains jours où elle se rendait au marché, Aldée n'avait pas le moindre sou en poche, et elle ne verrait rien de sa paie de janvier, comme cela avait été le cas de celles de novembre et de décembre. Comment donner son avis sur le menu, dans ces conditions ? Ce serait du thé et des biscuits.

— Dans le fond d'un rang, as-tu déjà été heureuse ?

Cette façon de poser la question laissait présager un jugement sévère de la part de son compagnon.

— … Non, pas vraiment. La pauvreté et le bonheur ne vont pas ensemble.

— Je suis très heureux d'avoir échappé à cette existence. Douceville ne présente pas le charme d'une grande ville comme Montréal, mais au moins je peux trouver quelqu'un avec qui parler de sujets pour lesquels nous avons un intérêt commun.

— Comme la politique.

— Ah ! Mine de rien, en faisant le service, tu ouvres tes oreilles toutes grandes !

Cela ressemblait à une accusation d'indiscrétion.

— Je n'écoute pas, mais j'entends.

Il lui adressa un sourire un peu moqueur. La serveuse vint déposer leur commande, cela lui donna l'occasion de réfléchir à sa réponse.

— Tu aimerais demeurer toujours à Douceville ?

— J'aime cette ville, mais au fond, je ne peux pas vraiment choisir. Je demeurerai là où je pourrai assurer ma subsistance.

— Comme domestique ?

Il lui demandait d'évoquer des projets d'avenir. Mais une employée de maison suivait les événements, sans jouir de la moindre maîtrise sur eux.

— Je suppose que je me marierai un jour. En même temps, j'hériterai d'un logis.

Au nom du principe « Qui prend mari prend pays ». Si son futur époux voulait l'entraîner au fond des États-Unis, elle devrait le suivre.

— Tu as déjà rencontré l'heureux élu ?

Aldée commença par faire non d'un signe de la tête, avant de préciser :

— J'ai reçu des garçons, mais je suis trop jeune pour faire un choix.

L'affirmation était vraie et fausse à la fois. «Des garçons» ne s'étaient pas succédé dans la cuisine des Demers, mais deux voisins. Puis, si à seize ans la très grande majorité des filles demeuraient encore célibataires, certaines étaient non seulement mariées, mais déjà parties pour la famille.

— Comment vas-tu faire, chez les Turgeon? Recevoir des prétendants dans la cuisine, avec Graziella comme chaperon?

Imaginer la scène tira un petit sourire à Aldée. Une telle situation demanderait la connivence de madame Turgeon. Puisque, au cours des années précédentes, trois ou quatre jeunes employées de la maison avaient convolé en justes noces, elle devait avoir été complice d'une cour discrète. Ce scénario ne paraissait pourtant pas le plus probable à Aldée.

— Je suppose que mes devancières ont rencontré quelqu'un un mercredi après-midi d'été, l'ont revu jusqu'au printemps suivant, puis se sont mariées.

— L'été?

«Aucune des autres n'a eu un bourgeois pour l'inviter dans un restaurant», songea la jeune fille. Les longues conversations dans le parc devaient se dérouler pendant la belle saison.

— Ou l'hiver, répondit-elle pourtant.

— Seulement le mercredi après-midi? Tu ne pourrais pas avoir un peu de temps à toi le samedi et le dimanche?

— Ce sont les jours où des visiteurs viennent à la maison, puis le samedi, nous faisons le marché.

Cela lui laissait en effet bien peu de liberté. Le sujet des fréquentations campagnardes les retint un instant. Elle trouva bientôt l'audace de demander:

— Et pour vous, en ville, cela se passe comment?

— Un peu de la même façon, en réalité: les garçons croisent des filles au cours de diverses activités et leur rendent visite à leur domicile. Ils se voient aussi dans des réceptions. La grande différence, c'est le nombre.

Bien sûr, pendant un après-midi au parc ou une promenade rue Saint-Charles, un candidat au mariage rencontrait sans doute autant de jeunes filles que la paroisse Saint-Luc comptait d'habitants.

À six heures, Félix proposa à Aldée de la raccompagner chez elle. En l'aidant à enfiler son manteau, il effleura ses cheveux, posa ses mains sur ses épaules. Le contact inonda de chaleur le ventre de la jeune fille. Dehors, il lui offrit son bras, elle n'osa le refuser.

À une trentaine de verges de la maison, Aldée s'arrêta en se tournant vers lui.

— Mieux vaut vous quitter ici.

La crainte d'attirer l'attention la tenaillait. Comment réagiraient ses employeurs s'ils savaient?

— Je vous remercie, monsieur Pinsonneault.

— Monsieur! Pourquoi ne m'appelles-tu pas Félix? Puis, ce vouvoiement fait très formel, tu ne trouves pas?

— … Je n'oserais pas!

Non seulement ils appartenaient à des mondes différents, mais l'un se trouvait au-dessus de l'autre dans l'ordre social. Le garçon décida de ne pas insister.

— Mercredi prochain, que dirais-tu de venir patiner avec moi?

Ainsi, il entendait la revoir encore. Au bout de la troisième fois, pouvait-on parler de fréquentations?

— Je ne saurais pas.

— Alors, je pourrai te montrer.

— Je n'ai pas de patins.

— Je serais surpris de ne pas en dénicher une paire à la maison. Tiens, ceux que je portais à douze ou treize ans. À l'époque, j'avais la taille que tu as aujourd'hui.

Elle finit par accepter d'un signe de la tête.

— Alors, nous nous retrouverons à la patinoire municipale, à la même heure qu'aujourd'hui. À bientôt.

Félix se pencha pour l'embrasser, visa ses lèvres sans qu'elle ose se dérober. Ses deux mains se posèrent sur sa taille, amorcèrent un mouvement caressant. L'épaisseur du manteau l'empêchait de sentir ces cajoleries, mais cela ne diminuait en rien son trouble, un mélange de plaisir, de crainte qu'on ne les voie – les lampadaires les exposaient aux regards –, de honte aussi pour s'abandonner ainsi.

Puis, avec un certain empressement, il s'éloigna d'elle pour se diriger vers son domicile. Entendit-il seulement son « bonne soirée » ? Aldée marcha jusqu'à la demeure des Turgeon. Quand elle entra dans la cuisine, Graziella mettait les assiettes sur la desserte.

— Bin, ou tu endures le frette comme un esquimau, ou bin tu passes tout ton temps à l'église.

La cuisinière n'avait pas oublié son explication de la semaine précédente.

— Je peux remettre mon uniforme et aider au service, si vous voulez.

— Non, profite de ton congé. On mangera ensemble tout à l'heure.

Cela lui donnait plus d'une heure pour s'inventer un emploi du temps crédible.

❁

En rentrant chez lui, Félix grimpa l'escalier pour se rendre à sa chambre afin de se changer. Avec le suisse sur le dos, il se sentait toujours ridicule, un peu comme un enfant. Quand il redescendit avec une veste, sa mère lui demanda :

— Où étais-tu ? L'école est finie depuis près de deux heures.

— Je me suis arrêté chez les Turgeon.

— Et ils ne t'ont pas gardé à souper ?

Le ton de la grosse femme contenait sa part d'ironie. Cette habitude de manger souvent chez des voisins la heurtait. « Qu'est-ce qu'il y a de mieux chez eux ? » se demandait-elle parfois.

— J'ai refusé.

Madame Pinsonneault se tenait dans un fauteuil, *L'Album universel* replié sur les genoux. Quand il la contemplait ainsi, courte et grosse, et quand il pensait à la silhouette de son père, Félix s'étonnait toujours de sa propre allure athlétique. Bien sûr, parmi les grands-parents, les oncles et les tantes se trouvaient des hommes « bien plantés ». Parfois, le garçon pensait à un accroc à la morale de la part de sa mère, puis il chassait cette idée.

— Bon. Moi, je vais mettre la table.

Comme une seule bonne travaillait dans la maison du maire, cette bourgeoise assumait une plus grande part du travail domestique que Délia chez les Turgeon. En attendant le repas, Félix échangea quelques mots avec ses cadets, et bientôt le volume des voix monta de plusieurs crans. Les moqueries prenaient bien de la place dans ses rapports avec eux. Le calme ne revint qu'à l'arrivée du marchand de charbon.

À table, les échanges portaient toujours sur les affaires ou sur la politique. Les deux occupations se confondaient d'ailleurs dans l'esprit du maire : se faire élire coûtait cher, mais son rôle de premier magistrat le mettait au courant des occasions de réaliser un profit rapide. Félix répondit d'une façon distraite aux questions qu'on lui posait. En pensée, il était toujours au Café Richard, devant une jeune servante aux yeux gris.

Après le repas, le garçon alla se réfugier dans sa chambre, sous prétexte d'étudier. À la place, il s'étendit sur son lit, sur les couvertures, les yeux fixés au plafond. Le baiser volé ne lui sortait pas de la tête, ni le trouble évident d'Aldée, composé de peur, de honte aussi, compte tenu de l'éducation reçue, mêlées à une bonne part d'excitation. La séduire représentait un joli défi, sans les risques qui accompagneraient ce genre d'affaire dans un milieu bourgeois. Aucun parent outré ne risquait de venir lui demander des comptes, ni à lui ni à son père.

Un exercice de séduction, bien plus charmant que les exercices de latin ou de mathématiques du collège.

❀

Aldée était restée toute la soirée dans la cuisine, à lire les vieux numéros de magazines découverts dans la garde-robe de sa patronne. La lumière électrique ne reproduisait pas celle du soleil, mais le résultat s'avérait très satisfaisant.

— Quand y f'ra plus beau, tu pourras passer tes soirées au parc, à écouter la musique d'la fanfare.

Pour Graziella, s'arracher les yeux pour déchiffrer une gazette représentait sans doute la pire façon de se détendre. Pourtant, à compter de juin prochain, elle n'irait sans doute pas passer ses soirées à entendre la fanfare de Douceville. Ses aiguilles à tricoter produisaient leur cliquetis en toute saison. Délia Turgeon profitait de cet enthousiasme en se créant une réputation de chrétienne d'élite. La Saint-Vincent-de-Paul distribuait les bas et les mitaines de la cuisinière à ses pauvres, tout en remerciant la patronne de sa générosité.

— J'aime lire. J'irai certainement entendre la musique, mais probablement avec un livre à la main.

De toute façon, elle ne manquerait pas de matière, à en juger par sa concentration de ce soir. Les libertés de Félix, les émotions contradictoires ressenties lui faisaient recommencer sans cesse le même paragraphe. Ce jeu excitait sans doute le jeune homme, mais justement, pour lui, il s'agissait d'un jeu.

Peu après, elle replia la revue en soupirant.

— Je monte tout de suite, je suis fatiguée. Bonne nuit.

— Ça, c'est le grand air, se moqua Graziella. Bonne nuit.

Pour la vieille domestique, ces sorties en plein hiver cachaient forcément un petit secret.

Parce qu'elle n'en avait jamais eu, manipuler de l'argent rendait Aldée nerveuse.

— Là, t'as deux piasses, c'est en masse, décréta Graziella.

La petite bonne referma la main sur les pièces pour les mettre dans le fond de la poche de son manteau.

— Tu vas te rappeler?

La cuisinière ne pouvait même pas lui écrire une liste, et l'idée de la lui dicter ne lui vint pas.

— Tout de même, ce n'est pas bien difficile : un poulet, un morceau de bœuf et des os à moelle. Je vous vois faire la cuisine depuis des semaines, je me fais une bonne idée du nécessaire.

Une petite raideur dans les jambes avait convaincu la vieille femme de rester à la maison ce samedi matin-là; pourtant déléguer sa tâche lui était difficile.

— Bon, alors, vas-y.

Aldée retrouva le grand air avec plaisir. Une vie passée essentiellement dans la cuisine devenait étouffante. L'odeur de friture et la chaleur humide ne la quittaient jamais.

Ce 13 janvier, l'air était froid et sec. La mince couche de neige sur le trottoir crissait sous ses pieds. Seulement quatre *sleighs* attendaient sur la place du marché. La plupart des citadins avaient fait des réserves l'automne précédent, permettant aux paysans d'écouler le fruit des récoltes. Maintenant, les agriculteurs venaient surtout pour vendre de la volaille et de la viande.

Debout sur un trottoir en bois, la domestique soupesa la pertinence de se fournir auprès d'eux plutôt que de se rendre dans la boucherie, à l'intérieur. Un visage familier l'incita à s'en tenir à sa première intention.

— Monsieur Vallières, bonjour, salua-t-elle en s'approchant.

— Ah! La demoiselle engagée chez le docteur! s'exclama Jean-Baptiste Vallières.

— Vous avez oublié mon nom.

— Je n'oublierais jamais le prénom d'une jolie fille. Vous ne me l'avez pas dit.

La répartie s'accompagnait d'un sourire amusé. Il avait oublié, mais tenait à donner le change. La jeune fille s'émut du compliment, tout en se sentant flattée.

— Pourtant, oui. Aldée Demers.

— Enchanté de vous revoir, mademoiselle Demers.

Il enleva sa mitaine avant de lui tendre la main. Elle l'accepta.

— Je ne vois pas votre cheval.

— Avec ce climat, il se réchauffe dans l'écurie.

— Vous n'avez pas cette chance.

Tous deux se turent un moment, puis Vallières s'enquit:

— Qu'est-ce que je peux faire pour vous?

— Je vois que vous avez des poules.

— Oui, les plus grasses.

Aldée s'approcha pour en tâter une dans la *sleigh*. Le cultivateur les avait tuées, vidées et plumées. En cette saison, inutile de les garder vivantes pour éviter la dégradation.

— Des poules grasses à ce temps de l'année, ça n'existe pas.

— Entendons-nous pour pas trop maigres.

— Je prendrai celle-là, si le prix me convient. Et du bœuf?

Vallières moussa ses produits un moment, déposa les achats dans le panier de la cliente, accepta l'argent. Un silence gêné suivit, jusqu'à ce qu'il demande :

— Vous êtes toujours contente de votre emploi chez le docteur?

— Je n'ai jamais eu d'autres patrons, alors je ne peux pas faire la comparaison. Mais Graziella m'assure que je ne serais pas mieux ailleurs. Alors oui, je suis contente.

Il y eut une nouvelle pause dans la conversation, puis ce fut au tour d'Aldée de s'informer de la situation du jeune homme. Il secoua la tête, dépité, avant de confier :

— Sans cette satanée fracture à la jambe, je serais en train de bûcher. À la place, j'essaie de me rendre utile à mon oncle.

La plupart des jeunes hommes de la campagne «montaient» au chantier tous les hivers pour couper du bois. Chaque année, les manufactures de papier en utilisaient des dizaines de milliers de cordes.

— Je ne le vois pas avec vous.

— Parce qu'il est resté assis près du poêle. Je ne peux pas me plaindre, venir jusqu'ici n'est pas la façon la plus difficile de lui payer ma pension.

Sur ces mots, Vallières lui adressa un clin d'œil.

— Tout de même, je serai content de reprendre mon vrai métier au printemps.

L'affirmation trahissait un bel optimisme : son prochain emploi, il ne l'avait pas encore. Les paroles encourageantes d'un contremaître ne valaient pas une offre d'emploi. Les progrès des travaux de construction à l'usine Willcox & Gibbs les retinrent un instant. Puis Aldée déclara :

— Je dois rentrer maintenant.

— Vous travaillez toute la journée aujourd'hui ?

Cela ressemblait presque à une invitation. La jeune fille le considéra bien ainsi.

— Je n'ai congé que le mercredi.

La précision laissa le jeune homme songeur, son hésitation dura juste un peu trop longtemps.

— Je vous souhaite une bonne journée, monsieur Vallières.

— Bonne journée, mademoiselle. Samedi prochain, je vous attendrai.

Voilà, maintenant un deuxième homme lui donnait rendez-vous. Peut-être sa petite personne présentait-elle un certain intérêt, malgré ses doutes à ce sujet.

❀

Les domestiques finirent la vaisselle du souper après huit heures. Ce jour-là, Aldée préféra faire le deuil de sa petite heure de lecture pour monter à sa chambre. Presque tous les soirs, lorsqu'elle passait au premier étage, le bruit de conversations venait à ses oreilles. Chaque fois, elle pensait au mur invisible la séparant de ses patrons. Ces gens instruits, riches, sans doute infiniment cultivés – sa propre ignorance l'empêchait d'en juger – n'avaient d'autre relation avec elle que celle de maître à serviteur.

Cette réflexion s'avérait d'autant plus amère un mardi soir. Aldée se demandait encore si elle se rendrait au rendez-vous de Félix à la patinoire. À chaque parole de ce garçon, elle cherchait le sarcasme, le mépris à son égard. En même temps, la flatterie jouait. Si son intérêt était sincère, il lui accordait donc des qualités qu'elle-même ne soupçonnait pas. Une fois dans sa chambre, à la petite lueur de la chandelle, elle se contempla dans le miroir fendu en son milieu.

Ses traits réguliers, ses yeux gris, ses cheveux châtains… Oui, l'ensemble était plaisant à regarder. Maintenant qu'elle était mieux nourrie, à l'abri du froid et d'une trop grande fatigue, les cernes ne déparaient plus son visage. Elle murmura :

— Je n'irai pas.

Tandis qu'elle se défaisait de son uniforme, de son jupon et de ses bas, un frisson la secoua. L'appareil de chauffage au charbon maintenait une température confortable au rez-de-chaussée et à l'étage de la maison. Sous les combles, le froid était supportable. Dans sa demeure de Saint-Luc, un frimas couvrait les vitres le matin, une mince pellicule de glace se formait dans le bassin qui lui permettait de se débarbouiller un peu. Même à ce chapitre, sa condition actuelle dans sa chambrette s'avérait meilleure.

La jeune fille se glissa sous les couvertures avec des bas de laine aux pieds et vêtue d'une longue chemise de nuit du même tissu. Après deux ou trois minutes, son corps se réchauffait. Sauf la tête. Bientôt, elle ajouterait un bonnet de laine.

Chapitre 15

Déjà mercredi, le 17 janvier 1906. Pour une nouvelle fois, Aldée s'apprêtait à rejoindre Félix Pinsonneault. La curiosité tenaillait la cuisinière.

— Coudon, fais-tu une neuvaine pour te trouver un petit mari ?

— Prier pour le repos de mon âme, et un peu pour celui de la vôtre, me suffit amplement.

L'allusion à l'état de sa conscience dérangea Graziella. Cela permit à Aldée de se sauver sans essuyer une autre raillerie.

Le froid lui pinçait les joues, mais son pas rapide lui permit de se réchauffer. Sa collègue ne se trompait pas tout à fait. De nouveau, l'église lui permit de se soustraire à la rigueur du temps. Seules les habituelles grenouilles de bénitier lui tenaient compagnie.

Cette fois encore, après avoir vu le curé traverser le temple de la sacristie jusqu'aux grandes portes, elle vint se mettre à la queue derrière une vieille dévote. Lorsqu'elle s'agenouilla dans le confessionnal, les mots de la formule convenue lui vinrent tout naturellement :

— Mon père, je m'accuse…

Suivit la litanie habituelle de ses petites fautes sans gravité. Toutes les filles de la paroisse âgées de seize ou dix-sept ans devaient aligner les mêmes. Puis, après un silence embarrassé, elle plongea :

— Il y a ce jeune homme… Il visite très régulièrement le domicile de mes patrons…

Se souvenait-il de sa confession précédente ? Devinait-il son identité ? Les secondes s'égrenèrent au point de forcer l'ecclésiastique à murmurer :

— Ce jeune homme visite le domicile de vos patrons.

Il l'invitait à poursuivre.

— Il se montre trop attentionné, dit-elle.

Décidément, Aldée avait bien du mal à appeler un chat un chat.

— Quelles sont ces attentions ?

— À Noël et au jour de l'An, il m'a embrassée.

— … Beaucoup de baisers s'échangent à ces moments de l'année.

L'abbé Grégoire jugea pourtant utile de préciser :

— Je parle de petits becs, évidemment.

— Il se montre insistant, puis ses mains… s'égarent.

Le prêtre entendait des centaines de confessions, mais une seule domestique s'exprimait avec cette élégance : la petite bonne du docteur Turgeon, celle qui avait rêvé de devenir institutrice. Toutefois, le détail de ses confidences précédentes lui échappait.

— Ces attentions vous déplaisent ?

— Oh ! Oui, mon père.

Aldée mentait, elle le savait bien, au fond de son cœur. Dans le cadre de la confession, c'était certainement un péché mortel.

— Maintenant que les fêtes sont terminées, il n'aura plus aucune raison de vous approcher.

— Tout de même, lors de ses visites, je vais lui ouvrir, je le croise parfois dans le couloir.

— Ma fille, si vous ne sollicitez pas ces contacts, la faute lui appartient. Toutefois, si vous recherchez ces occasions, il en va autrement.

De nombreux autres prêtres auraient considéré que la femme était la principale coupable, à titre de tentatrice auprès des hommes ; il en allait ainsi depuis le rôle qu'avait joué Ève auprès d'Adam, au paradis terrestre. L'abbé Grégoire se faisait une conception infiniment plus nuancée de la question.

— Mon père, je vous assure que ce n'est pas le cas.

— Si ça l'est, pour assurer votre salut, vous devrez quitter cette maison.

Le pardon de la confession exigeait le ferme propos de ne plus recommencer. Pour cela, la première mesure consistait à éviter de s'exposer à la tentation.

— Je ne fais rien pour que cela arrive.

— Dans ce cas, ne vous inquiétez pas.

Cette fois encore, la paroissienne reçut une pénitence bénigne, mais tout de même plus lourde que la précédente : trois *Je vous salue Marie*. Puis vinrent les paroles habituelles :

— *Deinde, ego te absolvo a peccatis tuis in nomine Patris, et Filii, et Spiritus Sancti. Amen.*

Quand Aldée revint à son banc, la tête lui tournait. Non seulement elle avait menti au prêtre, mais elle entendait bien rencontrer Félix cet après-midi.

❧

Vers cinq heures, la petite bonne se tenait près de la patinoire, debout sous un lampadaire, immobile. Le garçon tardait à se manifester, il lui serait impossible de rester plantée là bien longtemps. Pourtant, elle retardait le moment de rentrer à la maison. Finalement, la haute silhouette apparut devant elle. Félix portait un manteau orné d'un col de mouton de Perse, avec un petit chapeau assorti. Elle le trouva terriblement élégant.

— Bonsoir, mademoiselle Aldée. Comment vas-tu ?

— Il est tard, je pensais que vous ne viendriez pas.

Tout de suite, elle regretta le ton de reproche.

— Je ne pouvais pas aller au collège avec ça sur l'épaule. La mienne, oui, mais comment aurais-je expliqué la seconde paire ? Je suis passé par la maison.

— Je m'excuse.

— Alors, reprenons depuis le début. Bonsoir, mademoiselle Aldée.

— Bonsoir, monsieur.

Quand il se pencha pour poser les lèvres sur sa joue gauche, puis sa joue droite, elle n'osa se dérober. Il lui offrit son bras pour s'approcher de la patinoire.

La municipalité se chargeait de l'entretien du grand rectangle de glace. À cette heure de la journée, aucun musicien ne distrairait les usagers, et des lumières électriques permettaient d'y voir à peu près bien.

— Viens t'asseoir ici. Ce sera plus simple pour mettre ça.

Il désignait un banc installé tout près. Félix commença par attacher solidement les courroies fixant les lames à ses propres chaussures. Puis il mit un genou sur le sol gelé, prit un pied de la jeune fille dans ses mains, recommença l'opération avec elle.

— Je n'ai jamais fait ça.

— Comme pour toute chose, il faut bien une première fois. Dis-moi si je serre trop fort.

Il fixa le second patin. Au passage, il tint sa cheville un peu plus longtemps, et peut-être un peu plus haut que nécessaire. Aldée se releva avec son aide, et dès son premier pas sur la glace, ses pieds se dérobèrent sous son poids. Elle allait s'affaisser en lançant un petit cri quand il la saisit dans ses bras.

— Je n'y arriverai pas.

— Tiens-toi bien droite, je vais t'aider à faire le tour de la patinoire.

Félix prit ses deux mains puis, patinant à reculons, la tira avec lui. Comme la plupart des citadins préparaient le souper, ou même étaient à table, il ne craignait pas de heurter quelqu'un. Tout au plus dix personnes leur tenaient compagnie, principalement des jeunes gens. Aldée se réjouit du petit nombre de témoins présents.

Après quelques minutes, moins effrayée, la jeune fille commença à trouver de l'agrément à l'exercice.

— Maintenant, il conviendrait de bouger les pieds. Marche.

Comme elle le regardait, effarée, il insista :

— Des petits pas. Tu te laisses glisser.

Avec patience, en la tenant par la taille, il arriva à la faire patiner. Évidemment, sans son soutien, elle se serait rapidement effondrée. L'attention de Félix était intéressée : la crainte qu'avait la jeune fille de tomber lui faisait accepter d'être touchée. Une petite voix murmurait à l'esprit d'Aldée que c'était mal. L'excitation du moment la rendait sourde à cet avertissement.

Quand le garçon la conduisit vers le banc, l'une des lampes au-dessus de la patinoire lui montra le visage rieur, enjoué d'Aldée. Oui, il s'agissait d'une charmante femme.

— Tu veux souffler un peu, avant que l'on recommence ?

— Non, je suis fatiguée. Puis après m'être tenue si raide, j'aurai mal aux jambes demain matin.

Félix n'insista pas. Il posa de nouveau un genou sur le sol, défit les sangles des patins de sa compagne, puis fit la même chose avec les siens.

— Si nous retournons au Café Richard, ça te convient ?

Les établissements de ce genre n'abondaient pas à Douceville. Et il se doutait bien que s'en tenir à un endroit familier l'inquiéterait sans doute moins.

— Non, je dois rentrer, sinon je raterai le souper.

— Justement, nous allons souper. Car je passerai sous la table, à la maison. Ma mère impose que tout le monde mange à la même heure ou se passe de repas.

Aldée tergiversa un moment. Son congé durait jusqu'à l'heure du coucher, rien ne l'obligeait à rentrer tout de suite.

— Je veux bien, si cela vous empêche de jeûner.

— Alors, ne serait-il pas temps de cesser de me vouvoyer ?

— … Je n'oserais pas.

— Quand nous sommes seulement tous les deux, il n'y a pas de mal.

Après un flottement, elle acquiesça d'un signe de la tête. Prenant sa main tendue, elle se releva, puis s'accrocha à son bras.

❖

Au souper, en semaine, la clientèle du Café Richard différait beaucoup de celle de l'heure du thé. Deux ou trois hommes occupaient certaines tables, mais la plupart étaient prises par des couples. Félix et Aldée durent attendre quelques minutes avant qu'on leur attribue une place.

En retirant son manteau, Aldée se sentit de nouveau honteuse de sa tenue. Corinne paradait régulièrement avec une nouvelle robe, tandis qu'elle-même n'en possédait qu'une, grâce à l'âme charitable de sa jeune maîtresse.

— Après cet exercice, tu dois être en appétit. En tout cas, moi je le suis.

— Je ne mange jamais beaucoup.

— Je le vois bien.

Le regard du jeune homme fixait sa silhouette. «Il doit me trouver trop maigre», se dit-elle.

— Je suis certain que le menu te rendra gourmande.

Une serveuse s'approchait pour prendre la commande. À son départ, le silence s'étira, si longtemps qu'Aldée le rompit en demandant :

— Après l'école, vous entendez faire de la politique ?

Reprendre ses confidences de la rencontre précédente lui paraissait un bon moyen d'amorcer la conversation. Déjà, elle savait qu'un seul sujet passionnait son compagnon : lui-même.

— … Pardon ?

— Tu feras de la politique ?

— Papa s'efforce de me faire rencontrer les bonnes personnes, mais en tant que maire d'une petite municipalité, ses contacts sont limités. Dans ce monde, tout est une question de relations.

— Voilà qui doit être difficile. Je veux dire, parler à des gens de Québec, ou même d'Ottawa.

La jeune servante comprenait bien mal cet univers mystérieux. Sa famille était une petite monarchie où son père exerçait son autorité sans tolérer la moindre opposition. Elle avait mesuré sa propre absence de pouvoir quand elle était devenue domestique. La maison des Turgeon était aussi une royauté, mais ses sujets parlementaient volontiers avec son chef. Sans jamais prévaloir sur lui, toutefois.

— Tu as raison. D'abord, il faut cajoler tout le monde pour obtenir des votes, faire le beau pour que le chef vous remarque.

— Ça, tu pourras le faire. Je veux dire, cajoler.

Tout de suite, Aldée regretta son audace. Oui, ce garçon ferait son chemin grâce à son sourire avenant et à ses belles paroles.

— Si les femmes avaient le droit de vote, tu me donnerais ton appui ?

Une mèche de ses cheveux blonds lui tombait sur l'œil, son regard bleu et son sourire toujours un peu narquois la troublaient. De la tête, elle fit oui.

— Quelle misère que tout l'électorat ne se compose pas de jolies filles. Mon métier deviendrait merveilleux, dans ce cas.

Modeste et rougissante, elle baissa les yeux. L'arrivée des plats sur la table lui permit de récupérer sa contenance. La conversation porta ensuite sur divers sujets. Il demanda :

— Que fais-tu pendant tes temps libres ?

— Je n'en ai pas beaucoup.

— Quand même un peu.

— Madame Turgeon a la gentillesse de me laisser lire ses journaux et ses magazines.

De nouveau, elle pensa à la générosité de ses maîtres. Rien ne lui appartenait vraiment, pas même ses sous-vêtements.

— Quelle gentille dame ! Si j'avais vingt ans de plus, ou elle vingt de moins…

Aldée souhaita se trouver ailleurs. Cet intérêt pour sa patronne attisait sa jalousie.

Vingt minutes plus tard, les jeunes gens quittaient le Café Richard. Il était plus de huit heures, et la domestique imaginait l'ironie gouailleuse de Graziella à son retour. Quand Félix s'arrêta pour lui dire bonsoir, il choisit un endroit sombre.

— Mademoiselle Aldée, je te remercie pour cette gentille soirée. Je serai heureux de recommencer mercredi prochain, ou plus tôt si jamais tu as un congé.

— Ça n'arrivera pas.

— Comme je passe souvent chez les Turgeon, tu pourras m'en avertir sans mal si l'impossible se produit.

Il se pencha précipitamment pour poser ses lèvres sur les siennes, ne lui laissant pas le temps de détourner la tête. Elle tenta de l'éloigner en posant ses deux mains sur sa poitrine. Le baiser, trop brutal, ne lui procura pas de plaisir. Toutefois, une caresse si intime la déstabilisait. Pour la première fois, un homme lui exprimait son désir, puissant, effrayant.

À la bouche s'ajoutèrent ses mains. Il la serrait contre lui, parcourait son dos, de la nuque jusqu'aux fesses.

— Félix, s'il te plaît, réussit-elle à soupirer.

La plainte ne l'aurait peut-être pas arrêté, mais un bruit de pas leur parvint. Le garçon s'écarta en répétant :

— À mercredi, et bonne nuit.

Il s'éloigna d'un pas vif, sans lui laisser le temps de confirmer ou non le rendez-vous. Afin de retrouver un peu ses esprits, Aldée marcha longtemps, malgré le froid.

❈

Cela ne pouvait manquer : Graziella l'accueillit avec un rire moqueur et un regard curieux. Sa question muette la gênait davantage que si elle l'avait formulée à haute voix.

— Il y avait une cérémonie à l'église. Les quarante heures.

— C'est pas maîtresse d'école que tu aurais dû viser, mais sœur.

— J'y ai pensé.

Comme toutes les jeunes filles de la province. Une fois son manteau accroché à un clou, Aldée se regarda discrètement dans le miroir. Non, l'attaque – comment qualifier autrement son empressement ? – de Félix ne laissait pas de traces visibles. La tempête régnait toutefois dans son cœur.

— Veux-tu que j'te fasse à manger ?

— Non, je vais monter tout de suite, je ne me sens pas très bien.

— Ouais, t'as raison, des fois l'encens ça tombe sur le cœur.

Cette femme la devinait. Son malaise, sous son regard inquisiteur, la dérangeait trop. La bonne préféra monter tout de suite dans sa chambre sous les combles.

✻

Aldée Demers fut morose tout le reste de la semaine. Ce garçon l'amenait sur le chemin du péché, et puisqu'elle n'érigeait pas un mur pour s'en protéger, l'absolution ne signifiait rien. Pourtant, les cheveux blonds, l'éternel sourire et la beauté des traits de Félix ne quittaient pas sa pensée. En plus, il représentait son seul espoir de sortir définitivement de la misère. Une minute sur deux, la jeune fille décidait de ne pas se rendre à leur prochaine rencontre. Le reste du temps, elle entendait y aller.

Samedi matin, ou Graziella se sentait mieux, ou elle n'avait pas apprécié les achats de sa jeune collègue la semaine précédente, toujours est-il qu'elle décida de se rendre au marché en sa compagnie. En y arrivant, Aldée examina les *sleighs* à la recherche de Jean-Baptiste Vallières. Le menuisier se tenait bien là, près de sa voiture. Il la reconnut et lui adressa un signe de la main.

— Tiens, tu connais du monde icitte, asteure, remarqua la cuisinière.

— Vous le connaissez aussi, vous lui avez acheté des pommes de terre avant les fêtes.

— Tu penses que c'est à moé qu'il fait de grands gestes?

Une hypothèse bien improbable, à en juger par le ton frustré.

— Bin, tu peux aller lui transmettre mes amitiés, moi, je vais en d'dans.

Graziella se dirigea vers l'édifice du marché. Aldée rejoignit le jeune homme.

— Monsieur Vallières, comment allez-vous ?

Son sourire avenant et la main tendue firent plaisir au menuisier.

— Très bien, depuis que vous êtes là. Comme si la température montait de quelques degrés. Et vous ?

La main dans la sienne, elle commenta :

— Bien, surtout si je provoque une embellie du climat.

Cette minauderie la mettait mal à l'aise, mais en même temps, elle l'appréciait. Devant l'artisan, son uniforme de servante ne la gênait pas. Des jeunes gens comme celui-là habitaient son rang, à Saint-Luc. Des garçons qui la garderaient dans le même état que celui où son père l'avait fait naître. Pour en sortir, elle avait rêvé de devenir maîtresse d'école, une stratégie dont le succès n'était pas assuré.

— Elle n'a pas aimé vos achats de la semaine dernière ?

Le jeune homme évoquait le fait que Graziella soit entrée dans l'édifice du marché, plutôt que de venir vers lui. Aldée avait songé à la même chose en quittant la maison, et pourtant elle défendit sa collègue.

— Je pense qu'elle souhaitait nous ménager un tête-à-tête.

— Oh ! Quelle gentillesse. J'essaierai de faire brûler un lampion pour elle, lors de mon prochain passage à l'église.

La remarque fit monter de la chaleur aux joues de la jeune fille. Son embarras interrompit la conversation. L'irruption d'une ménagère à la recherche d'une volaille donna envie à Aldée de rejoindre Graziella, mais abandonner Vallières ainsi lui parut indélicat. Une fois la cliente partie, il demanda :

— Vos parents vous manquent-ils, à Douceville ?

La question la gêna. La bonne réponse, dans les circonstances, s'éloignait de la vérité.

— Je devrais m'ennuyer, n'est-ce pas ?

Elle marqua une pause, puis reprit :

— En réalité, pas vraiment. Ma mère est décédée, rien ne me lie à la seconde épouse de mon père.

Ses propres paroles lui semblèrent cruelles, aussi elle se hâta d'ajouter :

— Bien sûr, je m'ennuie de mes demi-frères et demi-sœurs.

Vallières ne prêta aucune attention aux derniers mots, il réagit plutôt aux premiers.

— Dans le cas d'un second mariage, ça arrive souvent. Si les parents s'accordent entre eux, ça ne signifie pas que les enfants en font autant.

Pour présenter les choses aussi bien, le jeune homme en avait vraisemblablement l'expérience. D'ailleurs, il habitait chez un oncle, pas chez son père. Aldée apprécia sa compréhension. Elle allait s'informer de sa situation quand Graziella sortit de l'édifice du marché. En arrivant près d'eux, elle grogna :

— Les prix montent sans cesse. Betôt, les gens mangeront pus.

Pourtant, son panier était plein, elle avait su faire avec.

— Ça, madame, argua le menuisier, c'est parce que vous n'avez pas fait affaire avec moi.

— Pas madame. Mademoiselle.

— Pardon, mademoiselle. Mais je pense toujours que vous auriez fait de meilleures affaires avec moi.

Le côté grognon de cette cliente amusait Vallières. Ses yeux cherchèrent ceux d'Aldée à la dérobée, pour échanger un regard complice.

— Bin, la prochaine fois, j'commencerai par toé, le jeune.

Puis elle enjoint Aldée :

— Bon, asteure, la p'tite, on va y aller. On a de l'ouvrage.

Après un salut de la tête, elle s'éloigna. La jeune fille adressa un regard désolé à son interlocuteur, murmura « au revoir » puis emboîta le pas à sa collègue.

— À bientôt, mademoiselle Aldée.

L'usage de son prénom lui tira un sourire. Quand elles eurent parcouru une centaine de pas, Graziella afficha une mine goguenarde.

— Ce gars…

— Jean-Baptiste Vallières.

— C'est-tu le genre à finir ses après-midi dans une église pour participer aux quarante heures ?

Ainsi, la vieille domestique donnait sa propre interprétation de la longue absence de sa collègue, lors de son précédent congé. Aldée choisit de ne pas la détromper. Si Graziella présumait qu'il s'agissait d'une histoire licite, cela l'empêcherait de laisser courir son imagination.

❀

Pour cette adolescente tout juste sortie de son rang de la paroisse Saint-Luc et de l'enfance, l'existence devenait bien complexe. Deux visages masculins occupaient les pensées de la jeune servante. L'un d'eux était proche, accessible, semblable aux garçons de sa campagne. Elle n'avait aucun mal à se sentir à l'aise devant lui. L'autre, plus beau, plus riche, dont l'avenir était plus prometteur, provoquait en elle un réel malaise.

Dans l'après-midi, tandis qu'Aldée faisait les chambres, son esprit était pris entre la patinoire et la place du marché. Tellement qu'elle entra dans la chambre de Corinne sans frapper au préalable.

— Je suis désolée, s'excusa-t-elle en l'apercevant assise à sa petite table de travail.

Elle allait refermer la porte quand la jeune fille la convia :

— Aldée, tu peux venir, ça ne me dérange pas.

La domestique entra, renouvela ses excuses. Des vêtements traînaient sur le lit, elle les rangea dans la garde-robe, puis replaça les couvertures.

— Ce serait plutôt à moi de m'excuser. Je suis si négligente.

— Ne dites pas cela, il s'agit de mon travail.

— Tout de même, je pourrais ranger un peu.

La certitude que quelqu'un le ferait à sa place effacerait très vite cette bonne intention. Balayer prenait quelques minutes tout au plus. Cela suffirait à la jolie blonde pour satisfaire sa curiosité.

— Aldée, tu as un amoureux ?

La question prit la jeune fille au dépourvu.

— … Non, mademoiselle. Je suis trop jeune pour cela.

Sa brève hésitation n'avait pas échappé à son interlocutrice.

— Voyons, tu es plus vieille que moi d'un an.

— Pourtant, je n'ai personne.

— Aucun garçon dont la proximité fait palpiter ton cœur ?

Posée comme cela, la question prenait un autre sens. Oui, Félix avait son petit effet sur son rythme cardiaque, sans compter les joues brûlantes et les nuits d'insomnie.

— Oui, mais il ne s'agit pas d'un amoureux. Seulement une connaissance.

Corinne avait-elle remarqué son trouble, lors des visites fréquentes du garçon ? Probablement pas : devant lui, la jolie blonde devenait à demi aveugle.

— Tu aimerais que cela devienne sérieux ?

— Je n'y pense pas. De toute façon, c'est impossible.

Le mensonge passa inaperçu. Avant que la jeune maîtresse ne pousse plus loin son interrogatoire, la servante demanda :

— De votre côté, vous connaissez quelqu'un ?

— Oh ! Oui.

Le sourire s'effaça de ses lèvres quand elle continua :

— Mais je ne suis pas certaine que je l'intéresse.

— Pourtant, vous êtes si jolie.

La flatterie ramena la bonne humeur de Corinne. Sa poitrine bien galbée, ses yeux bleus, ses cheveux blonds couvrant ses épaules faisaient certainement l'envie de toutes ses camarades de classe.

— Je suppose que je suis à son goût, mais il ne s'est pas déclaré.

— Vous avez bien le temps, surtout s'il a votre âge.

— Seulement un an de plus.

— Vous voyez, ce garçon ne peut raisonnablement pas se marier avant ses vingt ans. Cela vous laisse tout le temps requis à tous les deux.

Impossible de ne pas approuver la sagesse de cette observation. La jeune maîtresse laissa échapper un long soupir. Avant de se marier, un homme devait être en mesure d'offrir à sa conjointe un mode de vie égal à celui qu'elle avait connu chez son père. Dans le cas de Félix, il faudrait compter des années pour lui permettre de terminer ses études, et tout autant pour qu'il parvienne à « s'établir ».

Si Corinne ne se doutait pas qu'elles parlaient du même garçon, pour Aldée cela ne faisait pas mystère. Cette situation ajoutait à son désarroi.

Chapitre 16

Déjà, les enfants dormaient... ou à tout le moins, ils étaient dans leur chambre depuis presque une heure. Délia soupçonnait bien que l'un et l'autre se donnaient le moyen de lire encore un peu après l'extinction des ampoules électriques. Malgré le danger, les bouts de chandelle permettaient de voir suffisamment les lignes d'un livre.

Le bruit dans l'entrée l'amena à quitter son fauteuil. Évariste enlevait son manteau.

— Tu rentres tard.

— Des discours sans fin. Je regrette de m'être engagé.

— Une fois à l'hôtel de ville, tu pourras passer de la parole aux actes, et faire adopter certaines mesures qui te tiennent à cœur.

— J'aimerais partager ton enthousiasme.

L'homme ôta ses couvre-chaussures, puis posa son chapeau sur un clou.

— Tu veux que je te serve à boire ? proposa sa femme.

— Non. Après, je risque de demeurer éveillé une partie de la nuit.

Le médecin ne croyait guère aux vertus somnifères de l'alcool. Le couple monta bientôt à l'étage. Comme chaque soir, Délia passa la première dans la salle de bain, puis revint dans la chambre pour brosser longuement ses cheveux. Évariste reprit, cette fois plus posé :

— La plupart des membres de l'association libérale du comté se trouvaient à l'étage de l'édifice du marché. Dans une odeur de viande pourrie, ils faisaient miroiter le siècle de prospérité qui attend le Canada grâce au gouvernement de Wilfrid Laurier.

— En doutes-tu?

— Ça va bien maintenant, mais nous ne sommes pas à l'abri d'une crise.

Le médecin se souvenait du jour où son père avait perdu sa petite entreprise, trente ans plus tôt. Un krach boursier survenu en Autriche avait fait des vagues jusque dans les faubourgs de Montréal.

— Dans cet état d'esprit, penses-tu être élu?

Le médecin émit un ricanement.

— Je te réserve l'exclusivité de ma morosité. Là-bas, tout le monde doit s'imaginer que mon sourire est gravé sur mon visage.

Délia se montrait sceptique. Elle gagna le lit alors que son époux posait le doigt sur l'interrupteur. Il éteignit les lumières, puis la rejoignit.

— Le Parti libéral domine la ville. Selon Pinsonneault, mon élection serait une formalité.

— Vas-tu devoir cabaler de maison en maison pour convaincre les électeurs?

— Cette corvée me sera épargnée. Pinsonneault m'assure que le simple fait que je fasse partie de son équipe sera suffisant.

Malgré les longues chemises de nuit, tous deux frissonnèrent à cause des draps froids et s'enlacèrent pour se réchauffer.

— C'est ridicule. Ta réputation est établie dans le quartier. Dans chacune des familles, tu as soigné au moins une personne.

«Et dans chacune, j'ai vu mourir quelqu'un», pensa le médecin. Toutefois, personne ne lui avait reproché ces décès.

— Voilà exactement pourquoi je ne m'inquiète pas vraiment. Ma cabale, je la ferai dans mon bureau quand tous les grippés de Douceville défileront devant moi.

— L'épidémie est grave?

Certaines années, des dizaines de personnes succombaient, surtout parmi les plus jeunes et les plus vieilles. Et chez les plus pauvres, évidemment.

— Pas particulièrement. Rien comme il y a trois ans.

Les jeux de mains les amenèrent à oublier les quintes de toux et les crachats visqueux. Comme aucun des deux ne souhaitait faire un benjamin à Corinne, malgré les interdits de l'Église catholique, la jouissance surviendrait «hors du vase naturel», comme disaient élégamment les confesseurs.

❄

Le dernier samedi de janvier, la cuisine des Turgeon vivait la même frénésie que durant le temps des fêtes. Échevelée, les joues rouges, Graziella se penchait pour regarder la pièce de viande dans le four.

— Tu parles d'une idée, se mettre en frais pour un jeunot qui s'en va aux États. Sont tellement nombreux à prendre ce ch'min-là, c'est quand même pas un phénomène comme la naissance du veau à deux têtes!

Aldée sourit devant l'étrange hiérarchie selon laquelle sa collègue classait les événements. Les phénomènes de cirque l'emportaient sur l'émigration d'un proche.

— Pour monsieur, qui est cet homme? voulut-elle savoir.

— Tu penses bin qu'j'ai pas d'mandé ça, ça me r'garde pas.

Ce genre de déclaration sur sa discrétion précédait toujours la révélation d'un pan de la vie des autres.

— C't'un cousin du patron, un gars du Bas-du-Fleuve. Y vient de Kamouraska, si j'ai bien compris.

Autant dire de l'autre bout du monde. En comparaison, l'État de New York se trouvait tout près.

— Vous connaissez son nom ?

— J'l'ai vu su' une enveloppe que j'ai mise dans la malle. Comme je cherchais à comprendre les mots écrits, madame me l'a dit.

Ainsi, Délia tolérait très bien une petite intrusion dans ses affaires.

— Un Gignac. Valmore. Tu parles d'un p'tit nom, toé. Ses parents d'vaient y en vouloir.

Non seulement la cuisinière était curieuse, mais sa bonne mémoire lui permettait de partager ses découvertes.

— Il y en avait, dans ma paroisse.

— Bin, ça embellit pas le nom.

Pourtant, jamais elle n'avait critiqué celui d'Évariste, guère plus doux à l'oreille. Mais elle portait au médecin une admiration sans borne. Aldée se priva de dire que les Graziella ne couraient pas les rues non plus.

— Mettre le mot "mort" dans un nom d'bébé, faut l'faire.

Elle entendait « val mort », la vallée de la mort. Ainsi, le prénom lui paraissait porter malheur. Son souffle court et sa difficulté à se déplacer l'amenaient-ils déjà à penser à sa propre fin ? Aldée n'osa pas s'informer de son état de santé.

Tout en parlant, la cuisinière avait sorti le rôti du four.

— T'as bin mis la table ?

— Oui, tout à l'heure.

— Bon, bin pose la soupière su' la desserte, pis va dire à la patronne que c'est prêt.

La jeune fille obtempéra.

❀

En s'approchant de la porte du salon, elle se sentit intimidée. Madame Turgeon partageait le canapé avec une jolie jeune femme. Celle-ci avait remonté ses cheveux pour former un fort volume sur sa tête. Elle dégageait ainsi sa nuque, son cou et ses oreilles. Son chemisier ivoire remontait très haut sur le cou, l'entourant d'un large collier de dentelle. Une longue ligne de tout petits boutons ronds fermait le vêtement dans le dos. L'époux, ou une domestique, devait passer une minute ou deux à les attacher le matin et autant à les détacher le soir.

Le mari de l'inconnue occupait un fauteuil. Il discutait avec son hôte, tout en posant parfois les yeux sur sa douce moitié. Le mariage devait dater de peu, compte tenu de son regard énamouré. Très bien élevés, les enfants Turgeon se tenaient droits sur leur chaise et demeuraient silencieux à moins que les adultes ne les interrogent.

— Madame… commença la jeune domestique d'une voix hésitante.

En raison des réflexions de Félix peu après son embauche, Georges la soumettait depuis des semaines à un examen attentif. Il estimait qu'elle était une jeune fille agréable à regarder, mais à ses yeux, son rôle dans la maison la dépersonnalisait. Pas tout à fait un meuble, pas tout à fait une personne.

— Nous sommes prêtes à servir.

— Parfait, Aldée, nous venons dans une minute.

La domestique quitta la pièce pour se rendre dans la salle à manger. «Où en est Félix, avec elle?» se demanda l'adolescent. Le fait de voir disparaître son camarade chaque mercredi en fin d'après-midi lui avait permis de deviner qu'il la rencontrait toujours. Une part de lui désirait vivre la même situation. Malgré les mois écoulés depuis, leur virée à Montréal pour voir des danseuses le tenait encore éveillé très tard certaines nuits. Ses confessions en devenaient terriblement gênantes, surtout que dans ses rêves, le visage d'Aline remplaçait parfois celui de ces femmes de mauvaise vie.

Obligeante, Délia s'occupa de prendre le grand panier posé par terre devant le canapé pour l'amener dans la pièce voisine. Un bébé fit entendre une brève protestation, puis se réconcilia avec l'idée de ce déplacement. Les autres convives la suivirent. Les adolescents connaissaient leur place, à l'extrémité de la table se trouvant le plus loin de la porte de la salle à manger. Les adultes s'installèrent de part et d'autre au bout opposé, le maître de la maison à côté de la visiteuse, sa femme près du visiteur.

— Vous pouvez servir, Graziella.

Les directives s'adressaient toujours à la cuisinière, mais les deux domestiques participaient à la tâche. La première remplissait les bols, la seconde les déposait devant les convives. En servant madame Gignac, Aldée prit bien garde de ne pas heurter le panier. Le bébé la regardait de ses grands yeux bruns. Elle lui fit un sourire, mais sans lui dire un mot.

— Célestine, commença le docteur Turgeon, vous ne nous avez pas dit si vous aimiez le Bas-du-Fleuve.

La jeune visiteuse portait ce beau prénom. Graziella l'appréciait certainement plus que Valmore.

— Saint-Pascal de Kamouraska est un beau village, même si nous sommes à une certaine distance du fleuve.

Quelque chose dans le ton permettait de deviner son regret de ne pouvoir contempler le Saint-Laurent depuis sa maison. Aussi loin vers l'est, on pouvait prétendre qu'il s'agissait de la mer.

— La vie doit y être plus tranquille encore que dans notre petite ville. Pas de luttes politiques enlevantes.

Évariste briguerait les suffrages dans huit jours, pour le poste d'échevin. Son implication dans la course au pouvoir consommait trop de son temps, finalement, sans qu'il reconnaisse la moindre utilité à ses efforts.

— Chez nous, le grand événement, l'été dernier, a été le changement du programme du couvent des sœurs de la Congrégation de Notre-Dame, à l'instigation du curé Beaudet, raconta Célestine.

Quand Corinne entendit le nom de la congrégation qui voyait à sa formation, son intérêt se manifesta tout de suite.

— Un changement de programme ?

Puis elle se tut, de peur de paraître impolie. Les enfants, même à l'âge de quinze ans, ne devaient pas interrompre les adultes. Elle eut envie de s'excuser. Célestine Gignac lui sourit en indiquant :

— Elles ont ajouté des cours de cuisine, de couture, enfin, toutes des activités liées aux tâches féminines, au détriment des matières théoriques.

— Ça doit être terriblement facile, intervint Georges.

— Vous avez entendu, Graziella ? ironisa Délia. Demain matin, à six heures, vous commencerez à donner des cours de cuisine à mon fils. En soirée, ce sera le ravaudage.

Parce qu'elle savait bien que la proposition ne visait qu'à se moquer du garçon, spontanément la vieille domestique accepta de jouer le jeu :

— Y pourrait bin m'aider à faire le souper, aussi. Entre son retour de l'école et le repas, y perd toujours une heure, même une heure et demie à jaser.

— Non ! Ce sont des occupations de femmes !

La protestation véhémente ne contredisait en rien la leçon lui étant destinée : ces tâches n'étaient faciles que

pour ceux qui ne s'en chargeaient pas. L'hôtesse demanda
à sa visiteuse :

— Tout le monde a accepté ce changement de bonne
grâce ?

— Bien au contraire. Des gens ont décrété qu'ils ne
paieraient pas la scolarité de leurs filles si elles devaient
apprendre des choses que leur mère était la mieux placée
pour leur montrer.

— C'est que nos bonnes religieuses, malgré toutes leurs
qualités, n'ont jamais eu une famille de douze enfants à
élever et à entretenir, raisonna Valmore.

Sa réflexion indiquait qu'il partageait probablement les
idées des pères déçus de ce changement.

— Mais ce projet se réalisera, nota Évariste à son tour.

— Comme c'est une idée de monsieur le curé…

« Chacun doit l'accepter comme la volonté divine »,
songea Célestine. Malgré ses propos flatteurs pour le village,
la jeune mère ne paraissait pas apprécier particulièrement
la vie à Saint-Pascal. Évidemment, née à Boucherville, elle
se trouvait loin de ses proches.

— Une installation aux États-Unis vous sourit ?

— Mon mari veut y poursuivre sa carrière.

Ce n'était pas une réponse. Pour une femme, le pays – ou
la région – choisi par son époux devenait le sien. Tout de
même, elle précisa :

— Je m'inquiète toutefois, car je ne parle pas l'anglais.

— À Lowell, une bonne partie de la population ne le
parle pas non plus, intervint Valmore. Dans notre quartier,
à l'église, à l'école, dans les magasins, le service se fera en
français. C'est un petit Canada.

On désignait ainsi les communautés où les Canadiens
français vivaient entre eux, dans la même langue et avec
les mêmes institutions qu'au Québec. Bien sûr, les patrons

ne connaissaient que l'anglais. Cela ne les changeait pas vraiment, la réalité était la même chez eux.

— Et surtout, renchérit Valmore, ils reçoivent un salaire régulier. Autrement dit, les patients paient les consultations.

Même employés dans l'industrie textile, aux salaires peu généreux, ces gens s'estimaient prospères. Le jeune médecin venait de rendre parfaitement compte de sa situation : les revenus gagnés dans le Bas-Saint-Laurent ne lui permettaient pas de faire face à ses obligations. Un dernier argument scella la discussion :

— Et nous serons tous les deux plus proches des nôtres.

Les voies ferrées rendaient les va-et-vient faciles entre les deux pays. Par la suite, les convives se détournèrent de la question pour évoquer les aspects pratiques du déménagement. Cela entraînait son lot de soucis et exigeait une longue planification.

Une heure plus tard, le bébé dans le panier se mit à pleurnicher.

— Je dois m'en occuper, comprit Célestine.

— Nous avons fini de manger, alors je t'accompagne.

Puis, Délia lança à la ronde :

— Messieurs, nous allons nous retirer au salon, ce garçon a faim.

— Quant à nous, nous allons parler affaires dans mon bureau.

Ainsi, Georges était renvoyé dans sa chambre.

— J'peux vous apporter queque chose, monsieur ? demanda Graziella à son patron.

— Je vous remercie, mais nous avons tout ce qu'il faut.

Les yeux de la cuisinière se tournèrent vers madame Turgeon, réitérant silencieusement la question.

— Du thé, s'il vous plaît.

Célestine se penchait pour prendre le panier. Corinne la devança.

— Laissez-moi faire, proposa-t-elle à la jeune mère.

※

Dans le salon, Célestine Gignac choisit le meilleur fauteuil. Quand son hôtesse eut fermé la porte de la pièce, elle sortit son chemisier de la ceinture de sa jupe, le retroussa assez haut pour dégager l'un de ses seins.

— Voilà la difficulté de ces vêtements boutonnés dans le dos.

— … Nous pouvons te laisser seule, suggéra Délia.

— Non, ce n'est pas nécessaire. Nous sommes entre nous.

La maîtresse de maison lui mit le poupon dans les bras, qui trouva instinctivement le bout du sein. Corinne se penchait vers la jeune femme, fascinée. Dans cinq ou six ans, ce serait son tour. Elle reconnut une odeur, plissa le nez.

— Voilà un côté moins romantique des bébés, commenta Délia à l'intention de sa fille.

Célestine ne paraissait pas se troubler outre mesure de la situation.

— Vous me direz où je pourrai le changer, je m'en occuperai quand il aura terminé.

— Non, nous laisserons Corinne s'en charger. Même à l'école ménagère de Saint-Pascal, les sœurs ne dispensent pas un enseignement aussi concret. Quant à nous, nous boirons notre tasse de thé.

Étant la plus jeune de la fratrie, la jolie blonde n'avait pas eu l'occasion de faire un tel apprentissage. Sa mère entendait corriger cette lacune.

✳

Dans le bureau, Évariste avait sorti une bouteille de cognac de son armoire de médicaments. Parfois, il conseillait ce « remède » à des clients désireux d'obtenir un remontant. Il servit son invité assis sur la chaise devant le bureau, puis reprit sa place habituelle.

— J'aurais pu attendre un peu, tu sais.

Il parlait du remboursement d'une dette contractée par Valmore pendant ses études. Son interlocuteur secoua la tête de droite à gauche.

— Ça n'aurait pas été "un peu", mais beaucoup. Là-bas, un patient sur deux ne paie pas. À Lowell, on m'assure une clientèle régulière, qui paiera comptant.

Ainsi, il aurait une chance de régler toutes ses dettes avant l'âge de quarante ans.

— Être plus riche… commença le docteur Turgeon.

— Vous avez payé mes études, mon oncle, je vais vous rembourser. Bientôt, vous devrez assurer celles de votre fils.

Évariste vida son verre d'un trait, s'en versa un second. Évidemment, sa fidélité revenait à sa famille immédiate, pas à ses neveux.

— Je vous demeure très reconnaissant, assura Valmore avec un sourire. Sans vous, je n'aurais pas pu étudier, à moins de promettre à un curé charitable que je deviendrais prêtre. Je regarde Célestine tous les matins, et j'ai la certitude d'avoir fait le bon choix.

La remarque les fit rire tous les deux. Le sacerdoce donnait l'assurance de félicités dans l'au-delà, tandis qu'une autre vocation les leur procurait ici-bas.

— Demain, vous partez tôt, je pense.

— À huit heures. Nous serons à Lowell au début de l'après-midi, et le lendemain matin, je recevrai mes premiers patients.

— Vous n'emportez aucun meuble, aucun équipement ?

— Mon successeur à Saint-Pascal m'a tout racheté. Je ne prends que ma trousse noire pour les visites à domicile et trois malles de vêtements.

Repartir à zéro. Malgré les difficultés inhérentes à ce défi, la situation avait quelque chose de grisant.

❦

Si Célestine voulut épargner à l'adolescente la corvée désagréable du changement de couche, Délia tenait à lui faire connaître cet aspect de la vie familiale. Bientôt, Corinne pénétrait dans la cuisine en tenant le bébé à bout de bras. Les deux domestiques avaient les mains dans l'eau de vaisselle.

— Je dois le changer, mais je n'ai jamais fait ça.

— Attendez, proposa Aldée en riant, je peux m'en charger.

— Tu l'as déjà fait ?

La blonde regretta aussitôt sa question, susceptible de faire remonter de mauvais souvenirs à l'esprit de la bonne. Quelques mois plus tôt, Aldée perdait un jeune demi-frère. Oui, les couches lui étaient familières.

— Souvent. Posez-le sur la table.

Si Graziella regrettait de devoir terminer seule la corvée de vaisselle, néanmoins elle se comptait chanceuse.

— Bin moé, à l'idée d'avoir les mains dans la marde, j'regrette pas d'être restée vieille fille.

— Ce n'est pas si terrible, on s'habitue.

— Si tu le dis ! C'est pas une habitude que j'veux prendre…

Aldée avait posé le bébé sur la vieille table où les deux domestiques prenaient leurs repas. Devant cet outrage, la cuisinière serra les dents. L'adolescente défit les beaux vêtements tout en demandant à Corinne :

— Vous avez une autre couche, j'espère.

— Je reviens tout de suite.

La jeune mère se promenait avec un sac de toile, la fille de la maison alla rapidement le récupérer dans le salon. La couche ne ressemblait en rien à celles utilisées dans une pauvre maison d'habitants de Saint-Luc, taillées dans des poches de jute.

La jolie blonde voulut bien mouiller une pièce de toile avec de l'eau rendue tiède par l'ajout d'une tasse du contenu d'une bouilloire. Aldée s'occupa de nettoyer le bébé. Corinne vit pour la première fois un sexe masculin. Elle devinait que celui des adultes avait une allure bien plus menaçante. Tout de même, c'était l'occasion de se coucher le soir même un peu moins innocente. Ses camarades les plus hargneuses, au couvent, préféraient le mot « sotte » à « innocente », quand elles discutaient de ses connaissances à ce chapitre.

— Il a un nom, ce chérubin ?

— Hector.

Aldée songea que ce couple tout jeune aurait pu choisir plus moderne. Dans les feuilletons des magazines de madame l'urgeon, le son des prénoms paraissait plus doux : Pierre, Jacques, Olivier. Le prénom Hector faisait penser à celui d'un grand-père tout perclus.

— Ses parents s'en vont aux États, mentionna Graziella.

La conversation entendue dans la salle à manger méritait quelques explications, cette gamine les lui donnerait.

— Oui. Dans le Massachusetts.

La précision ne lui disait rien, mais la cuisinière hocha la tête d'un air entendu.

— Le jeune docteur s'en va soigner des Anglais ?

— Non. Des Canadiens passent la frontière par milliers. Là-bas, des quartiers entiers vivent en français.

— Vous le savez, intervint Aldée. Le jeune homme à qui vous avez acheté des patates, l'automne dernier, travaillait là-bas. C'est un menuisier.

— Non, j'savais pas. C'est à toi qu'il a raconté sa vie. J'me demande bin pourquoi. J'suppose que chus pas son genre.

Son ricanement indiquait ce qu'elle pensait des motifs de l'artisan pour se confier.

— Monsieur Gignac ne pense pas rester là-bas pour toujours, continua Corinne. Mais on ne sait jamais, certains y passent leur vie. Madame Gignac ne paraît pas très heureuse de cette décision.

— Les hommes s'installent là où l'argent est bon. Pis les femmes endurent.

Décidément, Graziella tenait à faire la liste des raisons pour lesquelles le célibat lui convenait mieux que le mariage. Le sujet revenait suffisamment souvent dans sa bouche pour laisser soupçonner du dépit, plutôt que la satisfaction d'avoir échappé à ce sort.

Pendant ce temps, Aldée avait nettoyé l'enfant, lui avait mis une couche propre, puis ses vêtements.

— Voilà qui est fait. La prochaine fois, vous pourrez vous en occuper.

La fille de la maison ne s'empresserait pas d'offrir ses services pour recommencer. Avec un peu de chance, quand elle serait mariée, une servante s'occuperait de cette corvée.

— Je vais laver la couche, puis la suspendre près du poêle pour la faire sécher. Vous la récupérerez demain matin.

Corinne reprit le bébé dans ses bras en disant :

— Merci, Aldée. Je le ramène à sa mère.

Après son départ, Graziella murmura :

— Décidément, voilà une jeune fille bien serviable.

Son ironie échappa totalement à sa jeune collègue. Pourtant, elles entendirent sa petite voix joyeuse dans l'entrée du salon :

— Je m'en suis occupée, madame Gignac !

Aldée laissa échapper un soupir, puis s'attaqua à la lessive de la couche.

Chapitre 17

L'hiver, les visites au marché visaient à s'approvisionner en viande, en lait et en pain. Si des cultivateurs avaient encore des légumes, des fèves et des pois à vendre, la fraîcheur de ces denrées laissait à désirer, et les prix atteignaient des sommets. Dans plusieurs maisons de Douceville, à ce moment de l'année, les garde-manger devaient se vider très vite, tout comme les estomacs.

Graziella prit son vieux panier, puis annonça à Aldée :

— Je peux y aller seule, tu sais.

— Non, cela me donnera l'occasion de prendre un peu l'air.

— Ouais, bin, l'air de février, y est un peu frette pour moé. Dans ce cas, j'te donne ma place.

L'instant d'après, la cuisinière tendait deux dollars à sa collègue, de même que son panier. La domestique enfila son manteau et son bonnet de laine, puis sortit. L'air brûla ses poumons, mais il chassait l'odeur de la cuisine incrustée dans sa peau.

Lors de ses promenades avec Félix, elle avait mémorisé le plan de la ville. Cela ne posait pas une bien grande difficulté, quelques édifices fournissaient des repères : l'usine Willcox & Gibbs, l'église Saint-Antoine, le couvent Notre-Dame, l'hôpital, l'hôtel de ville ainsi que quelques autres. La jeune fille commença par s'éloigner de la place du marché pour rejoindre la rue Richelieu. Le commerce de charbon de la famille Pinsonneault y était situé, avec une grande maison tout à côté.

Pendant un instant, Aldée s'imagina maîtresse de cette magnifique demeure. Alors, une servante lui préparerait les repas et s'occuperait de l'entretien. Il ne lui resterait qu'à donner des ordres, changer de vêtement tous les jours, jouer aux cartes, participer à des activités de bienfaisance. L'exemple ne lui venait pas seulement de madame Turgeon, mais aussi des magazines publiés à Montréal. Une telle oisiveté lui paraissait inconcevable. Deux ou trois enfants rempliraient-ils assez sa vie ?

Une part de son esprit se refusait à croire à un pareil destin. D'un autre côté, d'où ces marchands prospères tiraient-ils leurs épouses ? Exclusivement de familles de notables ? Ces rêveries l'habitèrent un long moment, puis elle se trouva ridicule. En soupirant, la jeune fille reprit le chemin du marché. Seulement une demi-douzaine de *sleighs* s'y voyaient. Des paysans avaient posé des robes de peau de buffle sur les bêtes, afin de les protéger du froid. D'autres payaient quelques sous pour les abriter dans une étable. Jean-Baptiste Vallières figurait parmi eux. Elle s'approcha, souriante. Après l'avoir salué, elle souligna :

— Vous faites partie des quelques courageux qui viennent toujours au marché.

— Et vous, des courageuses. Mon effort ne donne rien, personne ne s'est arrêté encore devant mon traîneau.

De la main, il désignait les quelques aliments qui s'y trouvaient. Aldée s'émut de la situation. À la maison aussi, son père ne devait plus avoir grand-chose. En sortant de table, ses demi-frères et demi-sœurs gardaient le ventre creux.

— Si vous avez de la viande, je suis preneuse.

— Mon oncle a tué un veau pas très gras, pour en garder la moitié pour sa famille et vendre le reste aux bourgeois.

Graziella préférait acheter au boucher, à l'intérieur de l'édifice. Selon elle, le quartier de bœuf venu de la campagne voyageait trop longtemps pour demeurer frais. En février, ce souci était vain : la viande restait raide comme une pièce de bois. Vallières tailla d'ailleurs un morceau de celle du veau avec une scie. Quand la pièce fut dans le panier, Aldée réclama :

— Je veux aussi du pain.

— Ma tante fait une boulange toutes les semaines, mais c'est pour sa famille. Vous devrez aller à l'intérieur.

Elle s'apprêtait à lui dire au revoir quand il la prit de vitesse :

— Voilà deux heures que je me gèle le…

Avec un sourire en coin, il lui épargna le dernier mot.

— Si vous me le permettez, je vous offre une tasse de bouillon.

— … Votre marchandise ?

— Je fais confiance aux habitants de Douceville, et surtout à mes amis de la campagne.

En élevant la voix, il héla un collègue occupant l'espace voisin :

— Ti-loup, jette un coup d'œil de ce côté. Tu connais mes prix, alors si une de mes pratiques arrive, tu t'en occupes.

— Ouais, t'inquiète pas.

Les mots s'accompagnèrent d'un sourire envieux. Ti-loup aussi aurait apprécié une charmante compagnie pendant quelques minutes. Jean-Baptiste laissa la jeune fille passer devant lui, puis la suivit jusque dans l'édifice du marché.

Comme dehors, l'achalandage se révélait faible. En plus de la boucherie et de la boulangerie, d'autres commerces attiraient les clients, dont un petit restaurant. Vallières désigna une table, puis se rendit au comptoir pour revenir avec deux tasses fumantes.

— Qu'est-ce que c'est?

— Du bouillon de bœuf. Les Anglais disent du *beef tea*, du thé de bœuf. Rien de mieux pour se réchauffer.

La jeune fille goûta la boisson, la trouva désagréablement salée. Toutefois, pour une personne transie, l'effet s'avérait certainement bénéfique.

— Tu aimes toujours travailler chez le médecin? s'enquit le jeune homme en passant naturellement au tutoiement.

— J'y suis bien traitée.

— Parfois, te montres-tu plus enjouée?

Aldée lui adressa un sourire attristé.

— Même si ce n'est pas si difficile, je suis toujours de service, sauf une demi-journée par semaine.

— Toutes les épouses font le même travail.

Vallières ne se trompait pas, toutes les femmes assumaient les mêmes corvées auprès de leur mari et de leurs enfants.

— Pas avec des étrangers.

Si l'harmonie régnait dans le couple, la situation était certainement plus agréable. Cependant, le souvenir d'Hémérance la laissait sceptique au sujet du confort du mariage pour l'épouse. Si cette femme s'entendait bien avec son père au moment de leur union, la pauvreté et le décès de la moitié de leurs enfants avaient rendu l'atmosphère morose dans la petite maison de Saint-Luc.

— Et surtout, ce n'est pas ce que je voulais faire.

— Quel était ton choix?

— Maîtresse d'école.

Le jeune homme ne lui demanda même pas pourquoi elle avait abandonné ce projet. Dans son entourage, chacun

renonçait tôt ou tard à ses aspirations, pour servir les inté-
rêts de sa famille.

— Je devais passer l'examen en juin prochain.

— Pourquoi ne le fais-tu pas ?

— … Maintenant, je torche des bourgeois.

Tout de suite, Aldée regretta son mouvement d'humeur.
En définitive, les Turgeon se montraient respectueux, atten-
tionnés même.

— Même si c'était juste pour accrocher le permis
d'enseigner au mur de ta chambre, ce serait bien. Si tu t'es
préparée pour ça, autant le faire.

Oui, cela lui apporterait une certaine satisfaction. Un
baume sur sa déception.

— Se présenter à l'examen coûte de l'argent.

Vallières n'avait rien à opposer à cet argument. Lasse
d'être l'objet de son interrogatoire, elle le questionna à
son tour :

— De ton côté, as-tu obtenu un emploi à la compagnie
Willcox & Gibbs ?

Qu'elle se souvienne de ses projets fit plaisir au jeune
homme.

— J'ai déjà parlé à un contremaître. Un édifice entier
est en construction pour abriter l'atelier de fabrication des
meubles. Au printemps, on embauchera, je devrais avoir ma
chance.

— Des meubles ?

— Les moulins à coudre sont rangés dans de beaux petits
meubles en bois. Je me vois bien en train de les fabriquer.

Comme pour appuyer son affirmation, il montra ses
mains, longues et fortes.

— Je te souhaite que cela se produise.

Aldée termina sa tasse de bouillon. En arrivant à la
maison, il lui faudrait avaler un verre d'eau pour se dessaler

la bouche. Dans un instant, elle se lèverait pour partir. Le menuisier s'empressa de la prendre de vitesse.

— Ton congé, c'est toujours le mercredi ?

Devinant la suite, elle acquiesça d'un signe de la tête.

— Le dimanche, tu es toujours occupée ?

Elle eut un rire bref, puis expliqua :

— Ce jour-là, les repas sont plus élaborés, souvent il y a des invités pour le dîner et le souper. Voilà le dernier jour de la semaine où je pourrais prendre congé.

Son compagnon hocha la tête, visiblement déçu. La bonne quitta son siège.

— Maintenant, je dois terminer mes achats et rentrer, sinon Graziella viendra me chercher.

Jean-Baptiste Vallières se leva aussi.

— Moi, je cours le même risque avec mon cheval.

Face à face, ils demeurèrent empruntés quelques instants. Se serrer la main leur semblait ridicule. Enfin, la jeune fille se lança :

— Au revoir.

— Oui, au revoir, Aldée.

L'artisan la regarda se diriger vers la boulangerie. Il ressentit l'envie de la suivre pour continuer leur conversation, puis il y renonça.

❖

Les élections municipales se tenaient toujours un lundi. En 1906, ce serait le 5 février. Peut-être s'agissait-il seulement de fournir un moment de distraction au cœur de l'hiver. Pendant le déjeuner, Corinne s'informa :

— Papa, vas-tu passer la journée à faire le tour du quartier ?

— Voyons, je dois travailler.

— Félix me disait que son père fermait sa boutique aujourd'hui pour parler au plus grand nombre possible d'électeurs.

Le jeune homme admirait la pugnacité de l'auteur de ses jours, mais il rêvait de mener la lutte à un autre niveau.

— Peut-être monsieur Pinsonneault peut-il mettre la livraison de charbon entre parenthèses pendant une journée, quitte à laisser geler quelques clients. Moi, je ne veux pas laisser mourir les miens.

Le médecin se montrait un tantinet prétentieux, mais il ne s'imaginait pas rester toute une journée près du bureau de votation pour serrer des mains et quêter des appuis.

— Bin, j'vous souhaite de gagner, monsieur. Vous l'méritez.

L'intervention de Graziella s'avérait bien déplacée, mais les vieilles domestiques se permettaient ce genre de familiarité. Délia réprima un sourire, le médecin hésita avant d'affirmer :

— Je vous remercie, votre confiance me touche.

La cuisinière lui sourit de ses quelques dents. Georges demanda à son tour :

— Quand sauras-tu le résultat ?

— Il est prévu que je me rende à l'hôtel de ville ce soir. Le dépouillement des voix sera effectué par le secrétaire et le greffier de la municipalité, nous connaîtrons les chiffres aussitôt qu'ils auront terminé.

— Je pourrai y aller aussi ?

Évariste consulta sa femme des yeux.

— Je peux bien lui céder ma place, tu sais. L'idée d'une soirée dans une salle enfumée ne me séduit pas vraiment.

— Vous pourriez venir tous les deux… Et Corinne aussi.

Aussitôt, l'adolescente se réjouit à l'idée de retrouver Félix. Celui-là se passionnait trop pour la politique pour rater cette occasion. Mais sa mère ruina son plaisir.

— Nous passerons une soirée entre femmes. De toute façon, nous n'avons pas le droit de vote.

— Georges, nous partirons d'ici un peu après sept heures. Moi, je vais rejoindre mes malades tout de suite.

Le médecin s'esquiva rapidement, ce qui trahissait une certaine nervosité. Bientôt, les adolescents se mirent en route vers l'école.

❋

Madame Turgeon fut la dernière à quitter la table. Aldée se chargea de mettre la vaisselle sale sur la desserte, elle viendrait nettoyer plus tard. Quand elle arriva dans la cuisine, elle questionna sa collègue :

— Vous pensez vraiment que monsieur sera élu ?

— Bin sûr. Il se présente avec les libéraux. Ceux-là s'raient capables de faire élire un chien, dans not' ville.

Graziella exagérait à peine. Même si, au niveau municipal, les grands partis n'avaient pas de véritable organisation, personne ne s'y trompait.

— Tout de même…

— Pis, c't'un homme très respecté dans la ville. Un docteur, tu penses bin. Faudrait un aut' docteur pour le battre.

À ses yeux, le métier de soigner les gens venait devant tous les autres… sauf celui de curé. En outre, dans son cas il fallait ajouter l'affection trouble d'une vieille servante pour son maître.

— En ville, c'est payant, faire de la politique ?

Dans les villages, les élus tiraient de petits avantages.

— Comment veux-tu qu'une servante save ça ?

Une fois la marque d'humilité formulée, elle continua :

— Su' la place du marché, y en a qui disent que des p'tits cadeaux changent de main quand y faut acheter ou vendre un terrain, donner un permis, faire v'nir une entreprise dans la ville.

Cette description de la réalité ne dérangeait pas Aldée outre mesure. Tout le monde cherchait à tirer son petit avantage, rien de plus naturel.

— Bin, pas l'docteur. Lui est pas comme ça. J'te l'dis, au boutte du compte, y s'retrouvera plus pauvre, pas plus riche.

Si les domestiques avaient eu le droit de vote, Graziella n'aurait épargné aucun effort pour le faire élire.

❖

Sur le chemin du retour à la maison après sa journée au collège, Félix Pinsonneault n'avait pas cessé de discourir sur la grande victoire du jour. Cinq ou six heures avant la diffusion des résultats, il ne doutait pas un instant. Heureusement, il ne chercha pas à se faire inviter chez les Turgeon, car le docteur aurait difficilement toléré son babillage. En effet, l'homme de la maison demeurait soucieux devant le déroulement de la journée. Tous ses patients masculins n'avaient abordé aucun autre sujet de discussion, même après qu'il eut arraché une dent à l'un d'eux.

Insensible à la tension, Georges demanda :

— Au moins, as-tu pris le temps de voter ?

De l'autre côté de la table, Délia lui fit un signe de la main, pour lui signifier de ne pas insister.

— Non. Le défilé de patients n'a pas cessé.

Corinne s'empressa de lancer un sujet tout à fait différent.

— Dans trois semaines, ce sera le Mardi gras. Pourrons-nous faire quelque chose ?

— Tu veux dire te promener dans les rues avec le visage couvert de charbon de bois, s'informa Délia, pour aller d'une maison à l'autre ?

— Pourquoi pas?

La mère voulut répondre «Parce que ce n'est plus de ton âge», mais l'argument aurait sonné faux. De nombreux jeunes gens dans la vingtaine s'amusaient, pendant une soirée dans l'année, à bousculer les conventions. Ils en tiraient sans doute une satisfaction plus grande que les enfants.

— J'y penserai. Peut-être qu'une activité un peu plus… distinguée serait de mise.

Le sujet les retint un moment. La bourgeoise mentionna même le désir qu'avaient exprimé certaines dames patronnesses de répéter l'activité tenue au Club nautique l'automne précédent… Un bal masqué, cette fois. La proposition provenait de celles dont les filles étaient en âge de se marier. Les autres l'accueillaient plutôt tièdement.

Le repas s'étira plus tard que d'habitude, mais enfin, dans un grand soupir, Évariste se leva.

— Mesdames, dit-il, je m'excuse, mais nous devons y aller.

La mère et la fille quittèrent la table pour accompagner père et fils dans l'entrée. Délia embrassa son époux en lui murmurant:

— Quel que soit le résultat, tu seras gagnant, n'est-ce pas?

Il se montrait si incertain du dénouement qu'une défaite ne le laisserait pas bien déçu. Corinne, quant à elle, ne dissimulait pas sa foi.

— Tu es le meilleur, tu vas gagner.

Turgeon accepta son baiser et ses paroles enthousiastes. Puis son fils et lui sortirent dans la nuit.

Tout au long du chemin vers l'hôtel de ville, des ampoules électriques jetaient un éclairage jaunâtre sur le trottoir. On voyait de la lumière à toutes les fenêtres de l'édifice municipal ; le conseil ne lésinait pas sur la dépense un jour d'élection.

Des notables gravissaient le court escalier, Turgeon et son fils les rejoignirent. Seule la grande pièce où se tenaient les réunions pouvait recevoir une assistance si nombreuse. Pour faire plus de place, les sièges avaient été transportés dans les couloirs. Sur la table derrière laquelle se tenaient les élus les soirs de conseil, un bel assortiment de bouteilles permettrait de célébrer le résultat.

— Ah ! Turgeon, s'exclama le maire sortant, te voilà enfin. Je pensais que tu avais démissionné le jour de ton élection.

Le premier magistrat répandait une mauvaise odeur de fond de tonneau, et son articulation était un peu traînante.

— Les résultats sont déjà disponibles ? voulut savoir le docteur en serrant la main tendue.

— Non, mais il faut célébrer.

Pinsonneault semblait mal tolérer d'avoir un interlocuteur ne tenant pas un verre à la main. Il se déplaça vers la table en proposant :

— Du cognac ? Du gin ? Du whisky ?

— Un cognac.

Pinsonneault lui servit une dose exagérée, puis continua son rôle de serveur :

— Pis toé, le jeune, tu prends quoi ?

— Quelque chose sans alcool, s'empressa de répondre le père.

— Douceville est pas encore une ville sèche.

Depuis quelques années, la loi autorisait une municipalité à interdire la vente d'alcool sur son territoire. Le conseil de ville n'avait jamais envisagé une pareille mesure.

— Il a seulement seize ans.

— Bin, le mien aussi.

Des yeux, il désignait Félix à quelques pas, engagé dans une discussion avec un jeune homme de son âge. Il tenait un verre à la main.

— Bon, une bière.

Pinsonneault laissa échapper un long soupir, comme s'il estimait une pareille sévérité condamnable. En tendant la bouteille et le verre à Georges, il se justifia :

— Ça, c'est à la demande de ton père.

En se tournant vers le médecin, il dit encore :

— Viens voir les autres échevins.

Les deux adolescents les regardèrent s'éloigner. L'un examinait sa bière, étonné. L'autre ricanait.

— Ne me dis pas que tu comptes entrer dans une ligue de tempérance ! À Montréal, j'ai vu que tu buvais autant que moi.

— Je préférerais que mon père ne le sache pas. Selon lui, personne ne devrait boire avant d'avoir le droit de vote.

— Alors, ta mère doit mourir de soif.

Georges ne tenait pas à discuter des règles de vie de sa famille avec ce garçon qui s'autorisait autant de libertés. Aussi, il amena la discussion sur le sujet qui passionnait tout le monde ce soir-là.

— Ton père semble convaincu du résultat de l'élection.

— T'en fais pas, il connaît tous les trucs.

Pendant les minutes suivantes, le fils du commerçant révéla à son ami des aspects peu glorieux du « travail d'élection ».

Quand, passé dix heures, le greffier de la ville entra dans la salle du conseil en tenant une feuille de papier, de très rares personnes étaient encore à jeun. Turgeon comptait parmi elles, et son fils aussi. Ce dernier tenait à présenter la meilleure figure à tous ces notables.

— Votre attention, tout le monde! cria Pinsonneault. Les résultats!

Le fonctionnaire ne devait pas être familier des assemblées aussi nombreuses, car il eut du mal à couvrir le bruit des conversations. Les prédictions du maire sortant s'avéraient à peu près justes. Il revenait au pouvoir, de même que quatre conseillers de son équipe. L'homme accueillit avec surprise la nouvelle indiquant que deux conservateurs siégeraient aussi à la table. Ils venaient de quartiers comptant une minorité de langue anglaise non négligeable.

— Bon, bin, y a du monde qui savent pas encore comment voter.

Les hommes défaits montraient de longs visages déçus, les autres s'imaginaient déjà conduisant Douceville sur le chemin du progrès. Après avoir entonné *Il a gagné ses épaulettes* à tue-tête, l'assistance redevint silencieuse.

— Asteure que nous avons un docteur parmi nous, devinez qui va diriger le comité d'hygiène à partir de la semaine prochaine?

Évariste laissa voir un sourire de satisfaction. C'était principalement pour cette responsabilité qu'il avait accepté de se livrer à l'exercice de l'élection. Avec la seule amélioration de l'approvisionnement en eau, une cinquantaine d'enfants de moins seraient conduits au cimetière l'année suivante.

❊

Georges avait joint sa voix à la chanson de la victoire et aux hourras à l'annonce de chacun des résultats des libéraux.

Quand le silence fut à peu près revenu, il demanda à son ami :

— Tu sais où je pourrais dénicher un téléphone ? J'aimerais avertir ma mère du résultat.

— … Dans le bureau de mon père. Viens.

Félix le guida dans les couloirs de l'hôtel de ville jusqu'à une grande pièce bien meublée.

— Voilà le siège du pouvoir, dans cette ville.

Il écartait les bras, comme pour mieux lui montrer le saint des saints.

— Je suis certain que tu lui succéderas un jour, ricana Georges.

— Ouais, mais pas ici. À Québec ou à Ottawa.

À la longue, l'évocation que faisait Félix de son propre futur glorieux lassait son meilleur ami.

— Alors, tu m'inviteras le jour de ton assermentation. Maintenant, laisse-moi tranquille.

— Hum ! Besoin d'intimité pour parler à maman ?

Dès que le jeune Pinsonneault fut sorti, son camarade s'installa sur le siège du maire, tira vers lui l'appareil télé-phonique monté sur une colonne de cuivre, puis demanda à la téléphoniste de le mettre en communication avec la résidence du docteur Turgeon.

❈

La patinoire municipale servait la plupart du temps aux patineurs des deux sexes. Toutefois, certains jours, ceux-ci devaient céder la place à des équipes sportives, habituelle-ment le samedi après-midi. Une semaine sur deux, l'équipe de hockey du collège Saint-Antoine occupait la glace, et celle de l'académie des Frères des écoles chrétiennes tout aussi souvent. Les adversaires venaient de tous les horizons :

organismes de loisirs paroissiaux, associations d'artisans ou de commis.

Le second samedi de février, un groupe de ces derniers opposait une rude résistance aux collégiens. En théorie, les humanités classiques ne préparaient pas au maniement du bâton et de la rondelle. En réalité, il s'agissait de jeunes gens bien nourris, habitués à la pratique des sports. De leur côté, les vendeurs, les employés de banque ou de divers services se penchaient sur des registres ou discutaient avec des clients toute la journée. Rien de susceptible de les transformer en athlètes. Alors, le pointage favorisait les écoliers, à neuf contre trois. Aux abords de la patinoire, au moins une centaine de personnes n'avaient pas ménagé leurs applaudissements. Parmi elles, Georges et Corinne accueillirent le marqueur de trois buts.

— Félix, tu es un athlète extraordinaire.

La jolie blonde présentait des joues rouges, son excitation l'amenait à taper des mains.

— Peut-être, mais le meilleur boxeur n'était pas de notre côté.

Le garçon affichait une coupure au sourcil gauche, demain un bleu lui donnerait l'allure d'une terreur.

— C'est contre les règlements, faire ça.

— Certainement, mais le coup fait aussi mal s'il est illégal.

Tout en parlant, il détacha les lames de ses chaussures, les mit dans un sac de toile avec les protections de carton devant préserver les tibias des joueurs. Une fois la poche accrochée à son bâton de hockey, il le jeta sur son épaule puis lança à ses compagnons :

— Nous y allons ?

Avec les spectateurs, le trio d'amis s'éloigna de la patinoire. Toujours admirative de son héros, Corinne s'accrocha à son bras tout en l'invitant :

— Tu veux bien souper avec nous, ce soir ?

— Je ne sais pas… J'ai parfois l'impression de manger chez vous plus souvent que chez moi.

Il exagérait, bien sûr, mais ses présences dans la maison de la rue de Salaberry étaient trois fois plus nombreuses que celles de Georges chez les Pinsonneault. La jeune fille, évidemment, espérait de tout cœur être la cause de cette assiduité.

— Voyons, tu es toujours le bienvenu.

Des yeux, Félix consulta son ami.

— Je ne suis pas aussi enthousiaste que ma sœur, mais je t'assure que tu n'abuses pas de notre garde-manger.

Présentée ainsi, l'invitation contenait sa part d'ambiguïté. Le fils du maire n'était pas du genre à se considérer de trop, quelle que soit l'occasion. Corinne alimenta la conversation jusqu'à la demeure du médecin. Ils firent suffisamment de bruit dans l'entrée pour attirer l'attention d'Aldée. Quand elle vint pour prendre le manteau du visiteur, elle émit d'abord un timide «Oh ! », puis s'enquit, pleine de sollicitude :

— Vous êtes blessé ? Je peux vous apporter de la glace.

— Mademoiselle, tu ressembles à un ange de bonté.

Tout en acceptant l'aide de son frère pour se défaire de son manteau, Corinne grimaça un peu. Ce garçon multipliait les bons mots à l'intention de toutes les femmes à sa portée, au lieu de les lui réserver, à elle seule.

— Mon père pourra jeter un coup d'œil à la blessure tout à l'heure.

— En attendant, je veux bien mettre un peu de glace dessus.

La domestique accrocha le manteau dans la penderie, fit la même chose avec le couvre-chef doublé de fourrure. Après cela, elle se dirigea vers la cuisine afin de rapporter deux ou trois glaçons dans une poche de caoutchouc. À son retour, les jeunes gens étaient assis dans le salon.

— Merci, Aldée, dit-il en acceptant la petite vessie à glace.

Des yeux, Félix détailla une nouvelle fois la bonne, la mettant mal à l'aise. Elle demanda à la ronde :

— Je peux vous apporter quelque chose ?

Corinne décida pour eux trois :

— Du thé, s'il te plaît.

Puis, s'armant de son meilleur sourire, elle s'adressa au visiteur :

— Est-ce douloureux ?

Il enveloppa le sac à glace dans son mouchoir afin de ne pas le tacher de sang, puis le plaça au-dessus de son œil.

— Un peu, mais rien d'insupportable.

Habile à donner le change, il s'efforçait de sourire malgré un mal de tête devenu lancinant.

Chapitre 18

Dans son bureau, le docteur Turgeon tenait une aiguille avec un fil noir enfilé dans le chas.

— Ça va piquer un peu, tu pourras supporter ?

Félix Pinsonneault était assis sur un tabouret, le visage tourné vers le haut. Georges occupait la chaise de son père, derrière le bureau.

— Pour un athlète de cette qualité, pareille douleur est une caresse.

— Cela fera penser à une piqûre de guêpe.

— Allez-y.

Quand l'aiguille perça la peau, la grimace du fils du maire prouva que son stoïcisme était limité. Pourtant, les dents serrées, il refoula le cri montant à ses lèvres. Après trois points, le médecin fit un nœud.

— Voilà qui est terminé. Dans trois ou quatre jours, je pourrai enlever ces fils, ou tu le feras toi-même.

— Merci, monsieur Turgeon. Combien je vous dois ?

— Laisse faire, considère cela comme un service rendu au fils du premier magistrat. Maintenant, allons souper.

En réalité, Félix tenait pour acquis ce genre d'attention. Tous trois prirent place à table en même temps que les femmes.

— Tu vas bien ? s'enquit Corinne, soucieuse, auprès du jeune homme.

Décidément, son bien-être lui importait. Debout près du mur, attendant de faire le service, Aldée tendait l'oreille.

— Après avoir reçu des soins du docteur Turgeon, je ne peux me sentir mieux.

La remarque mit un sourire en coin sur le visage du praticien. Tout le monde comprit que mieux valait abandonner le sujet. Heureusement, le repas procura une heureuse diversion, puis l'hiver toujours trop long, toujours trop froid fut au centre de la conversation. À la fin, Félix réorienta le fil de la discussion :

— Monsieur Turgeon, comment aimez-vous votre nouveau métier d'échevin ?

— J'assisterai à ma première réunion du conseil lundi prochain. Je n'y allais même pas comme spectateur.

— Toutefois, le comité d'hygiène s'est réuni sous votre direction. Que comptez-vous faire ?

Depuis quelques années, le journal *Le Canada français* dressait la liste des dangers pesant sur la santé publique. Les municipalités les plus dynamiques prenaient des mesures pour lutter contre les épidémies.

— Ce que font les autres villes du vingtième siècle : m'assurer que l'aqueduc apporte de l'eau vraiment potable dans les maisons, inspecter la qualité de la viande au marché.

Des cultivateurs peu scrupuleux vendaient les animaux morts de diverses maladies, inconscients des dangers pour la population humaine ou alors tout à fait indifférents à ceux-ci.

— Puis l'été, la puanteur envahit la ville à cause des déchets que les gens entassent au fond de leur terrain, ou des bécosses qui débordent.

Sa propre énumération eut pour effet de déprimer le médecin. L'ignorance et la contagion allaient main dans la main. Contrer l'une et l'autre ne serait pas simple.

❋

Après le souper, Félix Pinsonneault était monté avec Georges. Il ne se trouvait pas dans la chambre de son ami depuis plus de cinq minutes quand il évoqua un besoin de se rendre à la salle de bain. Par la porte laissée entrouverte, Georges entendit un murmure. Quand il voulut la fermer, quelques mots attirèrent son attention :

— Tu seras bien là, mercredi prochain ?

Le fils du maire était dans l'escalier, à mi-chemin entre les deux étages. Aldée Demers se tenait une marche plus bas, son visage levé.

— Je ne sais pas. Si madame savait…

— Si tu ne le lui dis pas, comment le saurait-elle ?

La jeune fille craignait surtout que Graziella ne fasse part de ses soupçons à madame Turgeon. Chaque fois qu'elle quittait la maison, la cuisinière la suivait avec des yeux sceptiques.

— Là, je dois y aller.

Aldée tourna les talons pour descendre au rez-de-chaussée. Félix lui mit la main sur l'épaule, puis insista :

— Seras-tu là ?

— … Oui, confirma-t-elle après une hésitation.

Georges s'empressa de retourner s'asseoir sur son lit, prenant au passage un magazine pour donner le change. D'abord, il entendit la porte de la salle de bain se refermer, et la chasse d'eau un peu plus tard.

Quand Félix revint, il s'installa sur la chaise placée près de la table de travail.

— Nous devrions retourner à Montréal. Ici, les loisirs font défaut.

— Nous sommes déjà allés à l'université. Comme prétexte, c'est brûlé.

— Alors, allons-y simplement pour le plaisir de l'expédition.

Le docteur Turgeon le lui permettrait sans doute, même si Délia voyait la sortie d'un plus mauvais œil. Le sujet les occupa un moment, puis Georges n'y tint plus :

— Tu vois la bonne en secret.

— … Que vas-tu penser là ?

— Maintenant, je comprends pourquoi tu disparais si vite le mercredi, à la fin des classes.

Félix cessa de se dérober.

— Oui, je la vois parfois.

Le ton contenait toute sa fierté de braver les usages.

— Tu… tu t'intéresses à elle ?

La question tira un sourire narquois au fils du maire. La tentation lui vint de secouer un peu la bonne conscience de son ami.

— Comme un gars s'intéresse à une fille.

Le rouge monta aux joues de Georges. Bon garçon, quoique tenaillé par la tentation – particulièrement depuis sa visite au parc Sohmer –, il se sentait mal à l'aise devant cette façon d'évoquer l'autre moitié de la population.

— Je ne comprends pas.

— Le soir de tes noces, aimerais-tu savoir un peu quoi faire ?

Georges secoua la tête de droite à gauche. Cela pouvait tout aussi bien vouloir dire « Je ne veux rien savoir à ce sujet » que « Je ne veux pas l'apprendre de cette façon ».

— Je ne me marierai pas avant neuf ou dix ans, je ne tiens pas à attendre tout ce temps avant de toucher une fille, et ce ne sont pas les bonnes couventines de la Congrégation de Notre-Dame qui se laisseront faire. Puis ces filles, on les conduit intactes à l'autel.

Même si ces mots scandalisaient le fils de médecin, au fond de lui, il savait bien que son ami avait raison. Comme pour enfoncer le clou, ce dernier ajouta :

— C'est ce que tu souhaites pour ta sœur, non ?

Oui, Corinne devrait arriver totalement innocente au sacrement du mariage. À l'opposé, aucun des garçons de Douceville ne s'obligeait à demeurer vierge jusque-là.

❧

Corinne était restée dans le salon au moment où les collégiens montaient à la chambre de Georges. Tout de suite après, elle avait vu Aldée s'engager dans l'escalier, puis redescendre trois minutes plus tard, visiblement émue.

— Souhaitez-vous que je vous apporte quelque chose, madame ? s'enquit-elle depuis l'embrasure de la porte.

Délia demanda du thé, Corinne refusa d'un signe de la tête. Sans doute la bonne était-elle allée poser la même question aux garçons, à l'étage.

❧

À la mi-février, comme tous les mercredis depuis novembre, Aldée se tenait dans le parc municipal de Douceville. Très douce pour la saison, la température permit à la jeune fille de se réchauffer au soleil pendant une bonne heure. La très large majorité des habitants travaillaient, aussi seuls quelques vieillards et des mères poussant un landau passaient sous ses yeux.

Quand le soleil baissa à l'horizon, Aldée dut serrer le col de son manteau pour se préserver du froid. Un peu avant cinq heures, elle aperçut la silhouette de Félix, grande et mince. En s'asseyant, il se pencha pour l'embrasser. Elle se raidit, réussit à dérober sa joue.

— Tu as une drôle de façon d'accueillir tes amis. Préfères-tu me serrer la main?

Il joignit le geste à la parole, et elle accepta sa main, intimidée.

« Sommes-nous des amis? » se demanda-t-elle. Aldée ne savait pas comment décrire leur relation.

— Tu sais quel jour nous sommes?

— … Le 14.

— Le jour de la Saint-Valentin, la fête des amoureux.

Dans le rang de la paroisse Saint-Luc, cette solennité ne faisait pas l'objet de beaucoup d'attention. Félix chercha sous son manteau, sortit une petite boîte de couleur rose.

— Alors, je me suis arrêté chez le confiseur pour acheter ces chocolats à ton intention.

Elle se souvenait de ce commerce, visité un peu avant Noël. Un cadeau, pour la fête des amoureux. La tête lui tourna.

— … Merci.

Elle regrettait maintenant d'avoir refusé son baiser.

— Vous êtes gentil.

Un sursaut de pudeur l'amenait à prendre de la distance.

— Nous avions convenu de nous tutoyer, non?

— Je n'ose pas… Vous êtes un ami des patrons.

— Bien sûr, chez eux, je suis monsieur Pinsonneault. Ailleurs, pourquoi ne pas m'appeler Félix et me tutoyer?

L'adolescente sentit la chaleur lui monter aux joues, malgré le froid ambiant.

— Je vais essayer de nouveau.

— Essaie tout de suite.

Le silence dura un moment, puis elle se plia à sa demande :

— Je te remercie pour ces chocolats, Félix.

Il se pencha et cette fois les lèvres se posèrent sur sa joue.

— Nous allons au Café Richard ?

— Oui, d'accord.

— J'aimerais que nous puissions aller ailleurs. Je regrette d'habiter une si petite ville, cela me condamne à fréquenter toujours les mêmes endroits.

Pour la jeune fille aussi, Douceville se révélait bien petit, quand elle songeait à sa réputation. Tous deux étaient allés là quatre ou cinq fois déjà. Les visages des clients réguliers lui devenaient familiers, Félix lui avait indiqué le nom de plusieurs de ces habitués. Assurément, certains parmi eux reconnaissaient la servante des Turgeon et le fils du marchand de charbon de la rue Richelieu. Ils en étaient à occuper toujours la même table, la serveuse demandait simplement : « Ce sera la même chose ? »

Quand on en était rendus au tutoiement, certaines questions devenaient légitimes. Aldée en posa une :

— Pourquoi me rencontres-tu depuis tout ce temps ?

Comme il demeurait silencieux, les yeux dans les siens, elle continua en baissant le regard :

— Cela fait plus d'un mois, maintenant.

— Pour quelle raison, d'après toi ?

Rougissante, Aldée ne dit rien.

— Tu me plais, c'est tout.

Il s'agissait là d'une évidence. Ou à tout le moins d'une excellente comédie. Cela ne clarifiait en rien ses motifs.

— … Quelles sont tes intentions ?

— Maintenant, ou dans cinq ou dix ans ?

La répartie la prit au dépourvu. Pourtant, comme il venait tout juste d'avoir dix-sept ans, la question s'avérait tout à fait naturelle. Comme elle se taisait, il déclara :

— Je vais terminer l'école, puis travailler pour mon père.

Il ne répondait pas vraiment. Elle ne parlait pas de ses projets professionnels. Quand les assiettes furent posées devant eux, il orienta la conversation sur son travail chez les Turgeon. Aldée se sentit soulagée du changement de sujet.

Alors qu'ils buvaient une tasse de thé, après le repas, Félix demanda :

— Ça ne se fait pas de le demander, je sais, mais peux-tu m'offrir l'un de tes chocolats ?

De nouveau, le rouge monta aux joues de la jeune fille. Il la trouverait mal élevée, maintenant. Elle sortit la petite boîte de la poche de son manteau, enleva le couvercle et la lui tendit.

— Merci.

Il mit la friandise dans sa bouche, laissa échapper un «hum!» en mastiquant.

— Très bon. Tu devrais en prendre un aussi.

Jamais il n'abandonnait son ton narquois, affichant un sentiment de supériorité. Sa compagne se sentait maladroite, ridicule même, comme si tous ses gestes, toutes ses paroles étaient inadéquats.

Quelques minutes plus tard, le couple sortit du Café Richard. Elle accepta son bras. À sept heures, seuls les lampadaires permettaient d'y voir à peu près. Ce fut grâce à cet éclairage que l'adolescente reconnut une silhouette familière, pour l'avoir aperçue quelques fois chez les Turgeon. Le maire Pinsonneault.

— Bonsoir, les jeunes, fit-il en laissant entendre un rire gras.

— Bonsoir, papa, répondit Félix en s'arrêtant.

Aldée pensa à prendre la fuite, mais ce serait inutile. Lui aussi l'avait reconnue.

— Toi, tu es la bonne des Turgeon, hein ?

Lentement, elle hocha la tête de haut en bas. S'il en parlait au docteur, ou à madame, sans doute la renverrait-on. On ne pouvait pas vraiment lui reprocher de rencontrer un garçon lors de ses jours de congé. Toutefois, l'absence de chaperon ferait douter de sa moralité. Les candidates pour un emploi comme le sien ne manquaient pas, son remplacement ne poserait aucune difficulté.

Pinsonneault profita de la lueur d'un lampadaire pour l'examiner de près.

— V'nez à la maison.

— … Non, murmura la jeune fille.

— Je vais la raccompagner chez elle, intervint Félix.

— Bon, bin, bonne soirée.

Aldée fut heureuse de sortir de son champ de vision. Quelques minutes plus tard, les deux jeunes gens s'arrê-tèrent sous un autre lampadaire, dans la rue de Salaberry.

— Ton père ne dira pas nous avoir vus ce soir, n'est-ce pas ?

— Qu'est-ce que ça changerait ?

Devant le désarroi de sa compagne, Félix s'empressa d'ajouter :

— Pourquoi en parlerait-il ? Franchement, un gars qui se promène avec une fille, ça ne fait pas une bien grosse histoire à raconter.

Disait-il vrai ? Ce qu'elle tenait tant à cacher, tout le monde le faisait-il ? Quand il se pencha pour l'embrasser, Aldée ne se déroba pas. Après des souhaits de bonne nuit, elle continua son chemin.

❧

Quand le fils Pinsonneault entra dans la maison familiale quelques minutes plus tard, son père était installé dans le salon. Un bruit de conversation venait des chambres, les voix de ses deux frères plus jeunes. Même s'il était très tôt, sa mère pouvait déjà être dans sa chambre, ou encore dans la cuisine, avec l'unique servante du ménage.

— Est pas mal, la p'tite, lâcha le maire d'entrée de jeu.

Le bonhomme affichait une curieuse complicité avec son fils, comme s'il entendait séduire par procuration. Petit de taille et plutôt corpulent, tout comme son épouse, il s'étonnait encore du côté athlétique de la chair de sa chair. Avec ce corps, combien sa vie aurait été plus jouissive.

— Oui, pas mal. Depuis que je la connais, elle s'améliore.

Ils répétaient là, presque mot pour mot, une conversation déjà tenue. Le père poussa un long soupir, puis grommela :

— T'as de la chance d'être jeune.

Félix partageait cette opinion, et il entendait bien en profiter de son mieux.

❋

Depuis quelques semaines, chaque mercredi soir, au moment de se coucher, Aldée décidait de ne plus jamais accepter les rendez-vous de Félix. Cette résolution durait jusqu'au lundi, avec quelques défaillances toutefois. Si le garçon accompagnait Georges à la maison en revenant de l'école, elle prenait son manteau, légèrement hébétée, écoutait sa voix joyeuse. Lors de ces occasions, jamais il ne lui parlait vraiment, sauf des apartés sous prétexte de se rendre aux toilettes. Autrement, cela se limitait à : « Bonjour mademoiselle Aldée, quel mauvais temps nous avons. » Les joues brûlantes, l'adolescente se contentait de répondre : « Bonjour, monsieur. Oui, monsieur. »

Lors de ces visites, très vite, il donnait toute son attention à Corinne, s'informant de sa santé, de ses journées au couvent. L'émotion de l'écolière se voyait plus que la sienne : des joues rouges, un sourire niais. Pendant une heure, non seulement la domestique se languissait de leur prochaine rencontre, mais la jalousie la rongeait. Toutefois, au moment du souper, le bon sens lui revenait : les gens de ce milieu se mariaient entre eux.

Puis le lundi, ses pensées revenaient au rendez-vous précédent, et Aldée espérait la venue du prochain. Malgré la honte de sa pauvreté – chaque fois, elle portait la même robe –, de son corps fluet et de ses traits qu'elle trouvait si peu séduisants, avec en plus la crainte du péché, le temps s'écoulait trop lentement. Puis le jour venu, tout de suite après la vaisselle du dîner, Graziella lui adressait la même remarque ironique :

— Bin, v'là le moment de tes grandes dévotions.

La cuisinière croyait toujours que sa collègue passait ses congés dans l'église Saint-Antoine. Ou peut-être faisait-elle semblant.

— Oui, je passerai certainement à l'église.

— J'fais-tu partie des gens évoqués dans tes prières ? voulut-elle savoir, cette fois-là.

— En bonne place. Pas la première, mais pas la dernière non plus.

Graziella lui présenta toutes ses dents dans un sourire reconnaissant. Somme toute, personne n'était plus proche d'elle que sa jeune collègue.

— C'est certain que ton père, pis tes frères et sœurs viennent avant tout le monde. Pis, j'espère que t'oublies pas madame et monsieur dans ta liste.

Évidemment, ce couple était garant de son bien-être. Aldée acquiesça d'un hochement de la tête, puis quitta les lieux. Dehors, le froid lui fit du bien. Cette petite inquisition la laissait toujours mal à l'aise. Cependant, le trajet vers l'église suffit à lui faire reprendre ses esprits. Pendant deux heures, tandis qu'elle serait assise sur un banc pas très loin de l'autel, les pensées coupables l'emporteraient sur son désir de prier afin de repousser la tentation.

❀

Même si, en théorie, Graziella profitait aussi d'un congé le mercredi après-midi, pendant les mois les plus froids, elle ne quittait guère la proximité du gros poêle à charbon. Quand Délia vint la voir vers quatre heures, ce fut pour la découvrir penchée sur les pages d'un magazine, s'arrachant les yeux pour déchiffrer la légende sous la photo d'une jeune femme.

— Je suis heureuse de vous voir en train de vous reposer, dit-elle.

— Me r'poser ? Quand j'cuisine, au moins j'sais ce que je fais. Là, chus même pas sûre de connaître les noms de toutes les lettres.

— Si vous le voulez, je peux vous lire ce que vous regardez là.

— Pis, vous allez v'nir toutes les mercredis pour me faire la lecture ?

La vieille domestique dévisageait sa patronne avec un sourire plein de défi. Elle savait fort bien que la contribution de Délia ne dépasserait pas quelques minutes. Ces bourgeoises avaient tant à faire.

— Non, admit cette dernière, saisissant le sarcasme dans le ton.

— Bin, vous voyez, comme vous pouvez pas toute m'le lire, juste deux lignes, ça vaut pas la peine.

Madame Turgeon savait que Graziella peinait à décrypter un nom propre. Seules les revues avec plusieurs images retenaient son intérêt.

— Vous êtes allée à l'école longtemps ?

— Une couple d'années. Les jours où ma mère avait pas besoin d'mon aide, ou qu'y faisait pas trop frette.

Devant la mine gênée de son employée, Délia regretta d'avoir posé la question. Aussi, elle confia :

— Ça me donne la chance de venir essayer les nouvelles recettes avec vous. Sinon, je ne me sentirais pas comme une maîtresse de maison respectable.

L'origine relativement modeste de la patronne provoquait sans doute ce souci de payer de sa personne une fois de temps en temps. Madame la juge Nantel, par exemple, n'éprouvait certainement pas le désir de mettre la main à la pâte.

— Ensuite, vous pourrez les refaire sans vous tromper.

— J'suppose que si on peut pas marquer les choses, on les retient.

L'incapacité de prendre des notes, au cours de toute une vie, exerçait assurément la mémoire.

— Aldée est sortie aujourd'hui ?

— Comme tous les mercredis. A va d'venir la meilleure chrétienne de Douceville.

— Comment ça ?

— A passe son après-midi à l'église.

« À moins qu'un gars ne lui soit tombé dans l'œil », se dit la femme du médecin. Elle avertit avant de sortir :

— Je vous laisse. Tout à l'heure, je viendrai faire le souper.

— J'vas vous aider.

Si Délia se souciait de préparer le repas le jour de congé de ses employées, jamais elle ne refusait l'aide de celles-ci. La patronne venait tout juste de quitter les lieux quand la cuisinière entendit de petits coups contre la porte. Graziella quitta sa place à la vieille table pour ouvrir. D'abord, elle ne replaça pas le grand jeune homme campé bien droit devant elle. Évidemment, son chapeau à oreillettes enfoncé bas sur le front n'aidait pas.

— Mademoiselle, désolé de vous déranger, mais Aldée m'avait dit avoir congé le mercredi.

— Bin, Seigneur, le gars qui vendait des patates avant Noël !

— C'est bien moi.

— Enlève ça, pis viens t'assire, j'vas te verser du thé.

L'accueil témoignait de la lassitude de la cuisinière au terme de ces après-midis passés en solitaire. Le visiteur hésita, puis il enleva son couvre-chef et s'approcha de la table tandis que la femme allait vers le poêle. Au retour, la théière dans une main, elle prit deux tasses sur une étagère.

— T'es mieux d'enlever ton manteau aussi, sinon tu vas pogner un coup de mort en sortant d'icitte.

Graziella posa les tasses sur la table, versa le thé.

— Vallières, c'est bin ça ?

— Oui, Jean-Baptiste Vallières. J'peux la voir ?

Le jeune homme ôtait son manteau pour l'accrocher à un clou au mur. Il portait une épaisse chemise de laine à carreaux.

— Si a l'était là, a s'rait drette devant toé. Tu savais où trouver la maison où travaille Aldée ?

— Les patates, j'les ai livrées icitte.

— Ça fait bin deux mois de ça. A t'a laissé tout un souvenir !

Le visiteur prit une gorgée de thé, puis convint avec un sourire :

— J'dirai pas le contraire. Un beau brin de fille.

— Un p'tit brin, mais avec moé, a va profiter encore un peu.

La vieille femme ne se pressait pas pour dire où se trouvait sa collègue, tant un peu de compagnie lui plaisait. Au point où il dut répéter :

— Comme ça, elle est sortie.

— Bin, oui, va falloir que tu te contentes de moé. A doit se trouver à l'église, asteure.

— À l'église ?

— En tout cas, c'est ce qu'a dit. J'l'ai jamais suivie.

Toutefois, la tentation de le faire ne la lâchait pas. La résolution de la petite servante à sortir par tous les temps l'intriguait.

— Bon, bin, j'me r'prendrai une autre fois.

Déjà, il se levait de table.

— Tu peux bin finir ta tasse.

— J'ai une longue route à faire pour retourner chez mon oncle.

Quand il enfila son manteau, la cuisinière le rejoignit près de la porte.

— Le jeune, tu peux toujours passer par l'église, ça doit être su' ton ch'min.

Jean-Baptiste inclina la tête pour la saluer, puis il se coiffa de son chapeau en sortant.

❀

Au gré de leurs rencontres les jours de marché, Vallières avait apprécié le charme discret d'Aldée. Après de longues hésitations, voilà qu'il s'était décidé à venir la relancer à la maison de son employeur. En vain.

Déjà, l'obscurité s'étendait sur la ville. Dans les rues de ce quartier bourgeois, des collégiens et des couventines rentraient à la maison, un sac en toile ou en cuir chargé de livres accroché à l'épaule. D'ailleurs, Jean-Baptiste suivit les pas de l'un d'eux, un jeune homme blond.

Ils avaient la même destination. L'adolescent entra dans l'église par la porte de droite. Pour se montrer si pieux à son âge, il devait rêver de vocation sacerdotale. Vallières avait remarqué ce genre de garçon dès la petite école : ceux qui connaissaient leur catéchisme par cœur et qui marchaient des milles pour servir la messe, même les jours de semaine. Tous ces efforts, pour des fils de cultivateur, visaient à se gagner l'aide du curé pour étudier au séminaire et devenir prêtre ensuite. Un lourd prix à payer pour occuper le meilleur emploi possible.

Le jeune menuisier entra aussi dans le temple. Parmi les petites vieilles percluses qui cherchaient à ouvrir les portes du paradis par la multiplication des prières, la silhouette d'une jeune fille attira son attention. Il allait s'approcher pour voir de qui il s'agissait quand l'étudiant entra dans son champ de vision et la rejoignit. Après quelques mots, tous deux sortirent. En passant la porte, la demoiselle se tourna à demi. C'était Aldée Demers.

Vallières fit volte-face en laissant échapper un petit juron, puis décida d'aller tout de suite chercher sa jument laissée dans une écurie de louage. Ainsi, si ce collégien s'empressait de se rendre à l'église à la fin des classes, ce n'était pas en raison d'un désir de se sanctifier.

Chapitre 19

— Ça m'a fait tout drôle de te rejoindre dans une église, murmura Félix Pinsonneault en mettant le pied sur le parvis.

— Tu y vas tous les dimanches, non ?

La petite domestique s'inquiétait de sa pratique religieuse, maintenant.

— Le dimanche, justement, pas les jours de semaine.

— Avec ce froid, je ne me vois pas attendre dehors pendant deux heures. Des gens pourraient me reconnaître.

Madame ou monsieur Turgeon, par exemple. Tous deux étaient susceptibles de passer dans ces parages. Aldée arrivait mal à assumer sa clandestinité. Ces mercredis après-midi devaient demeurer entourés de secret. Déjà, la curiosité de Graziella la tourmentait.

— Je n'ai jamais eu aussi hâte au printemps... Mais j'y pense, nous avons épuisé les charmes des allées du parc, de la patinoire et des rues discrètes de la ville. Je connais un endroit où nous serions au moins à l'abri du vent.

La jeune fille se mordit la lèvre inférieure. Les endroits à l'abri du vent permettaient sans doute aussi de se dissimuler aux regards. Le souvenir de sa confession récente demeurait très vif, les recommandations du curé, surtout.

— Je ne sais pas…

— Tu verras, ce n'est pas loin.

La question de la distance ne l'inquiétait guère. Elle mit sa main à l'intérieur du bras de Félix. Le garçon l'entraîna du côté de la rivière Richelieu. Un grand bâtiment se dressait devant eux.

— Tu es déjà venue dans cette section de la ville ?

— Le premier dimanche, après mon arrivée à Douceville, Graziella m'a fait visiter les environs, mais pas de ce côté. Nous sommes allées jusqu'au fort de la garnison.

— Ici, c'est le Club nautique. Le Yacht Club, disent nos concitoyens de langue anglaise.

Comme Aldée demeurait muette, il jugea utile de préciser :

— Les gens qui ont des bateaux se réunissent ici. Viens.

Félix tâta le cadenas posé sur la porte, essaya de le forcer. En vain.

— Je pourrais sans doute entrer par une fenêtre.

— Non !

Un ton plus bas, elle ajouta :

— La police pourrait nous arrêter.

— Mon père est le maire de cette ville, les policiers sont ses employés.

Évidemment, cela lui permettait de jouir d'une relative impunité… dans la mesure où la faute ne s'avérait pas trop grave. Toutefois, il abandonna son projet d'entrer dans l'immeuble.

— Viens de ce côté.

Sur la rive, de nombreux hangars s'alignaient pour protéger les bateaux les plus grands. D'autres, tirés sur la rive, étaient simplement recouverts d'une lourde toile. Félix se dirigea vers une construction de planches d'une quarantaine de pieds de long, pour la moitié de large.

— C'est la propriété d'un manufacturier de Montréal. Un Anglais. Il habite dans l'ouest de la ville, au flanc du mont Royal.

Le garçon marcha jusqu'à la rivière et posa les pieds sur la surface glacée. Comme Aldée le regardait sans savoir quoi faire, il tendit la main en l'invitant :

— Viens, tu n'as rien à craindre, le pont de glace tiendra encore un mois.

Ce qui ne signifiait pas que la glace résistait sur tout le cours de la rivière. Elle s'appuya sur sa main pour le rejoindre. De ce côté, le mur de planches s'arrêtait à trois pieds de la glace.

— Nous pouvons passer dessous.

Félix s'agenouilla, se pencha afin de passer sous le mur et disparut. Après un instant, Aldée vit une main sous les planches, avec toujours la même sollicitation :

— Viens.

Effrayée, elle se mit à observer tout autour d'elle. Personne. À cette heure, l'obscurité les dissimulait déjà. Une fois à genoux et penchée vers l'avant, elle se laissa tirer vers l'intérieur. Un gros bateau à vapeur occupait presque tout l'espace. La coque d'un rouge brillant l'écrasait de sa masse. La jeune fille écarquilla les yeux.

— Si on nous trouve ici…

— Je dirai que nous avons vu une lueur en passant dans la rue, et que nous avons voulu vérifier. Le journal en parlera comme d'une action civique.

De nouveau, Félix signalait les privilèges d'être fils du premier magistrat de la ville. Une échelle était posée contre le bastingage. Il continua tout en la gravissant :

— Nous allons admirer ce jouet de millionnaire. Tu n'en reviendras pas.

Comme ils étaient à l'abri des regards, la coque n'ajouterait rien au côté déjà compromettant de l'excursion. Malgré la pénombre, sur le pont, Aldée apprécia les cuivres de l'accastillage. Des bancs rembourrés procuraient le confort pendant de longues promenades nautiques aux bourgeois de Montréal. Une superstructure, au milieu du navire, ressemblait à une maisonnette.

— Tu verras, c'est plus beau que n'importe laquelle des maisons de Douceville. Même celle de tes patrons.

Le propriétaire de ce yacht vivait sans doute avec l'assurance que sa fortune le mettait à l'abri de toutes les menaces, car aucun verrou n'en sécurisait la porte. À l'intérieur de la cabine, Félix chercha une allumette dans sa poche, alluma une lampe à pétrole.

— Les gens verront la lumière depuis la rue.

La jeune fille, de plus en plus nerveuse, se rappelait son allusion à ce sujet. Lui aussi.

— Alors, nous dirons qu'un visiteur précédent l'a allumée, et que nous sommes venus vérifier.

Puis il leva les bras comme un propriétaire fier de faire visiter sa maison :

— Contemple l'aménagement.

Des banquettes recouvertes de velours rouge couraient de chaque côté de la cabine. Des rideaux du même tissu permettaient d'aveugler les fenêtres. Félix les tira l'un après l'autre, ce qui ajouta à la nervosité d'Aldée. Une table et des chaises fixées au plancher étaient conçues pour qu'une compagnie de huit personnes puisse manger.

— Assieds-toi un moment.

Sur l'une des banquettes, il tapotait le coussin moelleux près de lui.

— Je devrais rentrer, maintenant, murmura Aldée.

Pourtant, elle vint le rejoindre. Tout de suite, Félix se pencha pour l'embrasser. Tout désir de le repousser abandonna la jeune fille, malgré sa résolution en sortant du confessionnal. L'attention de ce beau jeune homme lui tournait la tête. En plus de sa beauté, la perspective qu'il la sorte de son milieu la grisait. À en croire les feuilletons qu'elle lisait dans les périodiques prêtés par sa patronne, des histoires de ce genre arrivaient parfois.

Quand les lèvres de son compagnon bougèrent sur les siennes, Aldée eut un petit sursaut, puis s'abandonna à sa langueur. Le jeu de sa langue la laissa plus surprise encore, puis doucement, le plaisir s'imposa.

— Franchement, à la longue, la température devient torride, dans ce bateau.

Félix se releva, le temps de retirer son manteau et de le poser sur la banquette. Il mit ses doigts sur les boutons de celui de sa compagne.

— Non… J'ai froid.

— Voyons, il fait aussi chaud que chez tes bourgeois.

« En tout cas, aussi chaud que dans ma petite chambre », songea la jeune fille. Si elle ne l'aida pas, elle ne se défendit pas non plus. Une fois le dernier bouton détaché, le garçon reprit son baiser. Sa main glissa sous le manteau, se posa sur son flanc pour esquisser un mouvement caressant. Aldée se raidit, essaya de se protéger avec ses bras, sans succès.

Une petite plainte lui échappa quand la paume atteignit son sein, de douleur d'abord car il la serrait très fort, sans doute pour l'empêcher d'arrêter son geste. Ensuite, le plaisir reprit le dessus. Au point où son bras entoura le cou de Félix et sa bouche s'entrouvrit.

« Pas très garnie à l'étage », se dit le garçon. Curieusement, la silhouette de Corinne lui vint à l'esprit. Bien sûr, la blonde lui fournirait de quoi s'emplir les mains. Puis l'envie lui vint de pousser son exploration des charmes d'Aldée un peu plus loin. Sa main tomba sur les jambes de celle-ci, remonta en même temps que l'ourlet de la robe.

— Non…

La suite de la protestation s'étouffa sous des lèvres avides et ses mains ne suffirent pas à retenir celle de Félix. Les doigts passèrent sous le tissu, se posèrent sur les bas de laine, remontèrent jusqu'en haut de ceux-ci, pour toucher la peau des genoux, de la cuisse. Le contact suffit à la raidir totalement. Dans la hiérarchie des mauvais touchers, certains se révélaient pires que d'autres.

— Arrête, je ne veux pas…

La main monta tout de même à l'intérieur de la cuisse. Les forces d'Aldée parurent se décupler quand elle saisit l'avant-bras du garçon afin de le repousser. Elle bondit sur ses pieds pour marcher vers la porte.

— Je m'en vais.

Félix s'écria :

— Attends une minute, nous rentrerons ensemble !

Pour une fille née dans une ferme, descendre l'échelle ne posait aucune difficulté. Aldée fut en bas la première, puis elle se mit à quatre pattes pour se glisser sous le mur, donnant un spectacle cocasse. Dehors, elle s'immobilisa, incertaine du chemin à prendre. Le fils de maire profita de ce moment pour la rejoindre et saisir son bras juste au-dessus du coude.

— C'était un magnifique bateau, hein ?

La servante accéléra le pas, sans répondre.

— Tu ne vas pas m'en vouloir ! Tout le monde a le droit de s'amuser un peu, non ?

— Les hommes, peut-être. Pas les femmes.

Même si elle était toute jeune et issue d'un trou perdu, la différence dans la perception des fautes de chaque sexe ne lui échappait pas.

— Si les hommes le font, les femmes aussi. C'est mathématique.

Félix ne disait pas toute la vérité. Si des prostituées vendaient leurs services à la multitude, la moindre privauté entraînait la mort sociale de toutes les autres femmes. D'ailleurs, sans cette certitude, jamais il ne se serait intéressé à la domestique. Corinne offrait des appâts autrement plus attirants, mais il fallait respecter les filles bonnes à marier.

— Pas moi.

Le reste du trajet jusqu'à la maison des Turgeon s'effectua en silence. À deux cents pieds, Aldée s'arrêta, puis déclara :

— Je continue seule.

— Travailleras-tu mardi prochain ?

— Évidemment.

— Pourtant, le jour du Mardi gras, il n'y aura sans doute personne dans la maison.

Avant le début du carême, ceux qui en avaient les moyens faisaient bombance. Les plus jeunes parcouraient les rues dans des déguisements ridicules. Si les Turgeon ne recevaient personne, ils seraient conviés quelque part.

— Je ne sais pas.

— Bon, tu me le diras. Tu sais, ce serait amusant. Ce soir-là, nous pourrions nous accoutrer de façon à être méconnaissables. Personne ne saurait que tu es la bonne et moi le fils du maire.

Sa façon de présenter les choses contenait une part de mépris pour sa condition. En même temps, l'idée d'effacer leur place respective dans la société pendant quelques heures avait quelque chose de grisant.

Tout au long du chemin de retour, Aldée avait ressassé sa décision de ne plus jamais revoir Félix. Pourtant, quand il se pencha sur elle pour l'embrasser sur les lèvres, elle se raidit un peu, sans plus.

— Je viendrai certainement à la maison d'ici le 27 février, je te demanderai si tu as pu te libérer. Bonne soirée.

Si le silence de la domestique le surprit, jamais le garçon ne perdit son sourire. Il lui tournait le dos quand elle lança :

— Bonne soirée, Félix.

Sa résolution de ne jamais recommencer s'avérait fragile. Pour elle, le démon avait les cheveux blonds et les yeux bleus.

❄

Avant d'entrer dans la cuisine, Aldée s'appuya contre le mur de la maison pour reprendre son souffle. Dès qu'elle franchirait la porte, elle serait soumise au regard scrutateur de Graziella. Sa prévision se réalisa sans attendre.

— Bin, te v'là enfin. Tu dois avoir dit une dizaine de rosaires, pour revenir aussi tard.

— J'ai marché un long moment, aussi. D'ailleurs, je suis gelée.

Quand elle enleva son manteau, elle examina discrètement sa robe pour chercher une trace suspecte de la main fouineuse, sans rien remarquer. Pendant ce temps, la cuisinière la fixait.

— C'est vrai, t'as le boutte des oreilles violette.

C'était certainement dû davantage à sa honte qu'au mois de février, mais ce détail rendait son histoire plus crédible.

— J'vas te servir d'la soupe, y en reste sur le poêle.

L'initiative fit plaisir à la jeune femme. Aujourd'hui, Félix ne lui avait rien offert à manger, son estomac grondait. En la servant, la vieille femme déclara d'une voix gouailleuse :

— En tout cas, ton galant avait l'air déçu, c't'après-midi. Y t'a-tu trouvée à l'église ?

Cette fois, Aldée pencha la tête sur son bol, certaine de passer au cramoisi.

— Je n'ai pas de galant.

— P't'êt' bin, mais y a un gars qui voudrait l'devenir.

Cette fois, Aldée leva des yeux intrigués. Graziella attendit un moment pour ménager son effet, puis lâcha :

— Le gars à qui tu fais des œillades au marché.

Devant son regard étonné, la cuisinière précisa :

— Fais pas l'innocente, y a livré des patates icitte.

Jean-Baptiste Vallières. Le menuisier était donc venu à Douceville dans le seul but de la voir le mercredi après-midi, pendant son congé, poussant l'audace jusqu'à la relancer chez son patron.

— Je ne lui fais pas les yeux doux, je vais le saluer, tout simplement.

— Ça s'appelle faire les yeux doux, ça.

— À Saint-Luc, ça s'appelait être poli. Quand on croise une connaissance, on la salue.

Graziella émit un rire moqueur tout en secouant la tête, comme pour dire : « Moé, les histoires d'amour, j'vois ça de loin. »

❊

Après avoir lu un article du *Canada français* sur la nouvelle salle destinée à la présentation des vues animées, le Ouimetoscope de Montréal, Aldée annonça :

— Moi, je vais me coucher maintenant.

— Ouais, la prière et la marche, ça fatigue une femme.

Une fois qu'elle fut allée dans le cagibi abritant les toilettes, la bonne s'engageait dans l'escalier discret quand elle entendit :

— La marche, ou bin le fait d'avoir un gars qui vient de l'autre bout du comté pour te voir pendant ton après-midi de congé.

Aldée grommela « Bonne nuit » sur un ton excédé, puis monta. Elle ôta sa robe, et décrocha du mur le miroir brisé en deux pour se contempler à la lueur d'une bougie. Comme il lui était impossible de se voir des pieds à la tête, elle déplaça le morceau de verre pour examiner une à une les diverses parties de son anatomie. Ses seins avaient gonflé au cours des quatre derniers mois, ses hanches avaient pris un nouvel arrondi. Même l'ourlet de sa robe dégageait mieux ses chevilles. De fillette, elle devenait une femme, de petite taille mais bien tournée.

Une chemise de nuit en laine de même que quatre couvertures superposées devaient la tenir au chaud jusqu'au matin. Une fois glissée dans le lit, Aldée voulut refaire le trajet de la main de Félix. Le sein gauche d'abord, en passant par l'échancrure de sa chemise de nuit. La chair ferme, la pointe turgide sous sa paume la gênèrent. Ces mauvais touchers aussi figuraient dans la liste des interdits.

Puis ses doigts soulevèrent l'ourlet, suivirent la jambe, passèrent le genou pour caresser l'intérieur de sa cuisse. Deux pouces plus haut, le garçon aurait atteint son sexe. Elle parcourut cet espace de peau, esquissa une caresse, puis enleva vivement sa main, comme après une brûlure. Tout de suite, elle enchaîna avec un acte de contrition.

❁

Après avoir raccompagné Aldée à quelques dizaines de verges de la maison des Turgeon, Félix était rentré chez lui. Depuis le départ du parc jusqu'au hangar à bateau, pendant la vingtaine de minutes qu'ils y étaient restés, et ensuite tout au long du retour, son érection n'avait pas faibli une seule seconde. Quand il entra dans la maison, le «Comment ça va, le jeune?» réduisit immédiatement sa tension. Cela valait mieux, car son père pouvait bien remarquer une raideur sous sa ceinture.

Le garçon accrocha son manteau dans la penderie, posa le chapeau sur la tablette au-dessus des cintres, puis se tint dans l'embrasure de la porte du salon.

— Ça va bien.

— T'as fait une belle rencontre ?

La question s'accompagnait d'un clin d'œil appuyé.

— Je ne peux pas me plaindre.

Bientôt, Son Honneur le maire oserait des questions plus intimes. Faire un compte-rendu à ce sujet ne disait rien à Félix.

— Là, je dois aller étudier un peu. Pour moi, le latin, ça ne rentre pas si facilement.

— Ouais, t'as du mérite d'apprendre des niaiseries pareilles.

Un instant, le garçon eut envie de clamer son envie d'arrêter d'aller à l'école. La suite l'en empêcha :

— Mais t'as pas vraiment le choix. Tous les politiciens importants de la province pis du pays ont fait le classique, avec des études à l'université en plus. Des gars comme moi, ça va pas plus loin que maire d'une petite ville.

— … Bon, dans ce cas, je vais y aller.

— Alors, bonne nuit, le jeune.

Peu après, Félix salua sa mère et monta dans sa chambre. La lumière jaunâtre de l'éclairage électrique lui permit de faire l'inventaire de ses possessions : un hockey et des jambières dans un coin, un ballon, des livres sur une étagère, une table de travail. D'autres richesses s'avéraient moins facilement accessibles, comme les photographies de femmes plutôt explicites dissimulées sous une planche amovible du plancher. Elles lui avaient coûté cher, mais en les revendant à des camarades du collège, il récupérerait son investissement.

Le garçon posa son suisse sur le dossier de sa chaise, puis se laissa tomber sur le matelas. Les doigts de sa main droite posés sous son nez le ramenèrent dans le hangar. C'était probablement imaginaire, mais il perçut une odeur légère.

Ces sorties du mercredi duraient depuis trop longtemps, Aldée devrait rapidement cesser de jouer à la vierge offensée et céder son petit trésor.

❁

Comme le carême commencerait dans moins d'une semaine, le couple Turgeon multipliait les invitations ou alors en acceptait. Ensuite, pendant quarante jours, il faudrait se priver et s'en tenir à une vie de renoncement.

Le jeudi, un avocat et sa femme venaient souper, alors Graziella mit les petits plats dans les grands à leur intention.

— Les patrons respectent-ils vraiment le carême? voulut savoir Aldée.

— C'est des bons chrétiens.

Le ton s'avérait un peu revêche, comme si elle lui en voulait de mettre en doute la foi de ces bourgeois.

— Ça, je le sais bien. Changent-ils le menu?

— Un peu. Pas beaucoup, en réalité. Monsieur dit que des enfants qui grandissent, ça doit bien manger. Pareil pour les hommes qui travaillent.

Dans les rangs de toutes les paroisses des environs, des enfants en pleine croissance et des hommes actifs serreraient leur ceinture de deux ou trois crans d'ici le 15 avril, le jour de Pâques. Ils pouvaient toujours habiller leur pauvreté des oripeaux de la ferveur.

— Madame mange comme son mari. Finalement, y a juste la p'tite qui se prive un peu. Tu vas voir, ça y f'ra du bien.

La cuisinière parlait de la silhouette de Corinne. Elle précisa:

— Pour notre travail, ça f'ra pas une grosse différence. On préparera pus de dessert, c'est toute.

Un mince sacrifice figurait tout de même au programme. Le carême ne signifiait pas seulement la privation de nourriture : pas de musique, pas d'alcool, et pour les couples mariés, l'abstinence. Du moins pour les plus vertueux. Tous ces petits plaisirs sacrifiés permettaient de se sanctifier.

— Mardi, je suppose que ce sera une grande fête.

Il fallut un moment avant que Graziella ne comprenne.

— Pour le Mardi gras ? La fête se f'ra ailleurs. On va être toutes seules. Pis, crains pas, j'ai pas l'intention de me déguiser.

Elle adressait à Aldée un sourire chargé d'autodérision. Oui, vêtue d'un déguisement et le visage masqué, Graziella détonnerait un peu… ou pas du tout.

— Ça veut-tu dire que nous aurons congé ?

— Si tu parles du repas, oui. Mais pour le reste, ce s'ra comme d'habitude.

Elle la dévisagea et demanda, soupçonneuse :

— C'est-tu qu'y a un gars qui t'a proposé de faire queque chose ?

La cuisinière s'imaginait que la veille, malgré les dénégations de sa jeune collègue, Vallières l'avait finalement rejointe pour lui proposer un rendez-vous.

— C'est juste que je pourrais tout aussi bien prendre mon congé quand personne n'a besoin de moi.

— Ouais, ouais. Bon, là, c'est pas le moment de te grimer. Occupe-toé des patates.

Au cours de l'heure suivante, Graziella jeta des regards discrets sur la jeune domestique. Décidément, de toutes les petites bonnes embauchées précédemment par les Turgeon, aucune n'avait reçu autant d'attention.

Dans le domaine des conquêtes amoureuses, une part significative du plaisir tenait au récit que l'on pouvait en faire à des amis. Aussi, Félix Pinsonneault attendait les questions. Le lendemain de sa visite au Club nautique, en revenant du collège, Georges l'interrogea :

— … Avec Aldée, où en es-tu ?

— Ah ! Tu ne sais pas ce que tu manques en étant le parfait garçon… de ses parents.

Il avait changé les derniers mots par délicatesse : le traiter de fils à maman aurait été une trop grave insulte.

— Comment sais-tu que je manque quelque chose ?

— Franchement, tu vas me dire que tu as mis ta main sous la jupe de la petite Tremblay ?

Comme elle était la seule jeune fille à laquelle Georges adressait la parole – excepté sa sœur, évidemment –, Félix concluait à son intérêt pour la brunette.

— Ne parle pas d'elle comme ça.

Georges évitait de se mettre en colère, mais mieux valait ne pas le pousser à bout.

— Oh ! Tu m'excuseras auprès de ta future.

Bien sûr, Aline comptait parmi les filles qu'on épousait : le respect exigeait que l'on garde ses mains pour soi. Mais Félix venait indirectement d'indiquer le progrès de son entreprise de séduction, en évoquant une main sous la jupe.

— Puis, tu me charries, à propos d'Aldée.

— Tu penses ? La prochaine fois, je ne me laverai pas les mains, pour te faire sentir…

Pâle de teint comme sa mère et sa sœur, Georges Turgeon rougissait facilement. Évidemment, il savait que les hommes et les femmes faisaient des « choses » ensemble. Non seulement il en avait une idée bien vague, mais qu'un garçon de son âge goûte à ces plaisirs mystérieux le bouleversait.

❧

Ce jour-là, Georges arriva à la maison si déstabilisé par la demi-confidence de Félix qu'il ne songea même pas à inviter son ami à entrer. L'oubli s'avérait d'autant plus excusable que sa sœur, accompagnée d'Aline Tremblay, entrait chez eux en même temps que lui. Son bonsoir s'adressait aux deux jeunes filles, mais ses yeux ne quittaient pas la brunette. Sous la jupe !

— Bon, dit Félix en dissimulant mal son amusement, je rentre chez moi.

— Tu n'entres pas un moment ? s'étonna Corinne.

— Non, j'essaie de prendre exemple sur ton frère, je vais aller bûcher sur une version latine.

Le jeune Pinsonneault s'éloigna en lançant un au revoir à la ronde.

— Et toi ? interrogea Georges en dévisageant Aline.

Il s'agissait de la première invitation du genre qu'il formulait à l'intention d'une jeune fille. Sa sœur le scrutait, un léger sourire aux lèvres.

— Non, même si je n'ai aucune version latine à rédiger. Maman s'attend à ce que je m'occupe des plus jeunes, ce soir.

Peut-être s'agissait-il d'un prétexte signifiant son manque d'intérêt, mais au fond, cela n'avait guère d'importance. La seconde fois serait plus facile. Georges franchit le seuil de la maison, alors que les jeunes filles continuaient de bavarder dehors. Comme d'habitude, Aldée restait devant la cuisine pour savoir qui entrait.

— Bonsoir, monsieur.

Elle ne se déplaçait jamais pour prendre les manteaux des enfants de la maison.

— Bonsoir, Aldée. Vous allez bien ?

Elle hocha la tête pour acquiescer, étonnée de la question. «Qu'est-ce qui me prend?» se demanda le garçon.

❀

Au moment du souper, Georges était encore songeur. Après les questions habituelles sur la journée de chacun, le docteur Turgeon s'attarda à une description de la dernière réunion du conseil municipal. Ses premières semaines comme échevin lui laissaient des sentiments mitigés. S'il se faisait une idée exacte des mesures nécessaires pour le bien-être de la municipalité, les façons d'y arriver lui semblaient encore obscures.

Quand chacun eut terminé sa soupe, Aldée se mit à ramasser les bols. Pour ce faire, elle s'approcha du garçon jusqu'à le frôler.

— Oh! Excusez-moi, monsieur.

— Ce n'est rien.

Il la regarda continuer son travail. L'uniforme noir ne la flattait pas vraiment: une robe de lainage trop grande malgré la prise de quelques livres, trop longue aussi. Pourtant, la courbe des seins lui parut charmante. Quand la servante se pencha un peu pour poser les récipients sur la desserte, l'arrondi des fesses attira ses yeux. Sous la jupe, avait dit Félix. Cette pensée lui donna une érection d'adolescent en bonne santé, de celles qui l'empêcheraient de dormir trois heures plus tard.

— Georges, où te trouves-tu? intervint sa sœur.

— … Pardon?

— Maman vient de te demander comment s'était passé le contrôle de mathématiques aujourd'hui.

— Désolé, mon esprit vagabondait. Très bien, je pense. Le père Dulude nous remettra les copies corrigées demain, alors je saurai à quoi m'en tenir.

Sa mère posait un regard intrigué sur lui. Ces moments de rêverie étaient rares chez lui.

— Comme disent les Anglais, énonça-t-elle, *a penny for your thoughts*.

«Un cent pour tes pensées.» Une façon de lui demander à quoi il songeait. Le rouge lui monta certainement aux joues.

— … Rien de précis, vraiment. Le collège, les cours. Enfin, ce genre de chose.

Corinne eut envie de dire: «Il devait penser à Aline. Tout à l'heure il l'a invitée à entrer.» Puis elle jugea préférable de ne pas le taquiner de cette façon, de peur qu'il ne lui rende la pareille.

Chapitre 20

Après des échanges de salutations et de remerciements, les invités quittèrent la maison un peu après dix heures. Comme elle le faisait fréquemment dans ces circonstances, Délia se rendit dans la cuisine afin de parler à la cuisinière.

— Graziella, je vous remercie. Comme toujours, le repas était excellent.

À cause de la chaleur du poêle et de sa haute tension artérielle, les joues de la vieille employée demeuraient rouges en permanence, en particulier les pommettes. Elles tournèrent au violet.

— J'fais toujours de mon mieux, madame.

— Oh! Je le sais, croyez-moi. Alors, merci encore, et bonne nuit.

Déjà, la bourgeoise tournait les talons quand Graziella la retint.

— Madame, si j'peux m'permettre…

Quand sa patronne lui fit face, elle osa poursuivre :

— C'est Aldée. Je pense qu'elle aimerait prendre congé mardi, au lieu de mercredi, la semaine prochaine. Comme personne de la famille ne se trouvera à la maison, je me demandais…

— Si ce serait possible.

Délia lui adressa un demi-sourire.

— Savez-vous pourquoi ?

— Est bin secrète, mais j'pense qu'un gars des environs aimerait la voir.

L'information étonna Délia. Sa jeune servante ressemblait tant à une petite fille à son arrivée dans la maison qu'une histoire galante lui semblait prématurée.

— Vous connaissez ce jeune homme ?

— Il vient au marché avec son oncle depuis quelques mois.

— Un cultivateur ?

— Pas d'après c'que j'ai compris. Un menuisier qui a travaillé aux États, qui est r'venu avec une patte un peu folle. Là, y attend le printemps pour offrir ses services à l'usine des moulins à coudre.

Sans en avoir l'air, la cuisinière avait tout de même capté l'essentiel de la biographie de Jean-Baptiste Vallières.

— Aldée vous a parlé de l'intérêt de ce garçon pour elle ?

— A dit jamais rien. Bin, y a deux jours, y est v'nu pour la voir icitte. Comme a l'était à l'église, j'ai jasé un peu avec lui.

— Il vous a demandé de la rencontrer mardi prochain.

— Non, ça c'est elle, après-midi.

La petite histoire d'amour égayait Délia.

— Maintenant, où se trouve-t-elle ?

— Est déjà montée se coucher. Vous voulez que j'l'appelle ?

— Non, j'aurai bien l'occasion de lui parler d'ici mardi.

Après le départ de sa patronne, Graziella prépara une tasse de thé pour elle, un sourire satisfait sur les lèvres. La petite la remercierait certainement de son intervention.

Le lendemain matin, un vendredi, quand Délia entendit les pas d'Aldée dans le couloir, elle ouvrit la porte de sa chambre pour lui dire :

— Graziella m'a fait part de ton désir de prendre congé mardi, au lieu de mercredi, la semaine prochaine.

La jeune fille se sentit rougir un peu.

— J'ai pensé que je serais plus utile un jour où vous seriez à la maison.

La bourgeoise s'amusa de cette façon de présenter les choses.

— Voilà qui est très attentionné de ta part. Puis en plus, tu donnerais satisfaction à ce jeune homme.

Aldée esquissa un sourire crispé. Sa patronne devait avoir perçu les attentions de Félix. Avant de se voir abreuvée de reproches, elle s'empressa de dire :

— Ce n'est pas pour un homme…

— Pourquoi veux-tu dissimuler cette histoire ? À ton âge, rien de plus normal que d'attirer l'attention de quelqu'un.

Pendant le court silence, un sentiment de panique envahit Aldée. Pendant ce temps, Délia l'examina des pieds à la tête. Tout en demeurant menue, la bonne paraissait maintenant faire ses seize ans.

— Si j'ai bien compris, il s'agit d'un menuisier.

Jean-Baptiste Vallières. Un poids quitta les épaules d'Aldée. Sans le savoir, celui-ci lui fournissait une parfaite justification.

— Oui, mais maintenant il soigne une blessure reçue au travail chez son oncle.

— Depuis quand vient-il veiller ?

— Il n'est jamais venu…

La domestique s'interrompit, puis esquissa un demi-sourire :

— Je veux dire, la seule fois où il est venu, c'est Graziella qui l'a reçu.

— C'est ce que j'avais compris, confirma la femme en riant. Alors, s'il demeure dans les limites des convenances, il pourra revenir pour toi. Toutefois, je dirai à Graziella de vous servir de chaperon. Autrement, ta réputation en souffrirait.

Délia avait bien raison. Les rencontres entre jeunes gens devaient se dérouler devant des yeux attentifs. Déjà, les passages dans le Café Richard, un lieu public, feraient sourciller bien des gens. Quant à sa visite au Club nautique, elle lui vaudrait un complet ostracisme.

— Je comprends, madame.

— Parfait. Tu pourras quitter la maison après le dîner, mardi. Mais ensuite, ce sera le carême. Je t'invite donc à limiter ces rencontres, par esprit de sacrifice.

La bourgeoise imposait de plus grandes privations à son employée qu'à son mari. Celui-ci ne ferait pas carême de ses gentillesses. Elle poursuivit :

— Tu ne trouves pas mes enfants trop à la traîne, j'espère.

— Ah ! Pas du tout. Mademoiselle range tout avant d'aller à l'école.

C'était une exagération, mais tout de même, Corinne faisait un effort.

— Je comprends donc que mon fils n'a pas les mêmes égards… Je te laisse travailler, maintenant.

— … Merci, madame.

Un bref instant, elle regarda Délia descendre l'escalier, toujours élégante avec sa longue chevelure blonde relevée sur sa tête dès le matin. Maintenant, empêtrée dans ses mensonges, Aldée savait sa condition devenue précaire. Si la vérité s'ébruitait, l'histoire lui coûterait son emploi, et sans bonne recommandation, jamais elle n'en trouverait un autre dans le service de maison.

❋

Les samedis se ressemblaient tous. En fin d'après-midi, les enfants de la maison revinrent flanqués de Félix Pinsonneault. Au moins, cette fois, la joute de hockey ne lui avait pas valu de blessure à la tête. La suite du scénario se répéta presque à l'identique. Aldée vint prendre le manteau du visiteur pour l'accrocher dans la penderie.

— Si vous permettez, comme disent les femmes, je vais aller me poudrer le nez, laissa tomber celui-ci.

Présentée ainsi, l'allusion à ses besoins naturels s'avérait limpide. Corinne se troubla, tandis que Georges dit :

— Tu connais le chemin.

Il montait l'escalier quand la fille de la maison offrit :

— Aimerais-tu avoir du thé et des biscuits ?

— Avec ce temps froid, une boisson chaude me fera du bien. Puis comme dans quatre jours, nous n'y aurons plus droit, je suis partant pour les gâteries.

— Tu as entendu, Aldée ?

La bonne était figée dans l'entrée.

— Oui, mademoiselle.

Quand le frère et la sœur furent dans le salon, Aldée regarda Félix, toujours dans l'escalier. Le souvenir de ses baisers, de ses caresses faisait battre son cœur. Prendre la fuite, lui recommandait le curé. De toute façon, une union avec lui ne pouvait se produire. Pourtant, ses yeux ne quittèrent pas ceux du garçon. Celui-ci lui fit signe de le rejoindre jusque sur le palier, puis lui demanda dans un murmure :

— Mardi prochain, pourrons-nous nous voir ?

— Madame m'a permis de sortir.

— Tant mieux.

La satisfaction sur le visage de Félix fit plaisir à la domestique. Il tenait donc un peu à elle.

❉

Dans le salon, Georges tendait l'oreille. Ces deux-là se ménageaient ainsi de petits apartés. La curiosité l'emporta sur la discrétion.

— Je vais aller dire à Aldée que je préfère des têtes-de-nègres.

Corinne voulut lui rappeler que la plupart du temps, la bonne mettait ces biscuits de monsieur Viau dans l'assiette, mais il quittait déjà la pièce. Dans le couloir, il s'arrêta près de l'escalier. Une conversation se déroulait sur le palier.

En tendant l'oreille, il entendit Félix demander :

— Tu sais ce qui se passe, le Mardi gras ?

Son ami n'avait sans doute pas exagéré, deux jours plus tôt. Sous la jupe.

❉

Aldée savait ce qui se passait à Saint-Luc lors de ce jour de facéties. Le scénario était-il le même à la ville ? Elle secoua la tête de droite à gauche.

— Les gens se déguisent pour courir d'une maison à l'autre. La plupart des filles s'habillent en homme. Tu pourrais faire la même chose. Avec un pantalon, les cheveux dissimulés, du noir sur le visage, personne ne te reconnaîtra.

— Je ne possède rien de tout cela.

— Moi, oui. Le mieux serait qu'on se rencontre au Café Richard comme d'habitude à quatre heures et demie. J'apporterai le nécessaire.

— Je ne sais pas…

Une voix vint du salon juste à ce moment :

— Georges, tu m'entends ?

Bientôt, Corinne s'inquiéterait de ne pas recevoir son thé. Sur le palier, Félix exprima un peu d'impatience :

— Écoute, tu dis oui ou non.

Très facilement, la domestique devina la suite : « Si tu n'es pas intéressée, il y en aura d'autres. » Pour lui tenir compagnie, la fille de la maison se porterait volontaire la première.

— Oui, je te rejoindrai.

— À quatre heures et demie.

Puis il se pencha pour poser ses lèvres sur les siennes, tenant sa main derrière la nuque d'Aldée pour l'empêcher de se dégager. La langue envahissante prit la jeune fille tout à fait par surprise, au point de lui tirer une petite plainte de protestation. Quand il s'éloigna, elle porta ses mains à sa coiffe blanche, mise à mal dans l'opération. En bas, un bruit la fit paniquer. Impossible de redescendre par là, Corinne lui demanderait ce qu'elle faisait en haut. Il restait une seule possibilité : courir vers le fond de la maison afin d'utiliser l'escalier de service. Au passage, Félix réussit à lui empaumer une fesse tout en laissant échapper un petit rire lubrique.

Les projets du garçon pour le Mardi gras ne laissaient aucun doute, pourtant elle ne se déroberait pas à ce rendez-vous.

❉

En bas, Georges s'esquiva dès qu'il entendit du mouvement au-dessus de lui. Se rendre jusque dans la cuisine prit seulement quelques secondes. Graziella leva les yeux, surprise.

— Avec le thé, nous allons prendre des têtes-de-nègres.

À ce moment, Aldée apparut au pied de l'escalier dérobé. Il remarqua la coiffe de travers.

— Oh! Monsieur, je m'excuse, j'ai dû monter un instant. Mais je vous apporte votre goûter tout de suite.

La cuisinière les regarda à tour de rôle, intriguée par le malaise de la domestique. Le fils de la maison se découvrait-il un intérêt pour sa jeune collègue?

❈

Une autre personne s'intéressait aux projets d'Aldée. Tôt le lendemain matin, Graziella l'épia du coin des yeux. Ce ne fut toutefois qu'au moment de se rendre à l'église, pour la basse messe, qu'elle osa s'informer:

— Pis, tu vas faire quoi, mardi?

La vieille femme avait les yeux brillants, fière de son rôle dans une idylle naissante. Après tout, jamais sa collègue n'aurait osé demander le changement de son jour de congé à madame Turgeon.

— Comme d'habitude. Passer du temps à l'église, puis me promener dans la ville.

Graziella laissa échapper un rire grinçant.

— Chus p't'êt' une vieille fille, mais chus pas scrupuleuse tant que ça. Rencontrer un gars, c'pas un crime.

Aldée savait que sa collègue avait entretenu madame Turgeon de l'existence de Jean-Baptiste Vallières. Dans une grande mesure, il s'agissait d'une bénédiction: un homme cachait un garçon.

— Je n'ai pas dit que je ne le rencontrerais pas. Quand même, je me rendrai à l'église, puis ensuite nous nous promènerons dans la ville. Aucune veillée de danse chez la parenté n'est prévue au programme.

En disant cela, elle savait s'engager sur un terrain très dangereux. Le jeune menuisier avait déjà fait la conversation avec Graziella. Cette dernière ne se gênerait certainement pas pour lui demander, peut-être dès le samedi suivant : « Pis, vous vous êtes-tu amusés mardi passé ? »

La succession de ses mensonges donnait le vertige à Aldée. Tôt ou tard – sans doute plus tôt que tard –, le tout viendrait aux oreilles de sa patronne. Cependant, avec l'espoir flou que cette histoire pourrait devenir « sérieuse », elle s'enfonçait encore un peu plus à chaque épisode.

— Bin, si vous êtes pas grimés, vous serez bin les seuls dans toute Douceville.

L'habitude de porter des déguisements pendant cette soirée était généralisée. Les personnes peu désireuses de participer à la mascarade s'exposaient à ce que les autres, sous le couvert de l'anonymat, se montrent très désagréables. Il s'agissait d'une bonne occasion de régler ses comptes.

Quand elles entrèrent dans l'église, Aldée regarda la petite queue formée devant le confessionnal. Le mercredi suivant, il conviendrait de commencer le carême par une communion. Cependant, l'idée de confier les jeux de main au Club nautique lui répugnait. Le curé lui dirait nécessairement de mettre fin à ses rencontres avec Félix. Elle souhaitait toujours se laisser porter par cette relation.

Par conséquent, au moment où la plupart des paroissiens se dirigeaient vers la sainte table, elle demeura sagement sur son siège.

❧

Le congé accordé à Aldée était dû au fait que tous les Turgeon quitteraient la maison ce soir-là. Dans la chambre de la maîtresse de maison, Corinne se tordait le cou afin de se voir de dos dans le miroir. La robe bleu ciel tombait bien sur ses hanches et ses fesses.

— Tu trouves vraiment que cela fait Moyen Âge ? demanda-t-elle à sa mère.

— Ça te paraît sans doute difficile à croire, mais je n'étais pas née à l'époque.

L'adolescente rit de bon cœur, puis répondit :

— Je le sais bien, mais te rappelles-tu Jacques Cartier ?

La répartie lui valut une petite tape sur les fesses.

— J'ai montré les photographies du dernier bal masqué de l'hôtel Windsor à la couturière, continua Délia plus sérieusement, ce costume me paraît ressemblant.

Elle n'avait pas souhaité payer trop cher une robe qui ne serait portée qu'une fois. Son intervention auprès de l'artisane lui valait un vêtement convenant plus à 1906 qu'au temps des croisades. L'illusion de l'époque médiévale serait créée par son étrange coiffe en forme de cône, affublée d'un voile de gaze.

Georges vint se planter dans l'embrasure de la porte de la chambre, vêtu d'un costume rappelant vaguement celui des pirates. Dans son cas aussi, le déguisement s'exprimait par un détail : un bandeau sur l'œil gauche. Une application de suie sur les joues devait donner l'effet d'une barbe d'une semaine.

— Vous en aurez bientôt terminé ? J'attends dans l'entrée depuis une trentaine de minutes.

Il convenait de diviser ce chiffre par cinq pour obtenir une meilleure idée de la réalité. Tout de même, Délia se résolut à faire ses dernières recommandations :

— Chez les Tremblay, montrez-vous les enfants les mieux élevés de la ville.

Les parents d'Aline feraient les frais de la petite célébration. Corinne gardait un regret à ce sujet.

— Nous aurions pu recevoir nos amis ici, comme lors de la Sainte-Catherine ou de la fête des Rois.

— Ma fille, tu n'as pas le monopole des invitations. Il convient de rendre les visites.

— Là-bas, il faut s'occuper des petits.

En tant qu'aînée, son amie devait toujours tenir à l'œil les membres de sa fratrie, qu'il y ait ou non des invités.

— D'habitude, tu reviens séduite par la gentillesse de ces enfants.

Comme la blonde devait convenir que les arguments maternels se révélaient tout à fait raisonnables, elle s'engagea dans l'escalier. Quand les jeunes gens eurent revêtu leur manteau, Délia ne put s'empêcher de les exhorter:

— N'allez pas courir dans les rues trop tard.

— Nous serons toute une bande, la rassura Georges.

— Justement, restez avec les autres, puis tenez-vous dans des endroits éclairés.

Depuis l'enfance, Délia instillait à sa fille la crainte des coins sombres et des mauvaises rencontres. Cela suffisait à la rendre prudente.

— Ne t'inquiète pas, reprit Georges, je la protégerai au péril de ma vie.

— Contente-toi d'être prudent, toi aussi.

— De votre côté, intervint Corinne pour détourner sa mère de son anxiété, les Pinsonneault vont-ils vous recevoir déguisés?

— Déguisés en marchands de charbon, je suppose.

— Vous les voyez beaucoup, depuis les fêtes.

Délia songea à rétorquer «un peu trop», mais elle se retint.

— Même si ton père hésitait à se présenter, maintenant, il entend purifier la ville de toutes les maladies infectieuses. Pour cela, il a besoin de l'appui du maire.

Après des baisers et une ultime série d'incitations à la circonspection, les jeunes gens quittèrent les lieux.

❊

Au même moment, dans la cuisine, Aldée s'apprêtait aussi à partir. Graziella posait sur elle un regard tout à fait maternel, à la fois heureuse de la voir rencontrer un homme et inquiète du dénouement de l'aventure.

— Y a l'air d'être un bon garçon.

La cuisinière aurait-elle dit la même chose de Félix Pinsonneault? La jeune fille en doutait beaucoup.

— Bin, même les meilleurs, des fois, y deviennent… achalants.

Sa réflexion était-elle issue de son expérience personnelle ou d'histoires entendues lors de commérages avec ses voisines?

— Comme nous allons nous rejoindre devant l'église, cela devrait le mettre dans de bonnes dispositions.

L'adolescente crânait, car se retrouver seule à seul avec l'ami du fils de la maison l'inquiétait. La fois précédente, il s'était livré à des attouchements qui lui avaient valu de longues périodes d'insomnie fiévreuses. Il voudrait certainement recommencer, peut-être aller plus loin.

— Ouais, si tu le dis. En tout cas, évite les coins sombres.

Les lieux discrets se comptaient peut-être en grand nombre, mais en février, la plupart d'entre eux ne protégeaient pas assez des intempéries pour être praticables. Toutefois, le Club nautique fournissait certainement plusieurs cachettes.

Quand Aldée décrocha son manteau du clou planté dans le mur, Graziella l'interrogea encore:

— Là, tu vas le rencontrer près de l'église Saint-Antoine?

— C'est ce que nous avons convenu.

— Si c'était pas si frette, j't'accompagnerais jusque-là.

La cuisinière marqua une pause, puis ajouta:

— J'l'aime bin, moé, ce jeune-là.

Aldée écarquilla les yeux, terrorisée par cette perspective. Un instant, elle regretta qu'il ne fasse pas vingt degrés de moins, pour assurer le secret de la rencontre.

— Maintenant, je dois y aller, si je ne veux pas rater ce premier rendez-vous.

— J'vas t'cspérer pour quelle heure ?

— Il décidera… Mais ce ne sera pas trop tard, nous nous levons tôt le matin. Vous n'avez pas à m'attendre.

— Tu l'sais, j'dors pas beaucoup, alors j'te dirai bonne nuit quand tu r'viendras.

Aldée la salua de la tête, puis sortit par la porte de côté. Tout le long du trajet, elle s'imagina Graziella en train de mettre son manteau, pour la suivre discrètement. Tôt ou tard, cette histoire serait découverte, pour son plus grand malheur.

❀

Le jeune homme ne l'attendait pas devant l'église, mais ce lieu de rendez-vous lui avait semblé plus crédible, pour rencontrer Jean-Baptiste Vallières. Aldée marcha directement jusqu'au Café Richard de la rue Richelieu. Depuis l'entrée, elle chercha Félix des yeux, sans le voir. Toutefois, leurs visites des semaines précédentes faisaient d'elle une habituée de l'établissement.

— Vous pouvez vous asseoir, lança une serveuse en passant.

Peut-être parce que le carême commencerait le lendemain, l'affluence était importante. Elle chercha une table libre, en dénicha une tout au fond, près de la porte donnant accès à la cuisine. Quelques minutes plus tard, la même employée posa une théière et deux tasses sous ses yeux. Sans un cent, impossible de la payer si Félix lui faisait faux bond. Elle songea à refuser, à dire : « J'attends quelqu'un avant de commander. » Mais le personnel savait déjà qu'elle ne serait pas seule. Autant se verser la boisson chaude et patienter.

Quand Félix arriva enfin, vingt minutes plus tard, elle se leva pour l'accueillir comme un sauveur. Il l'embrassa sans lui donner le temps de protester ou de se dérober. Intimidée, elle observa les autres convives, chercha la désapprobation sur les visages. Personne ne se souciait de ce couple improbable.

— Je commençais à m'inquiéter, avoua Aldée en reprenant son siège.

— Désolé. Parfois mon père n'arrive pas à cesser de parler.

Surtout quand il évoquait les conquêtes réelles ou supposées de son fils.

— Savais-tu que tes patrons soupent chez nous, ce soir ?

— Madame ne me tient pas au courant de ses allées et venues.

Le ton contenait une certaine frustration. Ses patrons se donnaient le droit de contrôler sa vie, un privilège allant à sens unique.

— As-tu hâte de parader dans les rues de Douceville avec moi ? voulut-il savoir.

— Au milieu de tout ce monde, je n'oserais pas.

— Tout le monde sera masqué. Voilà l'occasion idéale pour défier les règles. D'ailleurs, une fille sur deux en profite pour porter des habits de garçon et faire tous les mauvais coups interdits aux couventines.

Dans les rangs de Saint-Luc aussi, le travestisme s'avérait populaire parmi les personnes de son sexe. Soumises à leur père ou à leur galant tous les autres jours de l'année, les filles célibataires bravaient alors certains interdits. Mais même en ce jour de folie, il convenait de demeurer décente, ou alors on s'exposait à perdre tout à fait sa réputation.

— Je ne sais pas…

— C'est ce que nous avions convenu.

Le ton contenait juste assez d'impatience pour inciter Aldée à hocher la tête de bas en haut. Se déguiser devenait pour elle un signe d'obéissance, pas de défi.

Chapitre 21

Vêtue d'une jolie robe, d'un manteau au col de vison et d'un bonnet assorti, Délia comptait parmi les femmes élégantes de Douceville. Sur son passage, des hommes seuls se retournaient pour la suivre brièvement des yeux. Ceux qui étaient accompagnés souhaitaient faire de même, et s'en privaient de peur d'affronter un visage buté pendant les jours à venir.

— Honnêtement, fit-elle, tu ne prends pas plaisir à ces soirées avec Son Honneur le maire ?

Évariste lui offrait son bras. Heureusement, car des plaques de glace sur les trottoirs en ciment se montraient traîtresses. L'été précédent, on avait présenté l'usage du ciment comme infiniment plus avantageux que celui du bois pour fabriquer les trottoirs. Un signe de progrès, parmi des dizaines d'autres. L'hiver, la différence entre les matériaux se voyait à peine.

— Sa fréquentation régulière ne me le rend pas plus sympathique, répondit-il. Je mets ça sur les compromissions nécessaires pour faire un peu de bien.

La demeure des Pinsonneault se dressait tout près. La cour arrière donnait directement sur la rivière Richelieu. L'été, cet emplacement facilitait l'approvisionnement en charbon. Le marchand en profitait pour faire des réserves dans la petite construction basse à gauche de la maison. Plus l'hiver se révélait froid, meilleurs étaient ses profits.

Les Turgeon gravirent les quatre marches donnant accès à l'entrée principale. Horace Pinsonneault mit deux ou trois minutes à venir ouvrir après leurs coups sur la porte.

— Ah ! Délia, vous êtes sans doute la femme la plus séduisante de la ville.

Le maire la détailla des yeux, puis ajouta avec un sourire en coin :

— À égalité avec ma femme, bien sûr.

La précision était assez tardive pour sous-entendre qu'il n'en croyait rien. Bien plus, sa remarque contenait une part de mépris. Comme il amorçait le geste d'allonger le cou pour faire la bise à Délia, elle recula tout en tendant la main.

— Bonsoir, monsieur le maire. Sans ces derniers mots, je me serais sentie très mal à l'aise de souper ici.

Pinsonneault comprit l'admonestation, donna aussitôt toute son attention au docteur.

— Évariste, mon cher conseiller ! Franchement, je me félicite de t'avoir entraîné dans la politique.

Le marchand prit leurs manteaux et leurs chapeaux pour aller les ranger dans une chambre voisine. À son retour, il leur indiqua de passer devant lui d'un geste.

— Allons tout de suite dans la salle à manger, le repas est déjà prêt.

Les meubles étaient vieillots. Des gravures tirées de périodiques et coloriées à la main ornaient les murs. Le tout témoignait des aspirations bourgeoises d'un marchand ayant eu de la chance et beaucoup d'habileté.

— Comme nous serons seulement tous les quatre, autant nous placer de part et d'autre de cette table.

Puisque le meuble pouvait accueillir dix convives se serrant à peine, une disposition plus classique aurait rendu la conversation difficile. Les invités seraient d'un côté, les hôtes de l'autre. En s'installant, Délia s'enquit :

— Tous vos enfants ont décidé de courir le Mardi gras ?

— Pas les plus jeunes. Ils vont souper dans la cuisine et se coucher tôt. Cela nous permettra de parler entre grandes personnes.

— Et Félix ?

Pinsonneault lui adressa un sourire entendu, celui de l'homme qui en sait plus qu'il ne voudrait l'admettre.

— Dans son cas, les raisons du cœur le retiennent ailleurs.

Le maire avait mis une curieuse intonation sur le mot «cœur». Aussitôt, la mère pensa à la toquade de Corinne. Quand elle lui avait parlé des participants à la réception tenue chez Aline Tremblay, celle-ci n'avait pas mentionné ce garçon. Cela ne signifiait pas nécessairement qu'il serait absent.

Bientôt, l'hôtesse entra dans la pièce, une soupière fumante dans les mains, et la déposa au milieu de la table. Une cuisinière dans la cinquantaine la suivait, portant les bols.

— Madame et monsieur Turgeon, je suis heureuse de vous accueillir chez moi.

Les deux invités se levèrent. L'échange des poignées de main demeura emprunté. Quand tout le monde eut repris son siège, madame Pinsonneault jugea bon d'expliquer :

— Comme je n'ai qu'une seule domestique, je dois mettre la main à la pâte.

La précision pouvait être perçue de diverses façons. Elle pouvait exprimer un reproche pour la pingrerie de son mari ou pour la paresse des ménagères qui ne s'occupaient pas vraiment de leur famille, ou la satisfaction devant ses propres talents culinaires.

— Je comprends très bien, approuva la visiteuse, surtout que vos enfants sont encore jeunes.

— Oui, j'en ai encore pour quinze ans à payer afin de les voir à l'école, intervint le mari.

Finalement, la première des interprétations était la plus vraisemblable. Quoique prospère, le marchand de charbon tolérait mal les dépenses dues à la famille.

❀

L'atmosphère était plus gaie chez les Tremblay. La mère semblait très bien s'arranger d'une nombreuse compagnie. Là aussi, les plus jeunes avaient été expédiés vers la cuisine, mais seulement après avoir côtoyé leurs aînés un long moment. Si, avant de quitter son domicile, Corinne avait exprimé ses réticences devant la présence des enfants, une fois sur place, elle se retrouva rapidement à genoux sur le plancher pour admirer les jouets en bois des trois jeunes garçons de la famille. L'opération mit un peu à mal sa coiffe de princesse médiévale, mais sans provoquer de dégât qu'elle ne pourrait corriger grâce à un passage devant le miroir.

— Qu'est-ce que c'est ? demanda-t-elle au plus jeune en lui montrant un petit véhicule.

— Un char à péteux !

Sa façon de désigner un moteur à essence lui valut un « Didace ! » se voulant sévère de la part de sa mère. Mais son rire difficilement étouffé et le regard candide de l'enfant disaient bien que le petit écart de langage serait vite pardonné, une fois la visite partie. L'été précédent, l'escale d'un groupe de *motorists* américains, voyageant en direction de Montréal, avait frappé toutes les imaginations, y compris la sienne.

— Le bon mot est « automobile », expliqua la jeune blonde.

Elle le lui fit répéter deux fois, puis elle se releva pour bavarder avec le reste de la fratrie.

— Écoute la demoiselle, insista encore madame Tremblay, elle a raison.

Dans les minutes suivantes, Aline s'occupa de recevoir ses autres invités. Quand tout le monde fut à peu près à l'aise, Corinne prit prétexte d'aider son amie à préparer les rafraîchissements pour la prendre à part et demander à voix basse :

— Juuuules n'est pas venu ?

Cette façon d'étirer la voyelle soulignait l'ironie. Son amie prit un air faussement fâché pour rétorquer :

— Ah ! Vas-tu me laisser tranquille avec lui, à la fin ?

Elle reprit ensuite, d'une façon plus posée :

— Je pense qu'il ne m'a jamais regardée une seule fois. En me parlant, il avait les yeux ailleurs. C'est un prétentieux. Il doit tenir ça de sa mère.

En réalité, le père aussi affichait volontiers sa superbe. Derrière le banc, quand il prononçait un verdict au palais de justice de Douceville, le juge Nantel semblait se prendre pour Dieu dans la vallée de Josaphat, en train de diviser les bons des méchants.

Puis Aline s'autorisa un petit coup de griffe.

— Georges m'a dit avoir proposé à Félix de venir, mais celui-ci a prétexté avoir mieux à faire.

En réalité, la réponse avait été plus recherchée, contenant même un «Je suis désolé» comme entrée en matière.

— Lui, il me regarde, et il me parle, mais ses visites à la maison sont destinées à mon frère.

— On parle de moi ? questionna Georges depuis l'entrée de la pièce. En bien, j'espère.

— Jamais de la vie. Je lui racontais tes derniers mauvais coups.

Corinne fixait sur lui des yeux rieurs, tout de même inquiète de savoir quelles confidences il avait entendues.

— Ne l'écoute pas, conseilla Aline. Elle ne pense que du bien de toi, mais ne veut pas le montrer.

En tout cas, le sourire de la brune montrait que c'était son cas.

— Je suis venu voir si je pouvais me rendre utile.

— Le temps de poser les verres et les tasses sur ce plateau, et tu pourras le transporter au salon pour moi.

Mieux valait jeter son dévolu sur un garçon qui ne ménageait pas ses attentions, plutôt que de rêver à un indifférent. Bientôt, le trio rejoignit les autres convives. Les Tremblay recevaient le même petit groupe qui avait fêté la Sainte-Catherine chez les Turgeon.

❀

Pendant une bonne demi-heure, Délia avait tenté de faire participer madame Pinsonneault à la conversation. Le temps qu'il faisait, les défis de l'entretien d'une grande maison, les progrès dans l'éducation des trois garçons de la famille n'avaient pas eu l'heur de plaire à la dame. L'invitée déclara forfait, ce qui permit au maire d'en venir au seul sujet l'intéressant :

— Évariste, as-tu commencé à préparer le projet de règlement à l'intention du conseil ?

— J'ai fait plus qu'avancer, ce sera prêt la semaine prochaine. En réalité, je n'ai qu'à examiner ce que des municipalités de la même taille font en Ontario pour m'inspirer.

— Ouais, eux aut', y ont de l'argent. On peut pas demander aux bouchers de mettre des carreaux blancs sur le plancher, les murs et le plafond pour faire plus propre, ni aux boulangers de jeter un sac de farine dans lequel ils ont découvert une bibitte pas plus grosse que ça.

Du doigt, il indiquait une taille infinitésimale.

— Ça les mettrait en faillite, et là on serait pas plus avancés.

— Tout de même, il faut faire en sorte qu'on ne vende pas les pièces de viande qui sont restées trois ou quatre jours dehors sous le soleil de juillet, avec tellement de mouches dessus qu'on ne les voit plus.

Délia posa sa fourchette en esquissant une grimace.

— Puis, il y a toutes les cours transformées en dépotoirs. L'odeur est pestilentielle parfois. Et quand je vois des bécosses construites à deux pas du puits, j'imagine sans mal le goût de l'eau.

— T'as des rêves de bourgeois de la grande ville. T'imagines le montant ? Faut pas étrangler les contribuables avec des taxes. On pourra peut-être relier toutes les maisons à l'égout municipal d'ici vingt ou trente ans.

Le médecin comprenait maintenant très bien la raison de l'invitation à souper formulée la veille, à la sortie de la réunion du conseil. Le maire souhaitait lui faire savoir qu'il s'attendait à un règlement d'hygiène peu contraignant. Évariste se mit à additionner mentalement les noms des échevins les plus progressistes, pour constater très vite qu'ils ne formaient pas la majorité. Le mot « libéral » pouvait désigner des politiciens très peu réformateurs au Québec.

Pinsonneault avait passé son message, il n'entendait pas gaspiller sa soirée à ressasser ces questions.

— T'as vu ce que la gang du premier ministre Gouin a faite à Parent, à Québec ?

Depuis un an, le gouvernement provincial traversait une petite révolution. Les députés libéraux s'étaient fâchés contre leur chef, Simon-Napoléon Parent, pour lui ravir son poste à la tête du parti et le confier à Lomer Gouin, avec la bénédiction du grand Wilfrid Laurier, le faiseur de rois dans la province.

Jusqu'à l'élection municipale tenue huit jours plus tôt, Parent détenait aussi le poste de maire de Québec. Ce n'était plus le cas. Ni lui ni Louis-Alexandre Taschereau, son dauphin, n'endosseraient le rôle de premier magistrat de la capitale provinciale.

— La loi donne aux conseillers élus la responsabilité de choisir le maire parmi eux, énonça le docteur. Ni Parent ni Taschereau ne leur convenaient, ils en ont pris un autre.

Une décision qui n'agréait certainement pas à Pinsonneault. Le bonhomme n'aimait pas être contredit, et dans ce cas, sa tension artérielle montait dangereusement. Ses pommettes devinrent rouges, une veine sur son front commença à palpiter. Comme les échevins de Douceville étaient ses créatures, lui n'avait pas risqué l'échec le 5 février précédent. Toutefois, avec des libres penseurs comme ce médecin, il en irait peut-être différemment dans un an.

— C'est manquer de reconnaissance. Sans Parent, ces gens-là n'existeraient pas.

Délia commençait à trouver que ce souper ressemblait à un guet-apens. Elle intervint :

— Le maire actuel sera sans doute encore maire lors des fêtes du tricentenaire, en 1908. Je ne connais pas Georges Garneau personnellement, mais d'après les journaux, c'est un homme instruit, distingué, élégant. Sa petite barbe et son lorgnon le rendent séduisant. Presque autant qu'Évariste.

En quelques mots, elle venait de dresser la liste de tout ce que Pinsonneault n'était pas, y compris le côté séduisant. Sans le vouloir, elle venait de s'en faire un ennemi. Un peu tardivement, elle consulta son époux du regard, inquiète. Celui-ci lui adressa un petit sourire complice.

— Ouais, y r'semble à un vendeux de livres.

Forcément, puisque ses ancêtres avaient créé la grande librairie portant son nom.

— Parent avait toutes ces qualités, en mieux, continua le maire.

Le médecin décida de clore la discussion.

— Lors de ces fêtes, des hommes importants viendront de partout. Même le roi d'Angleterre, ou au moins le prince de Galles, à ce qu'on dit. Il faut quelqu'un qui nous fasse honneur. Garneau est tout indiqué.

Délia regardait dans son assiette, tout en essayant de capter la physionomie du couple de l'autre côté de la table. Si Pinsonneault risquait la crise d'apoplexie, au moins un médecin compétent serait en mesure de lui porter secours. Quant à l'épouse, un pétillement dans son œil montrait qu'elle passait plutôt une bonne soirée.

❧

Pendant que ses patrons s'ennuyaient ferme, Aldée suivait Félix jusqu'à l'entrepôt où s'entassait la réserve de charbon. L'endroit serait tout aussi discret que le hangar à bateau du Club nautique. Elle prenait les mêmes risques pour sa vertu.

— Tout à l'heure, je suis venu déposer ça ici.

Il fouilla dans un coin, puis revint vers elle avec un petit paquet de vêtements dans les mains.

— Je portais ce linge quand j'avais douze ou treize ans. Mets-les.

— Je ne peux pas…

— Préfères-tu rentrer tout de suite ? Je vais te reconduire.

Un petit moment, elle demeura immobile, puis accepta ces habits.

— Alors, tu vas sortir, lui enjoignit-elle.

Surpris, il mit un moment avant d'obtempérer.

Un comptoir dans un coin permit à Aldée d'étaler un pantalon, un chandail, une veste épaisse et un bonnet de laine. Elle commença par enlever son manteau pour l'accrocher au mur. Les doigts sur les boutons de son col, elle posa les yeux sur la porte. À tout instant, le garçon pouvait revenir, juste pour la voir à demi nue.

Dans ce cas, autant faire le plus vite possible. La robe suivit le même chemin que le manteau, puis le jupon. En se pressant, elle enfila le pantalon. La taille était un peu juste, ses hanches ne se comparaient plus à celles d'un adolescent. Ce ne fut qu'une fois le chandail sur le dos qu'elle se sentit rassurée. Heureusement, car son compagnon choisit ce moment pour revenir.

— Décidément, cela te convient mieux qu'à moi.

Un rayon de lune traversant la fenêtre jetait un éclairage blafard dans l'entrepôt. Baissant les yeux, elle constata combien le tricot épousait son corps, révélant des rondeurs devenues plus généreuses. Aussi, elle s'empressa d'endosser la veste. Félix se pencha sur elle avant qu'elle n'ait le temps d'attacher le premier bouton, pour l'embrasser. Dehors, son désir devait s'être exacerbé, tandis qu'il l'imaginait dans ses seuls sous-vêtements.

La langue de Félix força la bouche d'Aldée, qui laissa entendre une plainte étouffée tout en se débattant mollement. Leurs dents s'entrechoquèrent, au point de pincer sa lèvre un peu durement. Lentement, la langueur l'emporta, ses bras passèrent autour du cou du garçon. Les mains sur les flancs l'excitèrent d'abord, mais leur passage sur ses fesses, l'action de les pétrir l'amena à se raidir.

— Arrête ! pria-t-elle en réussissant à l'écarter un peu.

— Pour une fois que nous sommes tranquilles.

— Arrête… Je ne suis pas comme ça.

Pourtant, Aldée s'était abandonnée à plus d'intimité que la très grande majorité de ses concitoyennes de Douceville n'auraient même seulement envisagé d'en accorder.

— Bon, si tu le dis.

La colère rendait la voix de Félix glaciale. Après une pause, il se reprit :

— Maintenant, mets ça sur ta tête, et cache bien tes cheveux.

Il lui tendait le bonnet. Elle l'enfonça bas sur son front, s'occupa d'enfouir les mèches sous la laine.

— Ensuite, il faut te noircir le visage.

— Non, je préfère rester comme ça.

— Écoute, dans la rue, on va croiser des gens qui fréquentent la maison des Turgeon. Veux-tu qu'ils te reconnaissent ?

Après une hésitation, elle esquissa un petit hochement de la tête. Il fouilla dans sa poche pour prendre un mouchoir, le déplia pour récupérer un morceau de fusain.

— Tu pourras tout faire disparaître avec un peu d'eau.

Dans l'obscurité ambiante, il demeurait difficile de juger de l'effet produit. Toutefois, la combinaison des vêtements et des traits barbouillés la rendrait sans doute méconnaissable même pour des proches.

— Bon, nous pouvons y aller.

— Mais toi, tu ne te déguises pas ?

— Bien sûr que oui. C'est la tradition, n'est-ce pas ?

Félix portait un foulard autour du cou, il se contenta de le relever pour cacher la moitié de son visage.

— Comme ça, je ressemble aux bandits des petits romans de cow-boys de ton jeune patron.

Sa suffisance allait jusqu'à désirer se faire reconnaître un soir de Mardi gras.

Dehors, ils regagnèrent la rue Richelieu. Bientôt, il s'arrêta sous un lampadaire pour l'obliger à le regarder. Un instant, elle craignit qu'il ne cherche encore à l'embrasser, puis elle se trouva ridicule : le risque de tacher ses vêtements ou sa peau à cause du fusain le retenait certainement plus que les enseignements de son conseiller spirituel.

— Je suis certain que personne ne devinera qui tu es. Maintenant, allons-y.

Mais pour aller dans quelle direction ? À Saint-Luc, les «Mardi gras» alternaient d'une maison à l'autre dans un bout de rang, jouant à laisser les hôtes découvrir leur identité, acceptant un petit verre, entonnant une chanson gaillarde, et si la compagnie s'avérait accueillante, les masques tombaient le temps de quelques danses.

À Douceville, une bonne moitié de la population était née dans les paroisses environnantes, et la plupart des autres gardaient un parfait souvenir des habitudes des habitants des rangs. Alors, le Mardi gras se déroulait de la même façon que chez les ruraux.

Au bout d'une quinzaine de minutes à se promener dans les rues, Félix se dirigea vers un groupe de jeunes gens rieurs.

— Tu sais qui c'est ?

— Non, je ne les connais pas.

— Voyons, le pirate, là, c'est Georges.

En les rejoignant, le grand blond lança :

— Barbe-Noire, as-tu semé la terreur dans toute la ville ?

Le jeune Turgeon ne jugea pas utile de lui répondre.

— Toi, en quoi es-tu déguisé ?

— Tu ne me reconnais pas ? Old Shatterhand, le héros de tes romans écrits par Karl May, le cow-boy allemand.

D'un grand geste, il replaça le foulard autour de son visage.

— Et cette charmante princesse ?

Corinne avait attendu qu'il la remarque. La voilette et son petit chapeau conique la protégeaient très mal du froid.

Félix se pencha pour lui faire la bise. Ses salutations s'étendirent aux quelques autres jeunes gens qu'il fréquentait d'habitude. Ce fut Aline Tremblay qui demanda :

— Tu ne nous présentes pas ton compagnon ?

Jusque-là, Aldée s'était tenue à l'écart. Félix se tourna à demi pour lui mettre la main sur l'épaule et la forcer à s'avancer.

— Mon cousin Arthur. Il vient de Montréal.

La jeune fille murmura « Bonsoir » d'une voix si faible que personne n'entendit. Ses yeux cherchaient à éviter ceux des enfants Turgeon. Pourtant, bonne fille, la blonde vint se placer à ses côtés pour s'enquérir :

— Vous… Nous pouvons nous tutoyer, peut-être ?

— … Oui.

La jeune servante essayait d'adopter une voix masculine. Si le résultat laissait plutôt penser qu'elle souffrait d'un vilain rhume, la fille de ses patrons ne la reconnut pas. L'obscurité aussi protégeait son anonymat.

— Vas-tu encore à l'école ?

— … Oui. Je commence le collège.

Sa taille et sa voix fluette évoquaient un tout jeune adolescent. Encore deux phrases, et elle serait démasquée. Heureusement, le jeune Pinsonneault vint à son secours. En offrant son bras à la blonde, il interrogea :

— Tu as aimé ton bout de soirée chez les Tremblay ?

— Oui. Le souper a été agréable.

— Et maintenant, vous souhaitez faire peur aux bourgeois.

Elle laissa entendre un petit rire amusé, avant de dire :

— Aucun de nous ne paraît bien menaçant.

Parmi ces gentilles filles, pas une ne s'était déguisée en garçon, et leurs camarades ressemblaient fidèlement à ce qu'ils étaient : des fils de bonne famille.

— Si nous allions chez les Gervais ?

Enfin, quelqu'un proposait autre chose qu'une petite promenade dans les rues de Douceville.

❀

Finalement, après une demi-douzaine d'arrêts chez autant de voisins, les jeunes gens ne s'étaient attardés chez aucun d'eux. À la place des alcools, on leur avait offert du sucre à la crème. Personne ne donnerait l'occasion de pécher à ces enfants de notables. Pour cela, ils devraient se débrouiller seuls.

Quand, vers dix heures, les plus sages indiquèrent leur intention de rentrer chez eux, les autres approuvèrent. Dans la rue de Salaberry, quand les enfants Turgeon grimpèrent l'escalier conduisant à la porte, ils aperçurent des silhouettes familières.

— Voilà mes parents, signala Corinne. Félix, veux-tu rentrer un moment pour leur faire la conversation ?

Aldée demeurait soigneusement en retrait. Cette soirée lui laissait une curieuse impression. Même si elle était silencieuse, du simple fait de son lien de parenté supposé avec les Pinsonneault, on lui faisait un bon accueil. Une fois les bonsoirs échangés toutefois, personne ne s'intéressait plus à elle. Puisqu'elle était beaucoup plus jeune que ce groupe de camarades, et visiblement timide, les autres oubliaient sa présence. À la lumière électrique, percer son déguisement aurait été facile, mais nul ne se souciait de le faire. Il n'en irait pas de même chez ses patrons.

— Non, répondit le grand blond. Ce petit gars devrait être dans son lit depuis une bonne heure, ses parents vont me reprocher de l'avoir promené en ville.

Corinne hocha la tête, compréhensive. Pour se protéger du froid, elle posa ses mains sur ses oreilles.

— Alors, bonsoir, et bonsoir à toi aussi, Arthur.

— Bonsoir.

Le frère et la sœur entrèrent bientôt, sans attendre. Félix resta debout près de l'escalier, le temps que les Turgeon arrivent à sa hauteur. Il tendit d'abord la main à Délia, puis au médecin.

— Avez-vous passé une bonne soirée chez mes parents ?

La question laissa un instant le couple hésitant, puis Évariste se décida :

— Oui, excellente.

Le grand adolescent eut un petit rire narquois, avant de remarquer :

— Il aime expliquer aux autres quoi penser, ou quoi faire. Parfois, cette attitude devient difficilement supportable.

Le constat était accompagné d'une pointe de dérision. Le médecin ne jugea pas utile de le contredire.

— Bon, je dois rentrer, maintenant.

Le garçon fit mine de s'éloigner, puis s'arrêta :

— Oh ! En passant, je vous présente mon cousin Arthur.

Aldée salua d'un hochement de tête, tout en émettant un grognement pouvant passer pour un bonsoir. Le couple monta l'escalier, entra dans la maison. Sur le trottoir, la jeune servante murmura, cette fois sans essayer de masquer sa voix :

— Je ferais mieux de regagner ma chambre, c'est tout à côté.

— Je veux bien te laisser mes vieux habits, mais j'imagine la réaction de la cuisinière en te voyant. Puis, tu as laissé tes vêtements dans la réserve à charbon.

« Ce ne sont pas les miens, mais ceux de Corinne », songea Aldée. Le dire à haute voix l'aurait rendue plus mal à l'aise encore. Pour Graziella, il avait raison. Jamais elle n'irait se coucher sans avoir entendu un récit détaillé de la soirée.

— Alors, pressons-nous. Je suis fatiguée, et demain matin à la première heure, ce sera la messe du mercredi des Cendres.

Le trajet jusqu'à la rue Richelieu ne demandait que quelques minutes. Aldée les passa à supputer le comportement du garçon, quand tous les deux seraient seuls dans l'entrepôt tout sombre.

Chapitre 22

Avant d'entrer, il la surprit en mettant un genou sur le sol pour recueillir de la neige et la mettre dans un foulard. À l'intérieur, Félix lui tendit la pièce de tissu, maintenant toute mouillée.

— Pour effacer le fusain de ton visage. Comme ça, tu ressembles à une négresse.

Aldée essuya ses joues, son front, son menton jusqu'au cou. Dans le froid ambiant, le foulard humide se révélait tout à fait désagréable sur la peau.

— Maintenant, il sera tout gâché.

— Je dirai à ma mère que je l'ai perdu.

La ménagère le lui remplacerait, évidemment. Le regard de la jeune fille se dirigea vers ses vêtements pendus au mur. L'entrepôt était particulièrement lugubre. Avec l'éclairage de la lune venu de la fenêtre, le jupon dessinait une grande tache blanche. Effrayée, elle ordonna à Félix :

— Sors maintenant. Je dois me changer.

— Nous avons bien encore une minute.

Dans ces moments, le jeune homme ressemblait à un prédateur empressé de fondre sur sa proie. Il la prit dans ses bras pour la serrer contre son corps, cherchant sa bouche.

— Je dois rentrer.

Ses protestations répétées ne servaient à rien. La discrétion du hangar à bateau avait permis à son soupirant certaines libertés, maintenant il entendait pousser plus loin son exploration. Le baiser pour commencer, puis les mains baladeuses. D'abord, il arriva à lui enlever la veste, puis le tricot. Sous la seule camisole, il obtenait un accès parfait à ses seins. Le pétrissage de ses mains lui laisserait sans doute des bleus.

Un observateur aurait juré assister à un match de lutte, accompagné de plaintes et de grands soupirs. Aldée se retrouva étalée sur le dos sur le vieux comptoir sale. De la poitrine, Félix passa à l'entrejambe. Le bouton à la ceinture sauta, il réussit à détacher ceux de la braguette. Au début de cette attaque, Aldée avait protesté. Puis le mélange d'excitation et de crainte agit comme un narcotique. Bientôt, son pantalon se trouva à mi-jambe. Le garçon déplaça sa main jusqu'à la jonction de ses cuisses en poussant un grognement, se raidit et, après un moment d'immobilité, se releva.

Se préparait-il à arracher le sous-vêtement avant de… Les mots pour le dire manquaient à Aldée. Les magazines de madame Turgeon parlaient de façon bien pudique des « derniers outrages ». Mais à sa grande surprise, Félix s'éloigna de deux pas, puis murmura :

— Viens me rejoindre dehors.

La bonne se redressa, confuse. Pourquoi s'était-il arrêté ? Son ignorance de la mécanique du désir et des pollutions précoces ne lui permettait pas de comprendre la situation. Rapidement, elle se précipita vers ses vêtements. Enfiler le jupon et la robe prit une minute, mettre le manteau et l'attacher guère plus de temps. Puis, elle resta un long moment figée, la main sur la poignée de la porte.

La silhouette du garçon se découpait dans la fenêtre, à une dizaine de pas. Aldée avait espéré qu'il serait déjà parti. Marcher seule dans les rues en pleine nuit lui paraissait infiniment plus sûr que d'endurer encore ce cavalier. Pourtant, elle quitta l'entrepôt pour le rejoindre. Sans dire un mot, elle prit la direction de la rue de Salaberry, et il lui emboîta le pas, sans lui offrir son bras, sans même s'approcher.

Quand Félix s'arrêta à quelques dizaines de verges de la maison des Turgeon, elle continua son chemin. Le son de sa voix l'arrêta :

— Je m'excuse.

La jeune fille s'immobilisa, se tourna à demi.

— Pour tout à l'heure. Mais tu es tellement… séduisante.

Elle se taisait, les yeux sur lui. Quand il amorça le geste de lui embrasser la joue, son mouvement de recul le paralysa.

— Je m'excuse. Nous retrouvons-nous la semaine prochaine ?

Une part d'elle voulait le gifler de toutes ses forces. Pourtant, d'un léger mouvement de la tête de haut en bas, elle donna son accord.

❃

Quand elle entra dans la maison, aucune surprise : Graziella l'accueillit avec ces mots :

— Bin, tu rentres tard, toé.

La cuisinière était affalée dans sa meilleure chaise, les jambes posées sur un tabouret.

— Vous auriez dû aller vous coucher.

— Ah ! Des fois, mes vieilles jambes m'empêchent de dormir.

Ses rhumatismes la faisaient souffrir, mais ce soir-là, la curiosité l'emportait certainement sur ses articulations douloureuses.

— Pis, où vous êtes allés, pour que tu r'viennes aux petites heures ?

Aldée accrocha son manteau en tournant le dos à sa collègue, histoire de jeter un regard sur sa robe, afin de s'assurer que tout était en ordre. Elle se regarda un moment dans le miroir. Près des cheveux, des traces du fusain subsistaient.

— Tu vas pas m'dire que vous êtes restés dans l'église jusqu'asteure. C'est pas les quarante heures à l'année longue, à Douceville.

Graziella ne voudrait pas lâcher le morceau avant de recevoir une réponse crédible.

— Il m'a emmenée dans un petit restaurant de la rue Richelieu, puis on a marché dans les rues.

— Bin, tu dois être gelée.

— Surtout, je suis fatiguée. Je vais monter tout de suite.

Aldée disparut dans les toilettes. Quand elle en sortit, la vieille femme l'attendait au pied de l'escalier.

— Tu vas toujours me dire comment tu le trouves, c'gars-là.

L'envie vint à Aldée de l'envoyer à tous les diables. Toutefois, leur cohabitation souffrirait longtemps d'un mouvement d'humeur.

— C'est un bon garçon, respectueux. Mais là, je dois vraiment monter. J'ai eu froid et je suis épuisée.

— L'poêle est encore chaud, approche-toé.

— Non, je vais monter. Nous pourrons en parler demain matin. Bonne nuit.

— … Bin, c'est ça, bonne nuit.

Le ton de la cuisinière témoignait de sa frustration. Il lui faudrait un moment pour retrouver sa bonne humeur.

❋

Sur le chemin de la maison, Félix se sentait plutôt penaud.

Évidemment, il gardait la crainte de voir la jeune fille se plaindre de son comportement. Mais à qui ? Elle était tellement soucieuse de cacher leur relation, la honte la ferait taire, sans doute. Et si elle se plaignait, tout le monde lui reprocherait de s'être trouvée seule avec un garçon dans un endroit sombre.

Surtout, il ressentait une certaine honte. Pas pour avoir cédé à ses bas instincts, mais pour le dénouement grotesque. La gêne du sous-vêtement mouillé à son entrejambe lui rappelait combien il était jeune et inexpérimenté. Chez ce grand séducteur en devenir, la première expérience n'augurait pas si bien. Dans les circonstances, mieux valait recommencer au plus vite, afin de corriger la situation.

De toute façon, Aldée avait accepté de le revoir. Son charme opérait donc assez pour l'amener à surmonter ses sursauts de pudeur. Elle tenait à lui. Pour la suite des choses, l'argument « Si tu m'aimes, tu vas le faire » devrait sans doute fonctionner. Ce fut presque guilleret que Félix rentra chez lui.

❀

Toute la nuit, le souvenir des mains du garçon sur son corps hanta Aldée. Ses émotions se bousculaient dans son esprit, passant de la honte à la haine. Après ça, plus personne ne la considérerait comme une fille respectable. Mis au courant de cette histoire, aucun jeune homme ne voudrait d'elle comme épouse. Félix, à la recherche de son plaisir, lui enlevait tout accès à un mariage honorable.

Mais dans les minutes suivantes, une excitation trouble lui faisait espérer qu'il recommence. Ce garçon n'arrivait plus à se contrôler en sa présence, elle lui inspirait cette passion que les feuilletons des journaux décrivaient à mots couverts. Les unions les plus solides se fondaient sur cette attraction physique.

Le désarroi de la bonne découlait du fait qu'à la ville, les choses ne se passaient pas comme dans son rang de

Saint-Luc. Là-bas, lors d'une première visite, un garçon intimidé occupait une chaise dans un coin de la cuisine et conversait essentiellement avec la mère. S'il passait ce premier examen, des échanges avec la jeune fille suivaient, avec un degré d'intimité croissant très lentement. Et si les choses prenaient un tour plus sérieux, le père se renseignait sur les chances du prétendant d'hériter de la ferme familiale, sur l'argent mis de côté, sur sa consommation d'alcool. Lors de la bénédiction nuptiale, la plupart des fiancés s'étaient contentés de petits becs, et des quelques enlacements à la fois brefs et publics des «danses carrées».

Aldée se doutait bien que ce scénario idéal connaissait son lot de petits réaménagements. La campagne fournissait quantité de chemins de détour, de boisés, de bâtiments où des parents ou des voisins étaient peu susceptibles de se présenter à l'improviste. Combien de langues forçaient des bouches, combien de mains laissaient des bleus sur les seins ou sur les cuisses? Lorsque sa mère était morte, la jeune servante n'avait pas encore eu «la conversation» avec elle; Hémérance n'avait pas souhaité en venir à ce niveau d'intimité avec sa belle-fille. En réalité, la plupart des filles ne bénéficiaient sans doute jamais ce genre d'explications et arrivaient à leur nuit de noces sans rien connaître de «la vie».

Félix ne pouvait se retenir parce qu'il la désirait. Ce désir qu'Aldée savait inspirer pourrait la tirer de sa condition misérable. Aucune femme ne disposait de meilleur outil pour faire son chemin. Pas même les filles de notables. Corinne continuerait de vivre dans la soie si sa silhouette replète attirait le bon parti. Dans le cas contraire, ce serait la dégringolade.

À ce chapitre, une petite bonne dotée des mêmes atouts physiques, dans une version plus fluette dans son cas, effectuerait sans doute le chemin dans l'autre sens. Même si elle n'arrivait pas tout à fait à croire à ces arguments – ils négligeaient tout l'aspect moral de la situation –, ils lui permirent de dormir au moins un peu.

❋

Le mercredi matin, Aldée se leva après une nuit difficile, meublée de longues périodes de veille pendant lesquelles elle avait soupesé le bien et le mal de son comportement. Surtout le mal. Avec un peu plus de recul, elle aurait constaté que toutes ses rencontres avec Félix lui valaient des insomnies.

À son entrée dans la cuisine, Graziella l'accueillit avec ces mots :

— Bin, toé, sortir avec des gars, ça te fait pas. T'as une face de carême. Tant mieux, parce qu'y commence à matin.

L'adolescente se figea devant une réception si froide, puis elle se regarda dans le miroir. Ses traits lui parurent semblables à l'habitude, même si ses yeux semblaient tristes. Sa collègue lui en voulait toujours de son silence de la veille.

— Je ne pense pas que Jean-Baptiste soit responsable de ma face de carême. Je me suis réveillée en pensant à ma famille. Pour eux, le carême a commencé à Noël, et il ne se terminera pas avant le printemps.

La référence à ses proches dans le besoin fonctionnait chaque fois pour rendre la cuisinière plus amène.

— Pour ça, t'as raison, les pauvres sont en carême à l'année longue.

Tout de même, chaque saison n'apportait pas son lot de privations. De façon bien opportune, l'Église catholique proposait de jeûner juste au moment où les caveaux et les greniers se vidaient.

— C't'un peu pour ça que chus cuisinière chez les bourgeois.

Au fil des jours, Graziella inventait sans cesse de nouvelles raisons pour justifier son célibat.

Elle avait déjà enfilé son manteau. Aldée s'empressa de se rendre aux toilettes, puis s'habilla chaudement à son tour. Son arrêt devant le miroir eut pour effet de rendre sa collègue consciente du temps qui passait.

— Pis là, viens-t'en, sinon j'aurai pas l'temps de me confesser.

Évidemment, il convenait d'amorcer ce moment de l'année sur un bon pied. Dehors, l'air glacial les saisit.

— C'est-tu Dieu possible, un pays frette de même !

— Aujourd'hui, c'est le dernier jour de février. En mars, les journées allongent et la température remonte.

En citant la date, Aldée réalisa que, très bientôt, elle entamerait le cinquième mois de son séjour chez les Turgeon. Il lui fallait bien admettre que le métier d'institutrice lui aurait imposé autant d'heures de travail, sans lui procurer le même confort.

— Pis, vas-tu m'en parler, oui ou non ? Si t'as pu sortir avec, c'est quand même pas mal grâce à moé.

La sortie de la veille tenait certainement à ses bons services, mais lui en donner le détail la laisserait pantoise. Il était impératif, pour Aldée, de concocter une petite fiction.

— Nous sommes allés dans un restaurant de la rue Richelieu. Le Café Richard. Vous connaissez ?

Dans les mensonges, la prudence exigeait de coller le plus possible à la réalité. Cela diminuait le risque d'impair.

— Les servantes, ça va pas à des places de même.

— Le jour où je suis allée aux vues avec mademoiselle Corinne, nous nous sommes arrêtées là en revenant.

— Ouais, a s'prive de rien, la p'tite !

Malgré son amour considérable pour ses patrons, la vieille domestique continuait de les estimer exagérément indulgents pour leurs rejetons.

— J'espère qu'y a pas trouvé qu'tu lui coûtais cher.

Même un travailleur de cet âge devait compter ses sous. Félix, quant à lui, sacrifiait un foulard pour lui permettre d'essuyer ses joues.

— Il a suggéré l'endroit lui-même.

— C'est p't'êt' parce qu'y a mis de côté quand y travaillait aux États. Bin, si y dépense pas toute à mesure, c't'un bon parti.

Le silence qui suivit indiqua à la jeune fille la nécessité de s'exprimer sur ces derniers mots.

— Il semble très sérieux, pas du tout le genre à gaspiller tout son argent sur un coup de tête.

En prononçant ces paroles, elle savait dire vrai, même si ses conversations avec Vallières mises bout à bout ne donnaient pas une heure.

— Pis les menuisiers, c'est jamais les premiers à se faire mettre à la porte, quand les patrons slaquent du monde.

Graziella menaçait de mousser un peu trop Jean-Baptiste, aussi sa jeune collègue décida de réduire son enthousiasme :

— Il n'a pas encore le travail à l'usine de moulins à coudre. Dans deux mois, il sera peut-être retourné aux États-Unis.

Un pli marqua le front de la cuisinière, puis elle asséna :

— Les hommes, ça s'éloigne pas de c'qui leur plaît. Si tu veux qu'y reste, y va rester.

Décidément, le jeune artisan lui était tombé dans l'œil. Mais en même temps, sans le savoir, elle donnait à Aldée une nouvelle raison de poursuivre sa chimère. Si elle pouvait plaire assez pour retenir un travailleur au Canada, peut-être que son charme opérerait aussi sur un bourgeois de la rue Richelieu.

❊

En entrant dans l'église Saint-Antoine, Graziella se mit dans la file de paroissiennes devant le confessionnal. L'Église exigeait que chacun fasse ses Pâques, c'est-à-dire obtienne le pardon de ses fautes avant la célébration de la résurrection du Christ. La plupart des catholiques allaient se blanchir l'âme à un rythme plus soutenu pendant le carême, pour communier lors du grand jour.

Dans la province, la barre pour les femmes se situait au-dessus d'une simple communion et d'une confession une fois l'an. Dans le cas d'une jeune fille célibataire, qui devait jouer de son pouvoir de séduction sur les hommes, un éloignement trop long de la sainte table faisait jaser. Aldée resta donc derrière sa collègue. Quand Graziella commença à livrer ses péchés, la jeune fille eut un sourire embarrassé. Un peu sourde, la vieille femme parlait trop fort. Heureusement, la liste de ses fautes s'avérait bien courte, faisant une bonne place aux mouvements d'humeur et à la gourmandise. Rien pour la déshonorer.

Quand ce fut son tour, l'adolescente débita les paroles habituelles, puis enchaîna avec une liste de peccadilles. Quand elle se tut, l'abbé Grégoire demanda :

— Autre chose, ma fille ?

— … Il y a ce garçon.

De nouveau, Aldée se demanda si, d'une confession à l'autre, le prêtre se souvenait d'elle et de ses confidences. Surtout, quand elle se présentait à la sainte table, établissait-il un lien entre la pénitente et la petite servante des Turgeon ? Comme c'était probable, au moment de se tenir devant lui, la honte l'écraserait.

— Oui, ma fille, je vous écoute.

— Je le rencontre les jours de congé.

— Lors de tous vos congés?

D'abord, elle hocha la tête de bas en haut, puis se souvint que l'ecclésiastique ne la voyait sans doute pas.

— Oui, chaque fois. Les deux dernières fois, il m'a entraînée dans des endroits discrets, pour m'embrasser. Puis ses mains…

Aucun curé un peu expérimenté n'ignorait la nature de ces jeux de main. Toutefois, imaginait-il jusqu'où les choses pouvaient aller? La jeune fille ne souhaitait pas donner le détail des privautés de la veille, et lui ne demanda aucune précision.

— Si ces mauvaises actions se répètent, cela signifie qu'au moment de vous confesser, vous n'avez pas le ferme propos de ne jamais recommencer, déclara l'ecclésiastique. Dans ces circonstances, vous savez que, tôt ou tard, vous vous remettrez dans une situation de péché.

Ce constat rendait le prêtre susceptible de lui refuser l'absolution. Elle s'inquiéta aussitôt du tort irréparable apporté à sa réputation, de sa honte ensuite. Le péché d'orgueil s'ajoutait aux autres.

— Mon père, je crains sa réaction, si je me dérobe. Il lui suffirait d'une seule indiscrétion pour me faire perdre mon emploi. Il vient chez mon employeur plusieurs fois par semaine.

Félix pouvait-il prendre sa revanche en l'accusant de faire ce qu'elle lui refuserait dorénavant? Le prêtre n'en doutait pas. Celui qui profitait d'une jeune domestique n'hésiterait pas à ruiner sa réputation, même pas nécessairement pour exercer des représailles. Le désir de se vanter de ses « exploits » suffisait habituellement. La vulnérabilité de toutes ces adolescentes touchait l'abbé Grégoire. Comment protéger celle-là?

— Ma fille, perdre son emploi vaut mieux que de perdre le salut éternel.

— … Dans ce cas, ma famille se retrouvera à la rue. Mon père a besoin de mes gages.

Ce fut au tour de l'ecclésiastique de garder le silence. Dans ces situations, choisir la solution la plus juste s'avérait difficile.

— Ma fille, vous devrez tout de même avoir le courage de vous soustraire à cette situation.

Toutefois, il n'offrit pas de suggestion pour gérer ensuite les conséquences de ce geste. La question méritait une plus ample réflexion. Le prêtre reprit :

— Je vais vous accorder l'absolution aujourd'hui.

Implicitement, il l'avertissait que, la prochaine fois, ce ne serait pas le cas.

— Je m'attends toutefois à ce que vous veniez me voir au presbytère. Vous êtes en congé cet après-midi, n'est-ce pas ?

Ainsi, il savait exactement qui elle était. Sans doute avait-il remarqué la seule jeune fille régulièrement assise dans l'église, le mercredi.

— Non… Madame m'a demandé de travailler.

Voilà un autre mensonge à ajouter à la liste de ses fautes : jamais Délia ne lui aurait refusé la permission de parler à son confesseur.

— Alors, je vous attendrai la prochaine fois.

Ensuite, il prononça la formule habituelle :

— *Dominus noster Jesus Christus te absolvat…*

De sa main, l'ecclésiastique traçait une croix dans l'air. Soulagée, Aldée quitta le confessionnal pour effectuer sa courte pénitence. Le curé la laissait s'en tirer pour cette fois, mais il lui refuserait certainement l'absolution en cas de répétition de sa faute. Et il lui était impossible de se dérober au rendez-vous.

La messe commença peu après. Au cérémonial habituel s'ajouta un épisode évocateur : les paroissiens des deux sexes formèrent une longue file. Le célébrant se tenait au bout de l'allée centrale, une coupole pleine de cendres à la main. Du bout du pouce, il traça une croix grise sur le front de chacun.

Tremblante, Aldée s'avança à son tour.

— *Memento, homo, quia pulvis es, et in pulverem reverteris.*

«Souviens-toi, Homme, que tu es poussière et que tu retourneras en poussière.» Condamnés à mourir! Cette destinée ne devait jamais quitter la tête des chrétiens. En avoir conscience à chaque instant devait les aider à éviter toutes les actions susceptibles de les conduire en enfer. La jeune fille avait le sentiment que l'injonction s'adressait spécifiquement à elle.

Sur le chemin du retour, Graziella maugréa:

— Bon, bin, asteure, on en a pour quarante jours à manger du poisson les bons jours, et juste des légumes les mauvais.

Cela parut une bien petite misère à Aldée, comparée à sa rencontre inévitable avec l'abbé Grégoire.

❖

Pendant les jours suivants, la bonne traversa les mêmes tourments que tous les pécheurs récidivistes. À l'ordre qu'elle se répétait sans cesse de ne plus jamais revoir Félix succédait invariablement le désir de se retrouver seule avec lui, afin de permettre à cette relation d'évoluer pour le mieux. Si la puissance du désir du garçon lui faisait perdre la maîtrise d'elle-même, cela entraînerait sans doute une succession de malheurs sans fin.

Son ignorance de ces jeux de séduction la rendait particulièrement fragile. Devait-on refuser toute intimité afin de convaincre un garçon de s'engager – par des fiançailles en bonne et due forme, puis un mariage –, pour en profiter?

Ou se montrer un peu généreuse de son corps afin de faire croître son désir et ainsi le conduire plus sûrement jusqu'à l'autel ? Ces interrogations ne servaient à rien : le fils de monsieur le maire se servait lui-même, sans se soucier des états d'âme de sa compagne.

Puis, de façon plus immédiate, ses mensonges risquaient de la trahir.

❀

Le samedi suivant, après le déjeuner, Graziella décrocha son vieux manteau pour l'endosser, percha son chapeau sur ses cheveux gris, puis s'adressa à sa collègue :

— Viens-t'en, asteure. Habillée de même près du poêle, j'vas avoir chaud.

Aldée prenait tout son temps pour ranger la vaisselle fraîchement lavée, afin de retarder le moment du départ.

— Devons-nous y aller toutes les deux ? De toute façon, l'hiver nous n'achetons plus grand-chose.

— Coudon, t'es-tu chicanée avec lui ? On dirait que t'as peur de le revoir.

La cuisinière devinait juste, la jeune fille hésitait à se rendre au marché par peur de rencontrer Jean-Baptiste Vallières, mais non pas à cause d'une querelle passée. L'idée de se retrouver devant l'artisan en compagnie de sa collègue la terrorisait. Graziella ne manquerait pas de commenter leur sortie du Mardi gras, ne serait-ce que pour glaner des informations supplémentaires sur leurs activités.

— Je pensais que nous n'avions pas à nous déplacer toutes les deux, mais si vous y tenez…

Déjà, elle se dirigeait vers son manteau suspendu à un clou.

— Si quequ'un devait rester au chaud, c'est bin moé, mais là, chus habillée, donc j'y vas.

Aldée n'osa pas la laisser se rendre seule au marché. Peut-être Vallières accepterait-il de jouer le jeu, par galanterie.

Dehors, les premiers jours de mars donnaient un avant-goût du printemps. L'échange ayant précédé leur départ rendait la cuisinière maussade, aussi les deux domestiques marchèrent jusqu'au marché en silence.

Comme tous les samedis depuis la fin de l'automne, de rares cultivateurs avaient aligné leurs *sleighs* sur la place. Graziella se dirigea directement vers eux. Aldée s'informa :

— Que voulez-vous acheter aujourd'hui ? Il ne doit pas rester un seul legume mangeable à vendre, aussi tard dans l'hiver.

— Bin, y a des cultivateurs qui doivent vendre leur réserve personnelle, des fois pour payer des remèdes… ou des dettes.

« Ou encore des funérailles », songea la jeune fille. Ce genre de situation survenait certainement, les pneumonies et les grippes avaient exercé leurs ravages pendant l'hiver.

— Faut compter aussi que des chanceux ont pu tuer un chevreuil ou un orignal, ou plus simplement attraper des lièvres.

Effectivement, certains paysans étalaient du gibier bien en vue. Graziella fit le tour des traîneaux, s'arrêta à l'endroit où Vallières garait le sien d'habitude et interrogea le paysan le plus proche :

— Le jeune qui vendait des patates à l'automne, y est pas là ?

— Tout le monde vendait des patates, l'automne passé.

— Un jeune gars, bin planté. Paraît qu'c'est un menuisier.

Le bonhomme gratta sa barbe un instant.

— J'pensais que vous parliez de moé, commenta-t-il, railleur. Le menuisier, c'est le jeune Vallières. Bin, y va passer son tour pendant une couple de semaines, je suppose, paraît qu'y tousse creux.

— Il a quelque chose de grave ? questionna Aldée.

— Moé, chus pas docteur, pis j'l'ai pas vu. Un de ses cousins m'a dit ça.

La cuisinière hocha la tête, visiblement déçue par cette nouvelle. Peut-être pour récompenser l'homme ayant répondu à sa question, elle se pencha sur l'arrière de la *sleigh* afin de tâter quelques lièvres. Les bêtes étaient gelées, dures comme des pièces de bois. Leurs corps prenaient des formes étranges, celles où la mort les avait trouvés, une fois étranglés par un collet.

— Sont pas bin gros.

— Mis à part les bourgeois, y a pus personne de gros, à c'temps-citte.

Finalement, les Turgeon mangeraient du civet cette semaine. En marchant vers l'édifice du marché, Graziella grommela :

— Ça me l'disait aussi. Se promener dans les rues une partie de la soirée, c't'un plan pour pogner la mort.

Son ton contenait un reproche implicite envers sa jeune collègue.

— Il ne faisait pas si froid.

— En tout cas, assez pour qu'y soye malade.

Sur le chemin du retour, Aldée s'étonna que Graziella ne propose pas de s'arrêter à l'église afin de faire brûler un lampion pour le prompt rétablissement de Vallières. L'initiative lui viendrait dès le lendemain matin.

Chapitre 23

Le mercredi suivant, le 7 mars, Aldée s'apprêtait à profiter de son congé hebdomadaire. Depuis deux mois, toute sa vie tournait autour de cette journée du milieu de la semaine, pendant laquelle se scellerait son destin.

— T'as pas rendez-vous avec lui, aujourd'hui ?

Graziella se tenait près du poêle, une louche à la main. Déjà, elle s'activait à la préparation du souper. D'abord, la question gêna la jeune fille, puis elle comprit que sa collègue parlait de Jean-Baptiste Vallières, et non pas de Félix.

— Comment voulez-vous que je prenne un rendez-vous avec monsieur Vallières ? Nous ne l'avons pas vu samedi dernier, et vous savez que je ne sors pas, vous êtes avec moi toute la semaine.

Tout de même, la cuisinière affichait une mine sceptique, comme si elle soupçonnait Aldée d'entrer en communication avec son soupirant par un moyen mystérieux. Imaginait-elle la jeune fille se levant la nuit pour aller téléphoner dans le bureau du docteur ? Non seulement jamais elle n'oserait, mais elle ignorait complètement comment fonctionnait l'appareil.

— Ça veut dire que tu vas passer l'après-midi à l'église ?

— Le 7 mars, la température est assez douce pour se promener dehors.

— Surtout assez douce pour te mouiller les pieds dans la neige fondante !

Le froid et l'humidité étaient les pires ennemis des articulations de la vieille femme. Que sa collègue souhaite ruiner un jour de congé en affrontant l'un et l'autre lui paraissait incompréhensible.

— Dans ce cas, je prierai plus longtemps.

Pour couper court à la discussion, Aldée quitta la maison. Une fois seule, elle renoua avec ses craintes de la nuit précédente. Depuis la soirée du Mardi gras, Félix Pinsonneault avait évité la maison des Turgeon. Aussi, la jeune fille ne pouvait pas savoir s'il se présenterait ou non à leur rendez-vous habituel.

Tout d'abord, elle prit bien garde à ne pas entrer dans l'église. L'abbé Grégoire lui avait fixé une rencontre ce jour-là. Il lui fallait choisir. Aldée prit place sur un banc dehors et, malgré le froid humide, n'en bougea plus pendant une heure. Trois fois, elle fit mine de se lever pour entrer dans le temple, puis s'adossa de nouveau. L'inquiétude pour le salut de son âme devenait très sérieuse. Imaginer son corps soumis au feu de l'enfer l'amena à quitter sa place, cette fois bien décidée à se soumettre à l'injonction de l'abbé Grégoire, et même à frapper à la porte du presbytère si le curé ne se trouvait plus dans l'église.

Puis Félix Pinsonneault apparut au bout d'une allée. Le jeune homme lui adressa son meilleur sourire, se pencha pour embrasser sa joue.

— Voilà longtemps qu'on ne s'est pas vus.

Figée, Aldée accepta le contact de ses lèvres. Sa proximité ramenait une impression de lourdeur dans son bas-ventre et faisait battre son cœur plus vite.

— Parfois je dois plonger le nez dans mes livres, sinon j'échouerai ce foutu cours classique.

Aldée ne savait que répondre, ni quelle attitude adopter. Lors de leur dernière rencontre, Félix s'était montré frénétique, haletant, résolu à mettre ses mains dans les endroits les plus secrets de son corps. Aujourd'hui, il s'affichait souriant, sympathique.

— Tu n'as pas trop attendu ? Tu parais gelée.

— … Un peu.

— Pourtant, les cours viennent tout juste de se terminer.

Un peu plus, et elle se serait excusée de ne pas s'en tenir à l'heure de leur rendez-vous.

— Je suis en congé, je ne veux pas passer tout mon temps dans la cuisine. Sinon, je me retrouve inévitablement en train de travailler.

— Dans ce cas, autant nous rendre au café tout de suite… ou à un autre endroit, si tu préfères.

— Non, le Café Richard me convient très bien.

Surtout, elle ne connaissait aucun autre lieu de ce genre où aller. Il lui offrit son bras. Pas un mot ne fut échangé jusqu'à ce qu'ils atteignent la rue Richelieu. Ce fut devant l'établissement qu'elle chuchota :

— L'autre jour, dans l'entrepôt…

— Je sais, tu as pu te sentir… dépassée.

Jamais ce terme ne lui serait venu à l'esprit. Son choix se serait porté sur « effrayée », « terrorisée » même, ou encore « totalement confuse et profondément honteuse ».

— Mais tu es si désirable. Ce sont des choses qui arrivent, quand un homme est seul avec une femme.

Malgré sa suffisance, Félix improvisait sans cesse. Il s'agissait de sa première fois, mais sa gêne ne portait pas à conséquence devant une petite domestique tout à fait ignorante des choses de la vie. À la prochaine occasion, il saurait mieux s'y prendre.

— Tu viens ? Là, nous bloquons le passage.

371

Il avait raison, des clients attendaient derrière eux. Une fois à l'intérieur, la serveuse habituelle leur désigna une table tout en disant : «J'arrive. » Gentiment, Félix aida sa compagne à ôter son manteau et le déposa sur le dossier d'une chaise. Quand le sien eut suivi le même chemin, il s'assit à son tour.

— J'espère que madame Turgeon ne t'affame pas trop, maintenant que le carême est commencé.

— … Non. Comme je n'aime pas les sucreries, je ne vois pas vraiment la différence.

— C'est la même chose chez moi. Au collège, les prêtres voudraient nous voir au pain et à l'eau. C'est le sort des pensionnaires, mais je suppose que c'est surtout pour effectuer des économies au détriment des estomacs.

En tout cas, les clients du restaurant ne faisaient pas maigre, rien n'avait changé au menu. Toutefois, la clientèle s'avérait moins nombreuse que d'habitude. Après avoir commandé, Aldée murmura :

— Je ne veux plus que tu m'emmènes dans des endroits… sombres.

— Quand un homme et une femme se plaisent…

Le masque maussade, sur le visage de sa compagne, l'amena à conclure bien vite :

— Évidemment, si tu préfères, je te raccompagnerai dès que nous aurons fini de manger.

Le ton était plus sec que d'habitude, mais bientôt, Félix retrouva son sourire et son ton charmeur pour entretenir sa conquête de tous les petits riens composant son existence. Il se souciait peu de ses activités à elle. Comment s'en étonner ? La préparation des pommes de terre, la vaisselle, le nettoyage des chambres ne composaient pas une conversation.

❀

Peu après le souper, comme promis, Félix raccompagna Aldée jusqu'à une trentaine de verges de la maison des Turgeon. En marchant avec elle à son bras, il garda le silence. Puis, avant de la quitter, il se pencha pour poser ses lèvres sur sa joue.

Sa prévenance et l'absence de toute tentative de l'entraîner dans un endroit discret touchèrent la jeune fille, qui le lui dit:

— Je te remercie de… me respecter.

— Tu confonds le désir et le manque de respect. Je pense qu'entre un homme et une femme, le désir est normal, non pas irrespectueux.

La répartie laissa la bonne sans voix. Pendant toute son enfance, son confesseur avait qualifié ce désir de mauvais: mauvaises pensées, mauvais touchers, mauvaises actions.

— Bonsoir, Aldée.

Félix tourna les talons. Le salut d'Aldée s'adressa à son dos. L'empressement du jeune homme, ces dernières semaines, l'avait affectée, mais aujourd'hui, sa réserve avait le même effet.

Quand elle pénétra dans la cuisine, elle vit Graziella affairée près de l'évier.

— Tu rentres de bonne heure, à soir! Le curé était ennuyant?

Connaissait-elle le rendez-vous fixé par l'abbé Grégoire? «Impossible», se dit Aldée pour se rassurer.

— Ça, je ne le sais pas. Il n'y a pas de messe en fin d'après-midi. Alors, je ne l'ai pas vu.

— Tu veux que je te fasse à manger?

— Non, je n'ai pas faim. Je vais lire quelques pages, puis monter me coucher.

Peu après, Aldée parcourait *Le Canada français* de la semaine précédente à haute voix, pour le bénéfice de sa collègue.

❁

— Samedi passé, tu disais qu'on avait pas à aller au marché toutes les deux, bin tu pourras te contenter aujourd'hui, j'reste icitte.

Graziella grimaçait depuis le matin. L'humidité de mars ne valait rien pour ses articulations. En réalité, elle souffrait à chaque saison. Quelques mots suffirent pour dresser la liste des aliments dont elle avait besoin. Comme d'habitude, il s'agissait de miches de pain et de viande.

— Tu vas demander des nouvelles de la santé de Vallières.

Il ne s'agissait pas d'une suggestion, mais d'un ordre. Aldée ne pouvait pas refuser, sinon la fable de sa sortie avec lui le Mardi gras serait éventée.

— Je n'y manquerai pas si je le vois, ou si je vois le cultivateur de la semaine dernière.

Avec la fonte des neiges, les paysans préféraient souvent s'épargner un trajet difficile qui leur rapportait un profit misérable. Ils seraient sans doute très peu nombreux.

— Tu pourrais demander son adresse et lui écrire un mot.

— … Voyons, cela ne se fait pas, une femme ne peut pas écrire à un inconnu.

— Tu le connais, t'as passé une soirée avec lui.

La cuisinière avait raison : il s'agissait d'une accointance, prendre de ses nouvelles était la chose à faire. En chemin, Aldée se convainquit que le plus prudent serait d'obtenir la complicité de Vallières. Lors de leurs rencontres précédentes, le menuisier s'était montré amical et il avait poussé la gentillesse jusqu'à se rendre chez les Turgeon pour la rencontrer. Pourquoi ne pas lui demander de participer à sa fable ? Il n'aurait qu'à jouer le jeu et à prétendre, si Graziella lui posait la question, que le rendez-vous du Mardi gras avait bien eu lieu. N'importe quel prétexte justifierait la fin précoce de leurs fréquentations.

Sur la place du marché, la jeune domestique passa devant des *sleighs* de paysans sans reconnaître l'artisan. Toutefois, son voisin était bien là.

— Monsieur Vallières n'est pas encore remis de sa maladie ? lui demanda-t-elle.

— Jean-Baptiste ? Y paraissait en bonne santé dimanche dernier, à la messe.

— Alors, pourquoi n'est-il pas ici ?

Le cultivateur laissa échapper un rire sarcastique :

— C'est p't'êt' bin parce qu'y trouve pas la compagnie à son goût.

Aldée ne cacha pas sa surprise. Personne ne venait au marché afin de profiter de la présence des gens.

— Que voulez-vous dire ?

— Y v'nait icitte pour voir une créature, paraît. Pis comme a lui faisait pas de façon, pis qu'y avait pus rien à vendre, asteure y reste au chaud.

Il venait avec l'intention de rencontrer une femme ! L'information la laissa perplexe.

— Vous, vous la connaissez pas, la fille ?

Le bonhomme avait appuyé sa question d'un gros clin d'œil. Pouvait-elle être celle-là ? Ils s'étaient vus lors de la livraison des pommes de terre, puis quelques fois ensuite. Surtout, il avait exprimé son intérêt par une visite chez les Turgeon.

— … Je ne vois pas. Je ne le connais pas vraiment. Je ne sais même pas où il habite.

— Ah ! Si vous voulez l'visiter, c't'à Saint-Blaise.

Il s'agissait d'une paroisse située à une dizaine de milles au sud de Douceville. Après un signe de tête pour saluer son informateur, Aldée se dirigea vers l'édifice du marché.

❀

Le lendemain matin, les deux domestiques allèrent à l'église afin d'entendre la basse messe. En passant devant le confessionnal, Aldée se sentit mal. Puisqu'elle avait omis de se rendre au rendez-vous du curé, elle s'était condamnée à se priver de la communion. Évidemment, il demeurait possible de chercher un autre prêtre pour avouer ses fautes. Ce serait simple, la paroisse Saint-Antoine employait un vicaire : Donatien Chicoine. Toutefois, même dans cette éventualité, l'abbé Grégoire trouverait certainement un moyen de s'assurer qu'elle était en règle avec ses obligations religieuses.

Aussi, elle resta assise sur le banc de son employeur pendant la communion, provoquant un regard en biais de la part de sa collègue. De retour à la maison, pendant la préparation du dîner et du lavage de la vaisselle, Graziella parut songeuse. Quand les deux femmes purent enfin se reposer en attendant de reprendre leurs tâches, la cuisinière revint sur le sujet abordé la veille :

— Tu devrais lui écrire.

— Je ne peux pas lui écrire comme ça.

— Bin, fais-le pas comme ça. Fais-le pour une connaissance.

Saint-Blaise. Si la jeune fille s'était donné la peine de demander l'adresse, c'était bien qu'elle avait envie de le contacter. Pourtant, elle fit semblant d'oublier le sujet, jusqu'à ce que Graziella l'y ramène. Plutôt que de se laisser harceler ainsi tout le reste de l'après-midi, elle joua la soumission.

— Je suppose que nous avons du papier quelque part, mais je n'ai même pas de quoi payer un timbre.

— Inquiète-toi pas de ça, la patronne est pas si regardante.

Pour une personne ne sachant pas écrire, la cuisinière produisit bien rapidement tout le nécessaire. La plume à la main, Aldée commença :

Cher papa,
J'espère que tout le monde va bien à la maison...

Comme Graziella se penchait par-dessus son épaule, elle craignit un instant que sa méconnaissance des lettres ne soit pas absolue. Parfois, elle la voyait regarder des articles de journaux. Heureusement, une écriture cursive se déchiffrait plus difficilement qu'un texte imprimé.

— Dis-lui que j'lui souhaite une bonne santé.

— Je vais le lui dire.

Après avoir trempé de nouveau la pointe de sa plume dans l'encrier, elle poursuivit :

Moi je continue de travailler tous les jours. Les congés se font rares, mais le travail n'est pas si difficile.

Après trois phrases, elle ne savait plus quoi dire. Les épanchements du genre «Je t'aime, j'aimerais être au milieu de vous tous» cadraient mal avec la froideur de leurs relations. Son père n'avait pas su lui montrer comment exprimer ses sentiments, lui-même ne l'ayant jamais appris.

Quelques instants plus tard, la bonne pliait la feuille de papier pour la mettre dans une enveloppe sur laquelle

elle inscrivit l'adresse de la paroisse Saint-Luc. Craignant qu'après un examen soigné, la cuisinière puisse tout de même différencier les noms Demers et Vallières, elle demanda :

— Pensez-vous que j'ai le temps d'aller la mettre à la poste avant de préparer le souper ? Il y a une boîte pas très loin d'ici.

— Dépêche-toé, personne s'apercevra de ton absence.

Aldée ne se le fit pas dire deux fois. Sa collègue avait sorti un timbre portant le visage d'Édouard VII, le roi de Grande-Bretagne et, évidemment, du Canada. Elle le colla sur le coin supérieur droit de l'enveloppe. Puis tout en enfilant son manteau, elle quitta la cuisine.

❈

Le mercredi 14 mars, Aldée se préparait à se rendre dans le parc près de l'hôtel de ville. Depuis le matin, Graziella avait fait allusion trois ou quatre fois à ses interminables visites à l'église. À la fin, elle n'y tint plus :

— T'as pas reçu de nouvelles de Vallières ?

— Vous le sauriez, la plupart du temps, vous ramassez le courrier vous-même.

— Bin, j'voués des enveloppes, mais j'sais pas c'qui est écrit dessus.

Le ton abrupt révélait que l'humeur de Graziella deviendrait rapidement revêche si la jeune domestique ne faisait pas attention.

— Non, je n'ai rien reçu encore. Vous savez, même si Saint-Blaise n'est pas loin, les cultivateurs ne vont pas au bureau de poste du village tous les jours.

Puis Aldée se rendit dans le parc. Depuis le temps, elle y avait ses habitudes, retrouvant toujours le même banc. Mieux, le visage de certains promeneurs lui était devenu familier, d'ailleurs ceux-ci la saluaient en touchant leur chapeau du bout des doigts. En hiver, l'étiquette leur permettait de ne pas l'enlever complètement.

Bien sûr, eux aussi la reconnaissaient. De nouveau, elle imagina que la petite bonne des Turgeon fournissait probablement un sujet de discussion à l'heure du souper dans plusieurs foyers. Dans ce récit, le fils du maire jouait sans doute son rôle aussi.

❀

À la fin des cours, les collégiens sortaient toujours dans le plus grand désordre malgré la surveillance des prêtres enseignants. Après des heures à ânonner des locutions latines, l'appel de la liberté devenait irrépressible. Quand les deux amis s'engagèrent rue de Salaberry, Georges déclara :

— Avec cette chaleur, la glace sera pourrie samedi prochain.

— Dans trois jours, il fera peut-être dix sous zéro.

— Ou quarante-deux au-dessus. Le hockey, ça commence en janvier, puis ça s'arrête fin février.

— Il existe des patinoires intérieures à Montréal.

Les garçons discutèrent de l'effet de ces avancées techniques sur la pratique de leur sport national. Devant la maison du docteur Turgeon, Félix demanda :

— Tu m'invites ?

— D'habitude, le mercredi, tu es… occupé.

Il n'avait pas osé dire : « Tu fréquentes Aldée, la bonne de la maison. »

— Parfois, mieux vaut se faire désirer. Tu connaîtras ça un jour : après un peu d'attente, la fille se précipite sur toi.

Compte tenu du ton d'autodérision, Georges ne savait pas trop s'il devait le prendre au sérieux.

— Alors, veux-tu te joindre à nous ?

— Avec plaisir.

En entrant, ils entendirent Corinne s'exclamer :

— Georges, tu rentres tôt !

— Pas plus que d'habitude, et je ne suis pas seul.

Après un instant, la jeune fille vint les rejoindre, souriante.

— Félix, quelle surprise ! Voilà un moment que je ne t'ai pas vu.

— J'essaie d'imiter ton frère et de devenir un bon élève. Mais heureusement, le naturel reviendra sans doute et je retrouverai mon caractère de bon vivant.

Tout en parlant, il lui avait fait des bises. La blonde l'aida à enlever son manteau.

— Aldée est en congé, aujourd'hui, je dois m'occuper de tout.

— Ce qui me vaut la chance de me faire servir par toi.

Le rose lui monta aux joues. Comme les collégiens exprimèrent le désir d'avoir du thé et des biscuits, la fille de la maison se chargea d'aller tout préparer. Ce soir-là, Félix entendait bien accepter une invitation à souper. En s'attardant assez, il serait encore là au moment du retour d'Aldée. Il espérait qu'elle se rendait compte de sa présence dans la maison.

❧

Cette fois, quatre heures et demie passa, puis cinq heures, sans que Félix Pinsonneault se manifeste. Les cours du collège Saint-Antoine étaient terminés, mais parfois il s'attardait avec Georges, ou passait à la maison afin de se débarrasser de son suisse.

À six heures, un frisson parcourut le corps d'Aldée. Une fois le soleil couché, le froid devenait vif, surtout après une attente immobile de deux heures. En face, des lumières éclairaient les fenêtres de l'église. Le souvenir de l'abbé Grégoire l'amena à se sentir fort embarrassée. Le Seigneur avait dit : « Je viendrai comme un voleur. » Dans le cas d'un décès inopiné, le fait de ne pas être en règle avec Dieu la conduirait en enfer.

Trente minutes passèrent encore, puis soixante. Félix ne viendrait plus maintenant. Son absence, loin de la soulager, l'alarmait profondément. Était-il en colère contre elle ? En somme, tenaillé par le désir, le pauvre garçon souffrait sans doute de la voir se tenir à distance. Elle en venait à se sentir coupable de vouloir préserver le salut de son âme.

Finalement, à sept heures, elle se résolut à rentrer à la maison, le cœur gros et l'estomac dans les talons. Cette fois, si Graziella offrait de lui préparer quelque chose à manger, elle accepterait certainement.

❀

Deux jours plus tard, Aldée se demandait toujours pourquoi Félix lui avait fait faux bond, pour conclure que sa propre attitude vis-à-vis de ses caresses agissait comme un repoussoir. D'un côté, elle se réjouissait de ne plus avoir à subir ses assauts, de l'autre, l'attention du garçon lui manquait. Son attention, et aussi le rêve d'une vie plus facile grâce à un mariage avec un bon parti.

Le vendredi, quand elle prit le courrier qu'avait glissé le facteur par une fente dans la porte, une lettre adressée maladroitement attira l'attention d'Aldée. L'écriture, plutôt difficile à déchiffrer, appartenait à son père. De retour dans la cuisine, elle la montra à Graziella :

— Voilà la réponse.

La cuisinière mit un moment à comprendre, puis s'enquit :

— Qu'est-ce qu'y dit?

— Pour le savoir, je dois d'abord l'ouvrir.

La servante chercha un couteau pour en glisser la lame sous le rabat et le fendre. La feuille de papier arrachée à un cahier d'écolier portait des gribouillis difficilement lisibles.

Aldée,
Bin icitte sa va bin, même si l'hiver est bin dur. Toute le monde a touse un peu, depuis l'epifanie, les ptit plusse que les aut.

Ensuite, quelques mots portaient sur les animaux de la ferme, des cousins et des cousines, dans le plus grand désordre.

— Qu'est-ce qu'y dit? insista Graziella.

— ... Il ne veut plus me voir.

La vieille femme écarquilla les yeux de surprise.

— Bin pourquoi? T'es une belle fille!

— Il dit avoir rencontré quelqu'un à une veillée.

— Tu parles d'un malappris!

— Ce sont des choses qui arrivent.

Autant Aldée paraissait prendre ce rejet avec philosophie, autant la cuisinière fulminait. Si, auparavant, l'adolescente avait craint de la voir aller s'informer de la soirée du Mardi gras auprès de l'artisan, maintenant, elle craignait que sa collègue se mette à ses trousses et l'abreuve de reproches pour son indélicatesse.

— J'le sais, qu'ça arrive. Penses-tu qu'j'ai jamais été jeune?

À compter de ce jour, Aldée comprendrait un autre petit pan de l'existence de Graziella. Elle avait cherché à revivre par procuration un bout raté de sa jeunesse, et voilà que le dénouement s'avérait aussi raté que dans son cas.

— Sont toutes pareils!

Sa façon brutale de manipuler la vaisselle ensuite trahit toute sa colère.

❀

Le mercredi suivant, Félix se présenta à leur rendez-vous hebdomadaire. Aldée n'en fut pas surprise, il lui avait confirmé qu'il viendrait au cours d'un échange de quelques mots sur le palier de l'étage, le lieu habituel de leurs apartés lors de ses visites chez les Turgeon.

Pendant cette rencontre, le garçon s'était tout de même montré distant, boudeur peut-être, comme lors de leur dernier entretien. Ce ne fut qu'au moment de l'embrasser avant de la quitter que les mains de Félix s'égarèrent sur les flancs d'Aldée, qui refit ensuite connaissance avec sa langue. Après qu'elle eut craint de ne jamais le revoir à cause de son absence du 14 mars, ce regain de passion rassura la jeune fille.

Puis quand ils se revirent le 28, pendant tout le repas, il tint sa main posée sur sa cuisse sous la table, profitant du fait que tous deux occupaient des chaises disposées à angle droit. L'audace du geste lui mit des papillons dans le ventre, en raison de son plaisir de voir son cavalier exprimer de nouveau son intérêt pour ses charmes et de la crainte que son geste ne soit remarqué. Tout de même, sur le chemin du retour, elle refusa de faire un détour avec lui dans la rue Richelieu. Sans doute le garçon souhaitait-il répéter ses privautés du Mardi gras dans l'entrepôt à charbon de son père. S'il fut déçu, au moins son humeur resta cordiale et ses caresses, au moment de la quitter, dans les limites de l'acceptable.

Chapitre 24

Après le Mardi gras, Félix avait espacé ses visites chez les Turgeon, au point de n'y être allé qu'une fois. Les exigences du carême expliquaient peut-être qu'il sacrifie ce moment de plaisir. Cependant, le dernier jour de mars, il accepta d'accompagner Georges chez lui au retour d'une activité sportive.

Quand les deux garçons entrèrent dans la maison, comme d'habitude, Aldée sortit de la cuisine afin d'aider le visiteur à se défaire de son manteau et de l'accrocher dans la penderie.

— Mademoiselle Aldée, voilà longtemps que je ne t'ai pas vue. Comment va la santé ?

— … Très bien, monsieur.

Les joues de la bonne devinrent rouges de plaisir. Il montrait de nouveau le comportement joyeux le caractérisant avant leur petit différend sur les gestes permis ou interdits.

— Madame Turgeon ne te prive pas trop sous prétexte de t'amener tout droit au ciel, en ce temps de pénitence ?

— Oh ! Pas du tout, monsieur.

À ce moment, Corinne se présenta dans l'entrée, un grand sourire sur les lèvres.

— Je suis heureuse de te revoir, minauda-t-elle.

Elle se tenait les mains dans le dos, ce qui mettait sa poitrine en évidence, tout en se dandinant d'un pied sur l'autre.

— Alors, pour célébrer ces retrouvailles, nous allons nous faire la bise.

Sans hésiter, il se pencha pour embrasser sa joue droite, puis la gauche. Rougissant de plaisir, la fille de la maison ne se déroba pas. La jeune domestique contempla ce flirt avec un pincement au cœur. Félix, quant à lui, jugeait qu'un brin de jalousie la rendrait plus soumise à leur prochain rendez-vous.

— Aldée, dit Corinne, peux-tu nous apporter du thé ?

— Oui, mademoiselle.

Corinne se tourna vers le visiteur, cette fois un peu gênée :

— Pour moi, pas de biscuits ni de gâteaux d'ici la fête de Pâques. Mais si vous en voulez…

— Seigneur, voilà que tu marches vers la sainteté !

La blonde se troubla davantage. Elle se privait courageusement de ces gâteries, mais la vanité l'animait davantage que le désir de se mortifier. D'ailleurs, grâce à ses yeux très observateurs, Félix avait constaté combien sa silhouette en était avantagée. Encouragée par des regards comme le sien, peut-être trouverait-elle la détermination pour faire carême jusqu'au jour de ses épousailles.

— Cesse de te moquer de moi.

— Je ne me moque pas.

— Bon, vous venez dans le salon, intervint Georges, ou nous prenons le thé dans l'entrée ?

Sans attendre de réponse, il s'engagea dans le couloir, sa sœur sur les talons. Félix se tourna brièvement vers Aldée en haussant les sourcils. Il s'agissait d'une façon limpide de lui signifier de le rejoindre bientôt à l'étage.

Dans le salon, Corinne manigança pour s'asseoir sur le canapé à côté du visiteur. Pendant quelques minutes, elle entretint ce dernier de ses activités des dernières semaines, tout en s'informant des siennes. L'échange dura jusqu'à ce que la domestique vienne poser un plateau sur la table au centre de la pièce.

— Laisse, je vais faire le service.

Les yeux de Georges suivaient Aldée. Bien sûr, lui aussi savait apprécier les traits réguliers, les yeux gris, la silhouette menue mais bien proportionnée. Trop grand au début, son uniforme soulignait maintenant le galbe de sa poitrine, de ses hanches et de ses fesses. Le fils de la maison n'aurait jamais osé, mais il comprenait sans mal l'envie qu'éprouvait son ami de… Comment avait-il dit ? Se faire la main ?

La bonne n'avait pas encore quitté la pièce quand Félix se leva en s'excusant.

— Je reviens dans un instant.

Décidément, il tenait à leur aparté sur le palier. De son côté, Corinne, intriguée, plissa le front. Depuis quelque temps, elle avait noté que le visiteur éprouvait systématiquement le besoin de se rendre à la salle de bain peu après son arrivée.

En versant du lait dans sa tasse, elle dit à haute voix :

— Il paraît tourné. Je vais voir si Graziella en a du plus frais.

Dans le couloir, Corinne s'arrêta près de l'escalier, tendant l'oreille. D'abord, elle perçut un bref éclat de rire, reconnut la voix d'Aldée. Félix paraissait partager avec elle une histoire drôle, mais elle ne distinguait pas ses mots. Pendant deux minutes, la conversation murmurée se poursuivit. Corinne, le même pot à lait dans la main, retourna au salon.

Bientôt, le fils du maire les rejoignit, s'excusant de leur avoir faussé compagnie quelques instants.

❈

Félix avait passé plus d'une heure au salon avec les enfants Turgeon, pour ensuite accepter leur invitation à souper. Le médecin et sa femme lui firent bon accueil, comme d'habitude. À la fin du repas, les deux garçons montèrent dans la chambre de Georges.

Les autres membres de la famille se réunirent de nouveau au salon. Après avoir tourné les pages d'un magazine sans en lire une ligne, Corinne fit mine de se lever en annonçant :

— Je vais retrouver les garçons.

— Non, intervint Délia. S'ils avaient voulu t'inclure dans leurs discussions, ils t'auraient invitée.

— Nous parlons ensemble tout le temps.

— Dans cette pièce. Là, ils se sont enfermés dans la chambre de ton frère.

La blonde esquissa une grimace butée, mais elle renonça à son projet. Évidemment, elle aussi tenait des conciliabules secrets avec ses amies, bien à l'abri des oreilles masculines, en particulier celles d'adolescents si volontiers narquois.

❈

Le fils de la maison était étendu sur son lit, Félix installé sur la chaise placée près de la table de travail. Après avoir abordé différents sujets d'un intérêt médiocre, Georges ne résista pas à l'envie de satisfaire sa curiosité.

— Tout à l'heure, tu lui donnais rendez-vous pour mercredi prochain.

Son ami fit semblant de ne rien comprendre d'abord, puis son visage s'éclaira.

— Tu veux dire à Aldée ? Je profite de mes visites ici pour lui dire quelques mots. Pour entretenir sa flamme, en quelque sorte.

L'allusion à la passion des sens dérangea Georges, toujours totalement ignorant de ces choses.

— Pour les rendez-vous, inutile de convenir de quoi que ce soit. C'est toujours le mercredi. Vraiment, c'est dommage que ta mère ne lui donne pas congé le samedi ou même le dimanche. Là, je la rejoins après la classe, et elle est toujours pressée de rentrer se coucher.

— Tu le sais, les domestiques sont particulièrement occupés les fins de semaine.

Cet échange sur les exigences du travail de maison laissait la curiosité du fils du médecin insatisfaite.

— Avec elle, tu as fait… des choses ?

Félix éclata de rire, puis il lança, tout à fait ironique :

— En voilà, une question ! Tu sais bien qu'un gentil-homme ne trahit jamais ce genre de secret.

Cela valait une réponse affirmative. Georges aurait voulu savoir jusqu'où ces deux-là « allaient ». Certainement très loin, peut-être aussi loin que les protagonistes de certains romans de Gustave Flaubert. Plus tard, après l'extinction de l'ampoule, la question le tiendrait éveillé pendant des heures.

❀

Vers neuf heures, le fils Pinsonneault vint se planter dans l'embrasure de la porte du salon afin de souhaiter une bonne nuit aux autres membres de la famille. La fille de la maison fit un mouvement pour l'escorter jusqu'à l'entrée, mais Aldée sortait déjà de la cuisine afin de l'aider à remettre son manteau. Corinne souhaita bonne nuit à ses parents, puis monta.

En passant devant la porte de la chambre de son frère, elle hésita, puis se résolut à frapper. Il l'invita à entrer. Déjà, il portait son peignoir. Avant de dormir, étendu sur son lit, il s'était plongé dans un roman français. À sa façon d'en dissimuler la couverture, elle devina que son contenu ne lui aurait pas valu les félicitations des prêtres enseignants de son collège. Les livres interdits s'échangeaient en toute discrétion entre les collégiens, mais la timidité de Corinne l'empêchait de les lui emprunter. La manifestation de curiosité pour de tels sujets écorcherait sa réputation d'innocence. Les jeunes filles convenables devaient jouer la plus parfaite indifférence à cet égard.

— Je peux te parler un instant ?

Corinne s'installa sans attendre sur la chaise. Aussi, Georges acquiesça en soupirant.

— Tout à l'heure, quand Félix est monté pour aller aux toilettes, j'ai eu l'impression qu'Aldée l'a rejoint.

Qu'elle n'ait jamais remarqué leurs conciliabules furtifs auparavant étonnait son frère. Mais lui mentir le dérangeait.

— … Comment ça ?

— Je les ai entendus parler.

— Voyons, ils se sont croisés, tout simplement, éluda le garçon, tentant de dissimuler son embarras.

— La bonne n'avait rien à faire là à cette heure. Elle s'occupe des chambres le matin, et elle n'utilise jamais les toilettes de l'étage.

Après une pause, elle ajouta, sur un ton incertain :

— Maman ne le lui permettrait pas. Et les domestiques ont les leurs.

Quelque chose dans la mine de Corinne laissait penser que l'idée du partage d'un lieu si intime avec le personnel de la maison lui répugnait.

— Écoute, je ne sais pas pourquoi la bonne était en haut, le mieux serait de le lui demander.

Le ton contenait une pointe d'impatience, comme si le garçon souhaitait reprendre sa lecture au plus vite.

— Ils avaient l'air de bien s'entendre. Que peuvent-ils avoir à se dire ?

— Je te le répète, je n'en sais rien.

— Félix t'a-t-il déjà parlé d'elle ?

Le malaise de Georges augmentait. Pourtant, il joua le plus profond amusement.

— Me parler de la bonne ? Franchement, que pourrait-il me dire à son sujet ?

La jeune fille demeura un moment immobile, songea à demander : « Et de moi ? Te parle-t-il de moi ? » Mais elle se retint de crainte de ne pas apprécier la réponse. Enfin, elle quitta la pièce en souhaitant bonne nuit à son frère.

❉

Le dimanche précédant Pâques s'appelait le dimanche des Rameaux. Il s'agissait de commémorer ce jour-là l'entrée triomphale de Jésus à Jérusalem. Ce jour ouvrait aussi la semaine sainte, celle de la Passion du Christ. En se préparant pour la messe, Graziella tendit à Aldée un rameau de palmier déjà tressé.

— T'à l'heure, tu pourras le mettre dans ta chambre. Moé, j'en ai un pour la mienne, pis un aut' pour la cuisine.

— Chez nous, mes parents utilisaient des branches de cèdre.

— Comme tu voués, icitte, c'est des branches qui viennent de l'aut' bord.

Autrement dit, d'un endroit exotique. La plupart imaginaient une importation depuis la Terre sainte, cette fameuse Palestine que la population finissait par connaître mieux que son propre pays, grâce à l'acharnement des maîtresses d'école. Les deux domestiques prirent tout de suite la direction de l'église. Ce jour-là, la messe durerait plus longtemps que d'habitude, en raison de la bénédiction des rameaux.

Trois heures plus tard, les membres de la famille Turgeon se dirigeaient à leur tour vers l'église Saint-Antoine, avec à la main de grandes feuilles de palme.

Après la messe, Délia se rendit dans la cuisine afin de constater les progrès de la préparation du repas. Aldée se tenait debout sur une chaise, en train de glisser un rameau entre le corps en cuivre d'un christ en croix et son support en bois.

— Fais attention de ne pas te rompre les os, avertit-elle en l'apercevant.

— J'lui dis la même chose, mais a m'écoute pas.

— Devrais-je demander à monsieur de venir s'en occuper lui-même ? s'enquit-elle en descendant de son perchoir.

Le ridicule de la proposition n'échappa pas aux deux femmes, aussi la patronne préféra abandonner le sujet. Elle s'assura que le menu respectait ses directives, que le service se ferait à midi pile, puis elle retrouva sa famille.

— Avec ça, affirma la cuisinière, la maison sera à l'abri du feu.

Oui, la demeure serait protégée des incendies, et de toutes les autres catastrophes susceptibles d'accabler un foyer. La protection coûtait peu. Et quand le malheur frappait néanmoins, personne ne songeait à remettre en cause la croyance en cette précaution.

Sœur Saint-Honorius aimait s'attarder longuement sur les affres de l'enfer. La notion d'éternité faisait tourner les têtes. Un temps si long, plus long qu'un milliard de milliards d'années. Les saintes nitouches que leur vertu conduirait au ciel en venaient à craindre de s'y ennuyer un jour. Quant aux autres, la perspective des flammes éternelles les rendait moroses.

Corinne ne savait trop où la vie la mènerait. Une part d'elle songeait à se rendre au bureau de la mère supérieure dès la fin de la classe afin de lui signifier son intention de devenir religieuse. Ce serait son passeport pour le paradis. Une autre part, plus grande, rêvait d'un grand jeune homme blond. À tout juste seize ans, difficile de décider de troquer les plaisirs de l'en deçà pour s'assurer l'accès aux félicités de l'au-delà.

Le son lointain d'une cloche la tira momentanément de son dilemme.

— Mesdemoiselles, mesdemoiselles, ne faites pas de bruit en sortant. En ces temps de carême, faites le sacrifice du babillage.

La recommandation garda les couventines muettes durant leur passage dans le couloir et dans les premières marches de l'escalier, puis la peur du péché s'allégea suffisamment pour permettre une conversation à mi-voix.

— Tu ne vas pas diner chez toi aujourd'hui? s'étonna Aline.

— Non, c'est le piano.

La brune connaissait le calendrier des cours de musique de son amie, mais trois fois par semaine, la question revenait.

— Moi, je suis heureuse d'y échapper.

Monsieur Tremblay s'en réjouissait encore plus, certainement. Ces leçons, facturées en sus de la scolarité, coûtaient trop cher pour un marchand de meubles.

— Alors, à cet après-midi, la salua Aline en arrivant au rez-de-chaussée.

— À tout à l'heure.

Corinne continua vers les minuscules salles du demi-sous-sol. Chacune contenait un piano droit, un tabouret et une chaise. Alors qu'elle entrait dans l'un de ces réduits, elle entendit un bruit écœurant, celui d'une personne qui renvoie son déjeuner dans une violente éructation. La couventine frappa à la porte voisine, ouvrit tout de suite pour découvrir Sophie Deslauriers pliée en deux. Son uniforme était tout cochonné devant, et elle répandait déjà une odeur intolérable.

— Je peux t'aider ? proposa Corinne en passant un bras autour du corps de la nauséeuse.

Après quelques haut-le-cœur, Sophie put formuler :

— Ça va… C'est juste la nourriture du couvent qui ne passe plus.

— Tu n'es pas la première à me dire cela.

Corinne attribuait au métier de son père son réflexe de venir en aide à ses semblables. Quand un costume de corneille – il ne s'agissait pas du terme le plus désobligeant qu'utilisaient les jeunes filles du couvent pour désigner les religieuses – apparut dans l'embrasure de la porte, elle déclara :

— Ma sœur, je vais accompagner Sophie aux toilettes.

Sœur Sainte-Béatrice ne devait pas avoir le cœur accroché très solidement, car elle lui abandonna immédiatement sa responsabilité.

— Faites cela, mademoiselle Turgeon. Moi, je dois m'occuper des autres élèves.

Deux autres réduits accueillaient aussi des musiciennes en herbe. La religieuse devait passer de l'une à l'autre pendant l'heure à venir. Des latrines se trouvaient tout près.

En plus des «cabinets», quelques lavabos s'alignaient le long d'un mur. Corinne se munit d'une serviette à peu près propre, l'humecta généreusement pour d'abord nettoyer le visage de sa camarade. Puis elle arrêta son geste.

— Fais le devant, là… dit-elle en désignant sa robe.

La perspective de passer ses mains sur la poitrine de sa camarade la gênait trop. Sophie prit la serviette pour s'essuyer.

— Tu peux me laisser maintenant, je vais terminer.

— Tu peux finir même si je suis là.

Sophie lui sourit timidement, reconnaissante de la voir si attentionnée.

— Cela t'arrive souvent?

La grande fille commença par laisser couler l'eau sur la serviette pour la rincer, puis elle poursuivit le nettoyage de son uniforme.

— Depuis quelques semaines, oui. Je ne comprends pas pourquoi. Je vis pourtant dans ce couvent depuis dix ans.

— Justement, après dix ans…

Sophie esquissa un sourire. Elle n'était pas la seule à éprouver des problèmes digestifs, mais au moins les autres pensionnaires regagneraient leur domicile en juin. Le temps des grandes vacances leur permettrait de se refaire une santé. Dans son cas, l'été se passerait dans le couvent désert, en compagnie de religieuses qui, depuis qu'elle avait onze ans, la traitaient comme une novice.

Blonde aux yeux bleus, plutôt pulpeuse, Corinne se trouvait mignonne, et dans ses meilleurs jours, vraiment jolie. La malade ne lui cédait en rien. Blonde aussi, les yeux bleus, grande et filiforme, Sophie était belle, même avec son visage très pâle.

— Tu ne pourrais pas être externe? Cela permet de manger à la maison.

— Je n'ai plus mes parents.

Des rumeurs compliquées couraient à son sujet, mais tout de même, un élément de sa biographie était véridique : son statut d'orpheline.

— Et personne d'autre ? Des oncles, des tantes ?

Les larmes se formèrent sous les paupières de la couventine.

— Monsieur le curé Grégoire…

Elle s'interrompit, comme si elle venait de révéler un secret d'État. Puis la gentillesse de sa consœur l'amena à murmurer :

— C'est mon oncle.

Corinne se rappela alors qu'Aline avait mentionné ce lien de parenté, plusieurs semaines plus tôt. Un instant, elle ne sut que dire. Puis, passant sa main sous le bras de sa camarade, elle la tira vers le couloir.

— Viens faire un tour dehors.

— Mais le piano…

— Tu pues. Sœur Sainte-Béatrice n'aimerait pas s'enfermer avec toi dans une pièce de cinq pieds sur quatre, sans fenêtre. Dehors, il fait beau. Nous ferons le tour de l'école deux ou trois fois.

Sophie se sentit émue. Son étrange statut dans ce couvent l'avait isolée jusque-là. Tout à coup, elle se découvrait une amie.

❊

Aldée n'arrivait plus à supporter la tension qui l'habitait. Peut-être cela tenait-il aux privations – toutes légères – du carême. Plus probablement, les rencontres toujours troublantes avec Félix, l'obligation de jouer d'astuce avec une

Graziella de plus en plus résolue à lui dicter le cours de sa vie sentimentale, et surtout la crainte que son histoire soit découverte l'épuisaient.

Le deuxième mercredi d'avril, en achevant de laver la vaisselle, la cuisinière lui demanda :

— Après-midi, penses-tu que le jeune Vallières pourrait êt' là pareil ?

— Vous le savez, il m'a écrit pour me dire de l'oublier.

— Comme si y pouvait trouver mieux que toé ! Si tu y parlais, tu le regagnerais certainement.

La foi de la vieille femme en son charme avait quelque chose de touchant.

— Comment voulez-vous que je fasse ? Il n'a sûrement pas le téléphone, et même s'il l'avait, je n'oserais pas utiliser celui de monsieur pour le joindre.

— T'es bin sûre, pour la lettre ? Des fois, du monde pas instruit, ça se mélange dans les mots écrits.

Le petit tour de passe-passe effectué grâce à l'échange de correspondance avec son père lui avait semblé être une très bonne idée. Cependant, Graziella se montrait de plus en plus sceptique. Après tout, si ce garçon s'était pointé chez les Turgeon, cela témoignait d'un réel intérêt. Comment croire qu'il ait renoncé si facilement ensuite ?

— Jean-Baptiste m'a donné l'impression d'un homme capable de bien se faire comprendre.

Cette fable au sujet d'une nouvelle flamme ne tiendrait que jusqu'au jour où l'artisan reviendrait au marché... ou frapperait à la porte de la cuisine un mercredi. En effet, si comme prévu il obtenait un emploi à l'usine de la compagnie Willcox & Gibbs au printemps, passer pour faire un bout de veillée un bon soir ne poserait pas de difficulté.

— Ouais, bin si tu l'encourageais un peu, y s'intéresserait à toé.

Son insistance finirait par mettre Aldée tout à fait de mauvaise humeur. Avant de perdre patience, elle jugea préférable de sortir.

— Bon, je vais y aller, maintenant.

— Toujours tes rendez-vous avec le curé. J'pense vraiment que t'aurais dû faire une sœur.

Utiliser ses visites à l'église pour donner le change devenait de plus en plus périlleux, d'autant plus qu'elle ne s'y présentait plus, pour éviter de revoir le prêtre, justement.

— Il n'est peut-être pas trop tard. Je vais lui en parler.

La mine butée d'Aldée incita la cuisinière à abandonner le sujet. Boudeuse, la jeune servante revêtit son manteau devenu trop chaud pour la saison. Comme Corinne n'avait pas parlé de lui donner un vêtement de mi-saison, elle le garderait jusqu'à Pâques, puis se contenterait ensuite de sa veste.

❀

En ce 11 avril, la chaleur du soleil annonçait le renouveau prochain. La fonte de la neige libérait de vastes espaces couverts d'herbe jaunie, avec de petites pointes vertes ici et là. Évidemment, cela signifiait aussi le retour des odeurs nauséabondes se dégageant des bécosses et des détritus entassés dans les cours. Le docteur Turgeon avait commencé sa croisade pour tout faire nettoyer, mais devant la résistance de ses concitoyens, il réduisait déjà ses ambitions.

Le climat était suffisamment doux pour qu'Aldée sente de la sueur au bas de son dos. Après une bonne heure d'hésitation, en poussant un long soupir, elle quitta le banc du parc pour se diriger vers l'église. Son éducation chrétienne reprenait le dessus : pour communier à Pâques, il lui fallait recevoir l'absolution après une confession sincère et totale, pendant laquelle elle exprimerait, enfin, le ferme propos de se soustraire à la tentation.

Dans le temple, la jeune servante reconnut les mêmes vieilles dames que d'habitude, perdues dans leurs pensées. Une fois de temps en temps, l'une se voyait rappelée à Dieu, pour être remplacée tout de suite par une autre. Trois d'entre elles patientaient devant le confessionnal. Quand cc fut son tour, Aldée s'agenouilla sur le prie-Dieu, attendit dans la plus grande anxiété l'ouverture du petit guichet. Le claquement de celui-ci faillit lui tirer un cri.

— Monsieur le curé, lors de ma dernière confession, vous m'avez dit vouloir me rencontrer.

Comme il ne disait rien, elle crut nécessaire de préciser :

— Le mercredi des Cendres.

— Et le carême se termine cette semaine. Vous avez pris votre temps.

Le reproche la mit plus mal à l'aise encore.

— J'avais tellement peur de vous parler.

— Plutôt peur de m'entendre.

Il laissa échapper un ricanement. Il la reconnaissait vraiment, d'une fois à l'autre.

— Je suis domestique, précisa-t-elle pourtant. Je vous ai entretenu d'un garçon qui fréquente la maison de mes patrons.

— Je sais, je sais. Écoutez, l'endroit se prête mal aux conversations. Allez vous asseoir dans la sacristie, je vous rejoindrai dès que possible.

Après une vie à considérer les ecclésiastiques comme des êtres tout-puissants, elle ne songea même pas à discuter cette injonction. Surtout, converser au sujet de ses turpitudes avec un petit groupe de vieilles dames juste derrière un rideau ne lui disait rien.

Chapitre 25

Aldée regretta que tous les yeux des vieilles paroissiennes se tournent dans sa direction quand elle ouvrit la porte au bout de l'allée latérale à gauche du chœur, pour pénétrer dans la sacristie. Au-delà, elle découvrit de grandes armoires, des crochets auxquels les paroissiens pouvaient suspendre leurs vêtements, et surtout une nef en miniature, avec son propre autel et une trentaine de places assises. Parfois, on y célébrait la messe.

La jeune fille rangea son manteau, puis choisit l'une des chaises. Au bout d'une heure d'attente, elle prit un missel posé sur un autre siège, pour en parcourir les pages. L'abbé Grégoire la trouva absorbée dans sa lecture.

— Je suis désolé de vous avoir fait attendre si longtemps. Parfois, les confessions se prolongent.

Surtout quand une femme, sachant sa fin prochaine, entendait faire la liste de toutes ses fautes depuis sa première communion.

— Ça ne fait rien.

Au même instant, Félix devait être au parc. L'attendrait-il ? Sans doute pas, alors que, quand il tardait à arriver, elle demeurait des heures assise dans le froid.

— Vous devriez être avec lui, en ce moment.

Le prêtre la devinait sans mal. Il fallait la proximité d'une soutane pour l'empêcher de rejoindre le jeune homme. Elle hocha la tête, tout en gardant les yeux baissés.

— Venez avec moi. Quelqu'un peut entrer ici à tout moment.

Au fond de la sacristie, une porte ouvrait sur une petite pièce. Deux fenêtres étroites comme des meurtrières y laissaient entrer la lumière du jour. Deux sièges se faisaient face, le prêtre en désigna un à Aldée. Elle réalisa que jamais elle n'avait été aussi près d'un représentant de Dieu sans la présence de la cloison du confessionnal. L'abbé Grégoire était grand, plutôt bedonnant. La repousse de sa barbe laissait une ombre sur son visage.

— Parlez-moi de vous.

— C'est un ami du fils de mes patrons. Il vient à la maison deux, trois fois par semaine.

— Pas de lui, enfin pas tout de suite. De vous.

La demande la dérouta. D'elle, il n'y avait rien à dire.

— Je travaille chez les Turgeon depuis près de six mois.

— Auparavant, vous souhaitiez devenir institutrice.

Ainsi, il se souvenait de son histoire. Cela l'étonna, tout en l'alarmant. Ses péchés étaient sans doute très graves, pour lui être restés en mémoire.

— J'ai dû aller travailler pour aider ma famille.

Le silence de son interlocuteur l'incita à continuer :

— À Noël, il a commencé à… montrer son intérêt. D'abord une histoire de plante verte accrochée au plafond, sous laquelle il fallait s'embrasser.

— Le gui.

— Puis, sans en avoir l'air, sa main se posait…

Jamais Aldée ne pourrait préciser à quels endroits.

— Vous ne l'avez pas repoussé ?

— Ce n'est pas le genre d'homme que l'on repousse !

La phrase contenait une pointe d'admiration. Grégoire comprenait sans doute mieux qu'elle la complexité de la situation. Un garçon de bonne famille convaincu que de nombreux privilèges lui étaient dus, dont celui d'abuser de sa position d'autorité. Il devinait certainement aussi le plaisir que pouvait éprouver une jeune fille étant l'objet de son attention, de son désir.

— Vous n'avez pas songé à en parler à votre patronne?

— À ses yeux, j'aurais été la coupable. Si je perds cet emploi, ma famille sera dans le chemin.

— Je ne pense pas que madame Turgeon soit le genre de personne susceptible de condamner si facilement, tempéra le curé.

Délia lui était donc familière. Même dans une municipalité aussi grande que Douceville, chacun connaissait la vie de tous les autres. Les petites domestiques venues du fond d'un rang étaient apparemment les seules dont les racontars n'atteignaient pas les oreilles.

— Et ensuite, il vous a invitée à le voir lors de vos jours de congé.

— Le mercredi après-midi. Nous nous retrouvions...

Elle se surprit à utiliser le passé. Cette rencontre avec son confesseur ne pouvait avoir qu'une seule conclusion.

— Nous nous retrouvions dans le parc, en face. Ou dans l'église si le froid était insupportable. Ensuite, nous mangions dans la rue Richelieu, puis il me raccompagnait.

— Ce qui lui donnait l'occasion de devenir plus intime avec vous. Surtout sans quiconque à proximité.

Le souvenir du temps passé dans le hangar à bateau, puis dans l'entrepôt de charbon la fit frissonner. Cette dernière fois, il aurait pu aller «jusqu'au bout», quoiqu'elle se fasse une idée nébuleuse de la chose.

— Qu'attendiez-vous de lui?

L'abbé Grégoire n'imaginait pas cette petite fille sage animée par la luxure. Évidemment, le plaisir ne devait pas lui être indifférent, mais il ne représentait pas une fin en soi.

— Rien. Ces fils de notables n'épousent pas les petites bonnes.

— Et pourtant, malgré cette conviction, vous espériez le mariage.

À ce moment, elle se sentit terriblement sotte d'y avoir pensé, même une seule seconde.

— J'aimerais tant être riche… Oh! Pas riche comme madame, mais pas pauvre au point de dépendre des gages de ma fille dans vingt ans.

Cette seule phrase contenait tout son dépit d'avoir été trahie par ses parents. Par sa mère à cause de son décès précoce, et par son père dont l'indigence ruinait tous ses projets.

— Lui, il pouvait me sortir de…

Le mot exact ne lui vint pas, alors du geste elle désigna son uniforme de domestique. Puis elle répéta la même conviction :

— Mais pour une fille comme moi, une servante, les fils de marchands…

Un peu plus et elle ajoutait «de charbon», identifiant nettement Félix. C'était bien le mauvais côté de ces milieux où tout le monde se connaissait: lors de la confession, il devenait impossible de ne pas révéler l'identité de son partenaire d'inconduite.

— Je suis curé depuis plus de trente ans, j'ai vu un certain nombre de jeunes filles pauvres améliorer leur position par un bon mariage.

Un bref instant, Aldée se mit à espérer.

— Cependant, ce ne sera jamais votre cas. Voyez-vous, dans ces histoires, l'élue ne peut cacher son bonheur. Être aimée rend heureuse. Comme vous êtes malheureuse, c'est qu'il n'y a pas d'amour.

La bonne baissa le regard pendant un instant. Puis, elle s'essuya les yeux sur sa manche avant de regarder de nouveau l'ecclésiastique. Quel drôle de curé. Le mot péché n'avait pas encore franchi ses lèvres.

— Vous savez que j'ai raison, n'est-ce pas ?

Après une hésitation, elle hocha la tête de bas en haut.

— Si vous continuez de le voir, vous serez de plus en plus malheureuse.

Comment prétendre le contraire ? Les dernières semaines l'avaient déjà mise à bout.

— Vous ne le verrez plus, donc.

— Mais il vient à la maison tous les deux jours !

— Vous pouvez cesser de le voir pendant vos congés. Puis s'il se montre trop… empressé lors de ses visites chez les Turgeon, vous devrez en parler à madame.

— Elle va me chasser.

Cela se pouvait bien, mais une autre raison l'incitait à se taire :

— Puis j'aurais si honte.

— Toutefois, si cela devient nécessaire, vous le ferez.

De nouveau, Aldée acquiesça en hochant la tête.

— Je vais vous donner l'absolution.

Elle venait d'exprimer le ferme propos de ne plus recommencer, aussi le sacrement de pénitence devenait possible. Comme elle faisait mine de se mettre à genoux, l'abbé Grégoire lui enjoignit avec un sourire :

— Non, restez assise. Dieu saura bien vous trouver dans cette position et vous accorder son pardon.

Tout de même, dans ces circonstances, s'agenouiller dans la pénombre lui paraissait plus confortable qu'être assise devant un prêtre, en pleine lumière.

Peu après, le curé la raccompagna dans la sacristie. Comme elle s'apprêtait à emprunter la porte de côté, il lui conseilla :

— À votre place, je resterais ici un bon moment afin d'être certaine de ne pas croiser votre galant dans le parc, ou même dans la nef. Quand vous partirez, éteignez simplement la lumière. Le bedeau verrouillera la porte tout à l'heure.

Après un dernier souhait de bonne chance, l'abbé Grégoire mit son chapeau pour aller au presbytère, situé tout près. Aldée récupéra le missel, mais se révéla incapable de lire avec ses yeux pleins d'eau.

Quand elle se glissa dans la maison des Turgeon, heureusement, Graziella faisait le service dans la salle à manger. Deux heures étendue dans son lit lui permettraient de mieux affronter la curiosité de sa collègue.

❊

Pendant le court trajet entre l'église et le presbytère, l'abbé Grégoire songea au désarroi de la jeune fille qu'il venait de recevoir. Puisqu'elle avait été laissée seule dans la vie – pour son père, elle représentait d'abord une ressource financière –, son sort dépendait du hasard de ses rencontres. Croiser Délia Turgeon sur sa route avait été une bénédiction, et Félix Pinsonneault, la pire malchance.

L'ecclésiastique n'avait aucun doute sur l'identité du séducteur. Dans ce petit univers, savoir qui fréquentait la maison du médecin ne posait pas trop de difficulté. Et deviner le nom de celui qui poursuivait la bonne de son assiduité, encore moins ! Après tout, il recevait ces gamins en confession depuis dix ans maintenant.

Quand il entra dans le grand presbytère, une vieille dame sortit de la cuisine.

— Voyons, mademoiselle Forain, je peux très bien enlever mon manteau sans aide.

— Et moi, j'peux toujours faire mon travail de ménagère.

Pour ne pas heurter la susceptibilité de sa domestique, il lui remit le vêtement.

— Le vicaire Chicoine est-il revenu de sa visite de l'école Sainte-Anne?

— Oui. Présentement, il lit son bréviaire.

Une ville de la taille de Douceville exigeait la présence d'un vicaire, ou même de deux. L'évêque songeait à scinder la paroisse en deux. Autrement, il faudrait ajouter un autre ecclésiastique pour assurer le service à la communauté. Ces derniers temps, le curé abandonnait volontiers les visites et l'encadrement des plus jeunes pour se présenter au confessionnal plusieurs après-midi par semaine afin d'entendre les péchés des vieilles dames.

— Et Sophie?

— Votre nièce a dormi un moment, mais maintenant elle doit se trouver dans le salon.

L'abbé Grégoire allait quitter le hall pour rejoindre la couventine quand la servante demanda:

— Croyez-vous qu'elle pourra retourner au couvent cette année?

— … Cela dépendra de son état de santé. Dans une semaine, elle sera sans doute rétablie.

— Bin, si c'est vrai qu'a gardait rien dans l'estomac, le mieux s'rait qu'elle reste icitte. J'aime ça, m'en occuper, est fine comme une soie.

Le curé lui adressa un sourire ému, puis murmura:

— Je sais. Vous êtes bien bonne, mais une jeune fille dans un presbytère, cela peut faire jaser.

— Voyons, une parente à vous.

Toutefois, mademoiselle Forain n'insista pas. C'était vrai, la moitié des bonnes âmes de Douceville s'inquiéteraient de la présence d'une adolescente au presbytère.

Grégoire se rendit dans le salon. Sans faire le moindre bruit, il se planta devant la porte laissée ouverte. Comme cette jeune fille était jolie! Blonde, toute mince, même le méchant uniforme des sœurs de la Congrégation de Notre-Dame ne diminuait pas son charme.

— Sophie, murmura-t-il.

— Oh! Mon oncle, je ne vous ai pas entendu.

— J'arrive à me faire léger comme une souris.

Imaginer le curé sous la forme du petit rongeur tira un sourire amusé à Sophie. Oui, il s'agissait d'une jolie jeune fille. Toutefois, les cernes sous ses yeux lui causaient quelque souci.

❖

Le 15 avril, toute la chrétienté célébrait la résurrection de Notre-Seigneur Jésus-Christ. Grâce à l'absolution reçue le mercredi précédent, Aldée se dirigea vers l'église d'un pied plutôt léger, flanquée de sa collègue. Ainsi, au moment de la communion, elle pourrait montrer à toute la communauté que son âme avait été débarrassée de ses fautes. Elle regrettait que son travail l'empêche d'assister à la grand-messe, où se rassemblaient la majorité des paroissiens. Comme ses sorties avec Félix, dans une aussi petite localité que Douceville, n'avaient pu passer inaperçues, la petite bonne souhaitait recevoir la même publicité au moment de faire ses Pâques.

Quand les deux domestiques revinrent de l'église, Graziella força le pas en bougonnant :

— D'la volaille à Noël, pis du cochon à Pâques. Au moins, j'ai pas à me casser la tête pour le menu.

— Vous savez qui seront les invités ?

— Les mêmes qu'au jour de l'An. Des parents des alentours. Comme monsieur a réussi, c't'à lui de r'cevoir, les jours de grandes fêtes. Y s'ront plus de douze à table !

À ces occasions, la cuisinière devait se surpasser, multiplier les services, puis sortir les couverts de porcelaine anglaise réservés aux grands jours. La possibilité de boire de nouveau réjouissait les hommes. Certains avaient attendu l'après-midi du Samedi saint une dive bouteille à la main. Dive pour divine. Heureusement, le docteur Turgeon prêchait contre les abus de toutes sortes, aussi le personnel n'avait pas à craindre de nettoyer les débordements d'estomacs en révolte après une longue abstinence.

❀

Malgré la température encore fraîche, les collégiens ne portaient plus que le suisse. Après Pâques, les toilettes printanières s'imposaient. Georges lançait des regards obliques à son meilleur ami. Ces derniers jours, Félix s'était montré préoccupé, sombre même. Cela n'était certes pas dans ses habitudes.

— Tu veux t'arrêter un moment à la maison ?

— … Pourquoi pas.

L'incertitude cadrait mal avec sa pétulance coutumière. Depuis une dizaine d'années, le collégien semblait considérer la maison des Turgeon comme un second chez-soi.

Georges ouvrit la porte, puis entra le premier. Comme toujours, Aldée apparut à l'autre bout du couloir, sur le seuil de la cuisine.

— Bonjour ! lança Georges. Ma sœur est-elle déjà revenue ?

Avant que la domestique n'ouvre la bouche, une voix provint du salon :

— Je suis là.

Alors que le fils de la maison allait la rejoindre afin de laisser un moment d'intimité aux deux autres, Félix prononça d'une voix grinçante :

— Bonsoir, mademoiselle Aldée. Tu te fais rare, ces derniers temps, non ?

La jeune servante se contenta d'un geste pour le saluer. Le visiteur rejoignit ses hôtes sans un mot de plus. Elle retourna dans la cuisine pour aider à la préparation du souper.

— Y veulent-tu queque chose ? voult savoir Graziella.

— Je ne sais pas.

— T'es bin lunatique ces jours-cittes ! Va leur demander.

La vieille dame allait déjà prendre la bouilloire sur une étagère pour y verser de l'eau. La plupart du temps, les jeunes gens lui réclamaient du thé. Pendant ce temps, sa collègue ne bougeait pas.

— Bon, bin, excuse-moé, j'voulais pas te brusquer. T'as pas l'air dans ton assiette. As-tu reçu de ses nouvelles ?

Graziella continuait de croire – ou de feindre de croire – à la possibilité d'une idylle entre Vallières et la jeune fille. Aldée mit un long moment avant de répondre :

— Non. Autant oublier cette histoire.

— … Là, je prépare le thé, mais tu devrais tout de même leur demander ce qu'ils veulent.

Refuser de faire son travail ne ferait qu'augmenter les soupçons de la cuisinière. Rassemblant son courage, Aldée se dirigea vers le salon, puis se tint dans l'embrasure de la porte pour demander :

— Désirez-vous que je vous apporte quelque chose ?

Soigneusement, elle détournait son regard du fauteuil de Félix, pour fixer Corinne. La jeune fille consulta les autres des yeux, pour en venir à la réponse ordinaire :

— Du thé et des biscuits.

— L'eau doit déjà bouillir.

Quand la domestique fut partie, la jolie blonde essaya de lancer la conversation.

— Félix, vas-tu souper avec nous ?

— … Je ne pense pas.

Le ton était tellement morne qu'elle l'interrogea :

— Quelque chose ne va pas ? Papa pourrait te recevoir en consultation, tu sais.

— Non, non. Parfois, quand on mange à la presse…

Un geste de la main devant sa poitrine devait illustrer un estomac embarrassé. Puis il se leva en murmurant :

— Excusez-moi.

Comme le scénario se répétait avec régularité, le frère et la sœur connaissaient sa destination. Dans le couloir, Félix monta quelques marches, puis s'appuya au mur pour attendre. Bientôt, Aldée réapparut, un plateau dans les mains. Il se pencha sur la rampe :

— Je veux te parler.

Le visage de la domestique exprima un grand désarroi.

— Je suis au travail.

— Seulement une minute. Je t'attends sur le palier.

Elle continua son chemin vers le salon, posa son fardeau sur une table basse.

— Merci, dit Corinne. Je vais faire le service.

La jeune fille aimait jouer à la maîtresse de maison lors des rencontres avec des personnes de son âge. Aldée demeura un moment immobile, puis quitta la pièce. De nouveau, Félix attira son attention avec un « Psssst » peu discret. Il se tenait maintenant en haut de l'escalier. Aldée regarda en direction de la porte du salon, puis de celle de la cuisine, pour s'assurer que personne n'entendait. Ce garçon ne la laisserait pas tranquille, alors elle se résolut à le rejoindre.

— La semaine dernière, tu n'es pas venue à notre rendez-vous, commença-t-il.

— Je devais travailler.

— Et demain ?

Cette fois, la jeune fille devait lui communiquer sa résolution.

— Ni demain ni jamais.

Déjà, elle tournait les talons pour descendre. Félix saisit son bras juste au-dessus du coude pour l'en empêcher. Il n'avait guère l'habitude qu'on lui résiste, ni qu'on ignore ses rendez-vous.

— Comment ça, tu ne me verras plus?

Sous sa poigne solide, Aldée laissa échapper un cri perçant. Tellement que Corinne l'entendit dans le salon. Elle se leva d'un bond en disant:

— Il doit être tombé.

Faisant abstraction de la voix haut perchée, la jolie blonde pensait à une chute de son visiteur. Depuis le bas de l'escalier, elle aperçut le couple sur le palier et entendit la fin de la conversation.

— Laisse-moi, tu me fais mal.

Corinne voulut intervenir, mais la suite la fit taire.

— Demain, tu viendras, ordonna le jeune homme.

— Non, plus jamais! Tu te comportes en…

Le mot «goujat» ne figurait pas à son vocabulaire, aussi elle en choisit un autre:

— En débauché.

— Ça fait des mois que je te paye à souper tous les mercredis, et tu me remercies de cette façon?

En y mettant toute sa force, la petite bonne réussit à se dégager pour descendre l'escalier. Tout de suite, elle fut devant sa jeune patronne. Le saisissement la figea d'abord, puis elle accéléra le pas, murmura «Pardon» en contournant la blonde, puis s'éclipsa dans la cuisine.

Corinne demeurait immobile, comme paralysée, le visage levé pour voir Félix.

— Je… commença le garçon, pour s'interrompre aussitôt.

Lui aussi s'excusa en passant près d'elle, puis il marcha directement vers la porte, attrapa son manteau et quitta la maison. Un peu sonnée, Corinne revint dans le salon.

— Je t'avais demandé, pour Félix et Aldée, et tu m'as menti.

Georges ne savait quelle contenance adopter. Quand sa sœur se cacha le visage dans les mains pour éclater en sanglots, il se sentit affreusement ennuyé.

❊

— Seigneur Jésus, veux-tu me dire qu'est-ce t'as vu ?

Les épaules d'Aldée se soulevaient à cause de ses pleurs. La jeune servante passa devant Graziella sans s'arrêter ni répondre, pour aller s'enfermer dans les toilettes.

— Aldée, qu'est-ce t'as ? T'es malade ?

L'adolescente ne réagit ni à la voix ni aux coups de la cuisinière contre la porte. Toutes ses craintes des derniers mois se concrétisaient. Très vite, madame Turgeon serait mise au courant de ses sorties avec un ami de la maison. Son renvoi serait immédiat. Pour s'éviter la honte d'une pareille situation, mieux valait partir tout de suite, sans dire un mot à qui que ce soit. Quelques heures de marche la séparaient de Saint-Luc, cette nuit elle coucherait dans son petit lit.

Puis l'impossibilité d'un tel projet lui sauta aux yeux. D'abord, elle n'entrait plus dans sa robe de novembre dernier, et l'idée de garder son uniforme, et plus encore les vêtements donnés par Corinne, lui était insupportable. Pire, son père lui refuserait peut-être l'accès à la maison. Prendre la fuite de son premier emploi dans des circonstances scabreuses ruinerait la réputation de toute sa famille.

❊

Quand Délia revint à la maison à la fin d'un après-midi à papoter une tasse de thé à la main, sous prétexte de bonnes œuvres, ce fut pour trouver son fils dans le salon, une mine d'enterrement sur le visage.

— Tu n'as pas une terrible nouvelle à m'annoncer, j'espère.

— Terrible, je ne sais pas. Préoccupante, certainement.

La mère vint se planter devant le siège de Georges.

— Je ne vois pas ta sœur, dit-elle. La nouvelle qui te préoccupe la concerne assurément. Où est-elle ?

Le garçon baissa la tête, puis confia :

— Dans sa chambre.

Devant son silence, Délia se souvint du gamin honteux d'un mauvais coup, des années plus tôt. Il avait en ce moment la même attitude. Elle s'installa sur le canapé avant de poursuivre :

— Alors ?

— Tu sais que Félix lui plaît.

— Depuis l'âge de six ans, elle le voit comme la huitième merveille du monde.

Après une pause, elle se corrigea :

— Non, pas la huitième, la première !

— Tout à l'heure, elle a entendu une conversation entre Aldée et lui. Depuis le début de l'année, il la voit toutes les semaines.

Délia laissa échapper un long soupir. Corinne n'était plus une petite fille, maintenant des aspirations et des peines de jeune femme l'attendaient.

— Tu me dis qu'il fréquente Aldée.

Il confirma en hochant la tête.

— Comment est-ce possible ? Jamais elle ne quitte la maison.

— Tous les mercredis, il va la rejoindre juste après l'école. Ils se donnent rendez-vous au parc.

Ainsi, la jeune domestique si timide, rougissante à la moindre situation nouvelle, avait attiré l'attention de cet apprenti séducteur.

— Donc, toi, tu le savais. Tu vas me dire ce qu'il cherchait avec une petite employée de maison.

En réalité, Délia se doutait bien de ce dont il s'agissait.

— … Au tout début, il m'a dit ne pas vouloir arriver au mariage complètement niaiseux.

Et dans ce but, le garçon avait décidé de faire son apprentissage avec une jeune vierge, innocente au point de ne pas connaître le mot « règles ». Pareil cynisme la révoltait.

— Et tu n'as jamais songé à me le dire !

— Ça ne portait pas à conséquence. Il lui chantait un peu la pomme, c'est tout.

— Chanter la pomme ? Penses-tu qu'Aldée cherchait elle aussi à prendre un peu d'expérience dans le jeu de la séduction, pour se préparer au mariage ?

Georges secoua la tête de droite à gauche.

— Donc, pour elle, cela portait à conséquence. Et aussi pour ta sœur, tu ne crois pas ?

Dans son for intérieur, Délia se promit d'avoir, un jour prochain, une petite conversation avec son fils sur la façon convenable de traiter les femmes. Pour le moment, elle avait plus urgent à faire.

— Bon, je vais voir Corinne.

Comme sa mère se levait pour sortir de la pièce, Georges avoua :

— Il y a un mois peut-être, elle m'a demandé s'il se passait quelque chose entre eux. Je lui ai dit non.

— Alors, je te souhaite de trouver les mots pour rétablir les ponts avec elle. On peut cesser de voir ses amis, mais pas les membres de sa famille.

La réconciliation entre la sœur et le frère viendrait certainement, mais ce serait après quelques échanges aigres-doux.

Pendant de longues minutes, Aldée était restée enfermée dans les toilettes. D'abord, le son de ses pleurs parvint à Graziella. Ensuite, le silence l'alarma plus encore. Enfin, la jeune fille entrouvrit la porte, juste un peu.

— Seigneur Dieu ! Vas-tu me dire ce qu'y se passe ?

La cuisinière invoquait de nouveau en vain le nom du Seigneur. Ce péché lui vaudrait un passage au confessionnal.

— Je dois quitter cette maison. Je monte faire ma valise.

— Tu veux pas me parler ?

Sans répondre, Aldée s'engagea dans le petit escalier discret. À cet instant, une odeur de brûlé attira l'attention de la vieille domestique. Pour une personne de son expérience, laisser des patates coller au fond du chaudron constituait une faute professionnelle grave.

Son désarroi s'accrut encore quand elle constata la présence de madame Turgeon dans l'entrée de la cuisine.

— J'vas m'occuper de ça. Craignez pas, vous verrez pas la différence.

— Ce soir, personne ne prêtera attention à la qualité de la nourriture, je crois. La petite n'est pas ici ?

— Elle parle de s'en aller. Là, a fait sa valise.

Délia devinait sans mal le malaise de son employée et son désir de se trouver loin de leur maison.

— C'est quoi qu'y se passe ?

— Je viendrai vous parler ce soir. En attendant, faites en sorte qu'elle ne se sauve pas.

— Bin, si a veut sortir, j'peux pas l'attacher.

— Vraiment, vous ne pouvez pas ?

Le petit sourire en coin de la patronne allégea beaucoup l'anxiété de Graziella. Les choses rentreraient bientôt dans l'ordre. Se consacrer à la préparation du souper l'empêcherait de se poser trop de questions.

De son côté, en gravissant l'escalier, Délia perdit totalement son sourire.

Chapitre 26

Les trois petits coups contre la porte n'obtinrent aucune réponse, aussi après quelques instants, Délia entra. Corinne était étendue de tout son long sur le lit, la figure enfouie dans son oreiller. Elle leva la tête pour montrer un visage chiffonné, larmoyant, alors que ses cheveux défaits pendaient lamentablement.

— En voilà toute une histoire pour un garçon qui n'est rien pour toi.

La jeune fille écarquilla les yeux, bientôt ses sanglots reprendraient de plus belle.

— Car tu n'es pas fiancée à Félix, j'espère.

La mère prit le temps d'aller chercher la chaise près de la petite table de travail et de la mettre près du lit pour s'y asseoir.

— Rassure-moi, insista-t-elle. Tu n'es pas fiancée secrètement à Félix, n'est-ce pas ?

Corinne fit non de la tête.

— Tu ne lui as jamais déclaré ton amour, et lui non plus ?

Le même mouvement se répéta.

— Il n'y a jamais eu de privautés entre vous ?

— Jamais ! Que vas-tu penser là !

La dénégation s'accompagnait d'une rougeur sur les joues. L'adolescente demeurait «intacte». Toutefois, son attirance pour Félix amenait la mère à penser que sa résistance aurait cédé bien vite.

— Mais tu l'aimais assez pour cela !

Dans la bouche d'une autre mère, la remarque aurait été une condamnation. Pour Délia, il s'agissait seulement de reconnaître un amour sincère. Après tout, la Juliette de Shakespeare avait exactement l'âge de Corinne, et sa déception l'avait tuée. Madame Turgeon ouvrit les bras, la jeune fille vint s'y réfugier. Avec l'une sur une chaise, l'autre sur le lit, l'étreinte ne pouvait durer longtemps. Quand chacune eut repris ses aises, la couventine paraissait plus sereine.

— Que sais-tu, exactement, pour te mettre dans un état pareil ?

— … Tous deux étaient sur le palier. Il la tenait fermement par le bras tout en lui disant qu'il voulait la voir demain.

— Et elle, que disait-elle ?

— Qu'elle ne le reverrait plus.

Évidemment, dans l'exercice des fonctions d'Aldée, les rencontres entre elle et Félix survenaient tous les deux jours. Une domestique ne choisissait pas qui ses patrons recevaient. Elle parlait des rencontres illicites.

Déjà très roses, les joues de Corinne prirent soudainement une teinte violette.

— Et encore ?

— Elle l'a traité de débauché.

Ainsi, même si sa fille lui assurait que Félix avait toujours gardé ses mains pour lui, le garçon avait su se montrer entreprenant avec une autre.

— Selon Georges, commenta sa mère, la situation durait depuis un certain temps.

— Des mois ! Il a dit qu'il lui payait à souper depuis des mois. D'ailleurs, il se servait de cela comme d'un argument pour la forcer à le revoir.

Délia hocha doucement la tête, sans dire un mot. Corinne comprit toutefois très bien. Félix entendait qu'Aldée lui obéisse, comme si payer lui donnait des droits sur elle. Tout à coup, le grand blond lui parut beaucoup moins sympathique.

— Je suis heureuse que cette situation n'ait pas de conséquences fâcheuses pour toi.

Comme la jeune fille allait protester, sa mère leva la main pour la faire taire.

— Il ne t'a rien promis, pas plus que toi. Aucune parole, aucun geste pouvant être perçus comme un engagement. Pourquoi t'en ferais-tu plus que de raison, s'il est sorti avec une domestique dans l'espoir de profiter d'elle ? Cela fait de lui un parti méprisable.

Excepté quelques camarades de son âge, personne ne connaissait son engouement pour Félix. Corinne attendait de rencontrer son premier prétendant, et celui-ci n'aurait pas la crainte d'arriver sur un territoire déjà exploré par un autre. Mieux valait paraître s'amuser maintenant de cette petite vanité, avec l'espoir d'en être bientôt débarrassée pour de vrai.

La blonde hocha la tête. Avant de la quitter, Délia voulut s'assurer que la leçon porterait.

— Les hommes les plus sûrs d'eux ne font pas nécessairement les meilleurs compagnons. À beaucoup d'égards, les timides comme ton frère…

— Oh ! Lui…

— … ou ton père sont des présences plus rassurantes.

Corinne ne pouvait qu'approuver la dernière partie de l'assertion.

— Nous sommes déjà en retard pour le souper. Te joindras-tu à nous ?

— Je ne dois pas être très belle à regarder.

— Rien qu'un petit passage à la salle de bain ne pourra pas réparer.

La jeune fille quitta le lit pour rejoindre sa mère. Avant d'ouvrir la porte, Délia lui chuchota :

— Quant à Georges, comme il demeurera ton frère toute ta vie, autant te réconcilier avec lui.

Les deux enfants avaient reçu la même directive. Un peu de bonne volonté de part et d'autre, et tout finirait par rentrer dans l'ordre.

— Toutefois, je t'autorise à utiliser tous les gros mots que tu connais pour lui reprocher son comportement.

Madame Turgeon ne doutait pas du tout que Corinne profiterait de cette permission.

❈

Quand la mère et la fille entrèrent dans la salle à manger, elles découvrirent les hommes de la maison en train de souper. Le docteur mangeait plutôt rapidement ; son empressement était dû à ses consultations de la soirée. Georges ne quitta pas son assiette des yeux.

— Madame, annonça Graziella, ce soir je ferai seule le service.

Comme Délia lui jetait un regard interrogateur, elle continua :

— Elle m'a promis de ne pas bouger.

Sans rien connaître au drame de la fin d'après-midi, Évariste adressa un sourire à Corinne, puis il chercha à lancer la conversation.

❈

Pour la seconde fois de la soirée, Délia devait s'entretenir avec une jeune fille aux abois. La scène paraissait se répéter, mais dans un cadre beaucoup plus miséreux : la chambrette sous les combles. Là aussi, une adolescente était allongée sur le lit, visiblement ravagée par l'angoisse. La patronne prit une chaise branlante, s'installa près d'Aldée.

— Depuis quand vois-tu Félix ?

— Il m'a proposé de l'attendre au parc juste avant Noël, j'ai accepté après les fêtes. Depuis, je l'ai revu tous les mercredis, sauf ceux où il n'est pas venu. Avec une exception le 11 avril. À la place, je suis allée m'entretenir avec monsieur le curé, qui m'a dit de ne plus revoir monsieur Félix, et c'est ce que je lui répétais tout à l'heure.

La confrontation entre Aldée et le garçon avait eu lieu près de trois heures plus tôt. La jeune fille avait pleuré pendant toute la première heure qui avait suivi. Les deux autres lui avaient servi à concocter un récit des événements susceptible de la mettre sous le meilleur éclairage. La référence à l'abbé Grégoire et sa résolution à lui obéir restaureraient peut-être un peu sa réputation.

— Lors de ces rencontres, qu'avez-vous fait ?

— Nous sommes allés manger au Café Richard chaque fois. Nous nous promenions ensuite dans la ville.

Jamais elle ne mentionnerait la visite dans le hangar à bateau, à moins que Félix n'en parle. Toutefois, passer la soirée du Mardi gras sous silence comportait un risque : trop de personnes l'avaient aperçue, quelqu'un pouvait soupçonner son identité.

— Nous avons couru le Mardi gras ensemble.

— Le cousin muet qui l'accompagnait, c'était toi ?

Aldée acquiesça d'un signe de la tête. S'habiller en garçon pour courir les rues comptait-il pour un accroc impardonnable à la morale, aux yeux de cette bourgeoise ? Délia s'intéressait à des fautes infiniment plus graves.

— Lors de vos sorties, ce garçon a dû se montrer très entreprenant.

— … Non. Il s'est montré respectueux.

Dire les choses autrement, ce serait avouer sa participation au péché de la chair. Les yeux de sa patronne devinrent plus sévères.

— C'est pour cela que tu le traitais de débauché, en haut de l'escalier ?

Les mots entendus par Corinne l'obligeaient à modifier sa version. Aldée soupira doucement, parut trembler un peu.

— Je n'ai jamais voulu, je vous le jure, mais il est plus fort que moi.

Cette fois, il s'agissait d'un aveu, mais avec de fortes circonstances atténuantes. Pour ce que la bourgeoise savait de Félix, cette version des événements lui paraîtrait plus crédible. Délia soupçonnait une réalité plus ambiguë : une recherche de plaisir chez la domestique, ou plus prosaïquement du bon parti. Toutefois, elle ne pousserait pas plus loin.

Le confesseur de la jeune fille se livrerait peut-être à une véritable inquisition. Cependant, la connaissance qu'avait la femme du médecin des habitudes de l'abbé Grégoire l'amenait à penser que ce ne serait pas le cas.

Pour Aldée, nier la part de plaisir octroyée par ces rencontres était essentiel. De toute façon, clamer avoir été entraînée réduisait déjà beaucoup sa faute.

— A-t-il poussé son avantage jusqu'à… te prendre ?

Délia n'osait pas se faire plus précise. La bonne ne parut d'abord pas comprendre. Puis, quand le sens de la question s'éclaira, elle s'écria :

— Non, madame, jamais ! J'en fais le serment !

Un peu plus tôt, Aldée lui assurait que Félix se comportait en gentleman, pour ensuite admettre le contraire, alors ce serment ne pesait pas lourd. La patronne eut néanmoins le sentiment que la domestique disait la vérité. Quand elle quitta sa chaise, Aldée demanda :

— Allez-vous me renvoyer ?

Le ton de désespoir toucha Délia. La diffusion de ragots concernant la moralité de la bonne risquait de porter préjudice à toute la maisonnée, mais il lui était impossible de se résoudre à la jeter à la rue.

— Non, dans la mesure où tu t'en tiendras à ta résolution de ne plus le voir en dehors de cette maison.

— Je respecterai la recommandation de monsieur le curé et la vôtre, je vous le jure.

Délia posait sa main sur la poignée quand Aldée précisa, sur un ton un peu désespéré :

— Mais il sait se montrer très insistant…

— Oh ! Je pense qu'après la scène de ce soir, il le sera moins.

La patronne ouvrit la porte, puis la referma, comme si une idée lui venait soudainement.

— Comme tu n'as pas fait ton travail ce soir, demain, je compte te voir à ton poste.

— Bien sûr, si vous voulez.

— Ainsi, tu ne le rejoindras ni au parc ni ailleurs.

— De toute façon, je vous jure que je ne serais pas sortie de la maison.

Son désir d'être crue l'incitait à jurer beaucoup. Cela aussi constituait un péché, mais infiniment moins grave que l'impureté.

— Je vais devoir parler à Graziella. La pauvre doit se poser bien des questions, ce soir.

Aldée acquiesça de nouveau d'un signe de la tête. Si le pire lui était épargné, sa fierté serait passablement écorchée.

Décidément, depuis quelques semaines les nuits d'Aldée se ressemblaient toutes : un sommeil agité et de longues périodes d'éveil. Si la générosité de madame avait effacé son anxiété pour son avenir matériel, la bonne devait maintenant affronter le regard des habitants de la maison. Chacun porterait certainement un jugement sur son comportement dans toute cette affaire. Elle n'en sortirait pas grandie.

Son juge le plus redoutable serait sa collègue. En descendant à la cuisine tôt le lendemain matin, la jeune domestique murmura un « bonjour » sans conviction, puis s'occupa de poser les couverts sur la desserte. Soigneusement, elle évitait de regarder Graziella.

— Des gars, y en a des comme ça. Beaux, avec des belles paroles pis un cœur sec.

Ainsi, sans la déclarer tout à fait innocente, la cuisinière lui reconnaissait des circonstances atténuantes.

— Je ne voulais pas…

— Tu voulais devenir la maîtresse d'une grande maison. J'te comprends, la vie de servante, c'est pas une position.

Toutes les domestiques effectuaient ce travail pour éviter de crever de faim. Les unes rêvaient encore d'échapper à leur condition, les autres se résignaient.

— Les femmes peuvent pas êt' docteur ou notaire, ou n'importe quoi, y reste pas d'autre moyen que le mariage pour en sortir.

Pour les personnes de leur sexe, faire sa place dans le monde se limitait à trouver le bon parti ou à devenir religieuse.

— Avec ton joli p'tit minois, ça se pouvait. Mais pas avec un gars comme lui.

Après plus de trente ans passés à servir les autres, la vieille femme devait avoir vu défiler un certain nombre de séducteurs de soubrettes. Mais ce brin de sagesse pouvait aussi découler des paroles de Délia. La patronne était venue voir la cuisinière en quittant la chambre sous les combles, la veille. Dans l'un ou l'autre cas, cette sollicitude mettait des larmes sous les paupières d'Aldée.

— Là, t'es prête à venir servir ?

Se présenter de nouveau devant ces gens intimidait terriblement Aldée. Toutefois, elle ne pouvait pas se dérober. Peu après, les deux femmes entrèrent dans la salle à manger. Inévitablement, tous les regards se portèrent sur la plus jeune. Monsieur lui adressa un petit signe de la tête en guise de salut. Madame y ajouta l'esquisse d'un sourire. Comme d'habitude, Corinne murmura :

— Bonjour Graziella, bonjour Aldée.

Le sourire de la fille de la maison ne compensait pas tout à fait son air désolé. Elle aussi avait beaucoup réfléchi au cours de la nuit, notamment sur sa place dans le monde. Elle estimait qu'un garçon disposé à séduire les domestiques était très nettement indigne d'elle. Une petite bonne pouvait bien se laisser berner, mais pas une élève de la Congrégation de Notre-Dame. En traitant Aldée avec condescendance, elle essayait d'en faire la démonstration.

— Bonjour, mademoiselle.

Malgré des mains tremblantes, la bonne ne renversa rien.

❀

Les jours suivants, au collège, Félix se montra distant. À la fin des cours, il discutait distraitement avec Georges pendant quelques minutes, puis invoquait la nécessité de regagner tout de suite son domicile. Il répugnait à être de nouveau confronté à Aldée. Le vendredi suivant, Georges trouva tout de même l'opportunité de lui glisser :

— Ma mère désire échanger quelques mots avec toi.

— Ta mère ? Je ne pensais pas lui faire un effet pareil.

La bravade sonnait tout à fait faux, aussi le fils du médecin ne jugea pas utile de défendre l'honneur de la famille à coups de poing. D'autant que Félix aurait certainement le dessus.

— Viendras-tu ?

— Bon, je suppose que je peux lui faire ce plaisir.

— Elle t'attendra à huit heures.

Ils se séparèrent devant l'établissement d'enseignement.

❖

La famille Turgeon était installée au salon. Évariste venait de recevoir quelques disques par la poste, il se tenait à côté du gramophone pour les écouter, l'un à la suite de l'autre. Après un coup d'œil en direction de l'horloge placée sur le linteau de la cheminée, il grommela :

— Décidément, pour un visiteur assidu, il pourrait être ponctuel.

Sur le canapé, Corinne arrivait mal à faire semblant de lire un magazine. La venue de l'indélicat dans la maison l'embarrassait. Devrait-elle le saluer, ou lui tourner le dos ?

— Quand il arrivera, je pourrai lui parler moi-même, déclara le docteur.

— D'habitude, tu me laisses le soin de m'occuper de la gestion des domestiques, remarqua Délia.

Son mari lui adressa un petit sourire de connivence. Le jeune Pinsonneault ne gagnerait probablement pas au change.

Des coups résonnèrent contre la porte alors qu'il était presque huit heures et demie. Personne ne bougea. Aussi, Aldée dut venir de la cuisine pour ouvrir. En voyant Félix devant elle, elle recula d'un pas. Pourtant, elle réussit à articuler :

— Bonsoir, monsieur.

Les yeux du visiteur lui exprimèrent tout son mépris. Sans lui répondre, il alla se planter devant l'entrée du salon.

— Monsieur Turgeon, madame, Corinne, Georges, je vous souhaite le bonsoir.

La blonde fut la seule à le saluer d'un signe de la tête. Devant ce silence, il continua :

— Madame, vous voulez me voir, je pense.

Délia quitta son siège en lui indiquant :

— Nous allons nous rendre dans le bureau de mon mari. Vous connaissez le chemin, n'est-ce pas ? Passez devant.

Délia aurait été gênée que Félix marche derrière elle. Ses petits exercices de séduction, lors de rencontres précédentes, lui laissaient un mauvais souvenir. Dans le cabinet, elle lui désigna la chaise réservée aux patients, occupa celle du praticien. Déjà, cela lui donnait un petit avantage.

— Monsieur Pinsonneault, je vous demande de ne plus approcher Aldée.

— Votre domestique ? Pourquoi diable voudrais-je l'approcher ?

— Cela, vous le savez très bien. Croyez-vous vraiment que vos regards échappent aux femmes ?

Au lieu de rougir de voir sa concupiscence si bien décelée, Félix lui adressa un sourire goguenard. Être perçu comme un homme à femmes, un *womanizer*, disaient les magazines de langue anglaise, le remplissait de fierté.

— Évidemment, je vous demanderai de tenir la même distance entre Corinne et vous.

Cette fois, il accusa le coup.

— Vraiment, vous ne pouvez contrôler mes allées et venues, ni les personnes auxquelles je m'intéresse.

— Dans ma maison, certainement.

— Mais pas à l'extérieur ?

Le garçon affichait un air de défi, comme s'il était assuré de son impunité.

— Oh! Vous ne connaissez pas notre petit comité de moralité publique?

Délia venait de capter son attention.

— Toutes les bourgeoises de cette ville se réunissent deux, trois fois par semaine. Je crois que vous représentez le parti le plus détestable de Douceville. Si je partage cette opinion avec certaines voisines lors de la prochaine soirée d'euchre, dès le lendemain, plus aucune mère ne vous voudra comme gendre. Et la très grande majorité des pères seront du même avis.

À la lumière électrique, le rouge sur les joues du jeune homme se distinguait très bien. Pareil ostracisme pouvait entraîner une mort sociale.

— Dans ce cas, vous aurez intérêt à vous chercher une épouse très loin d'ici. Qui sait jusqu'où un bruit peut courir.

Dans un plan de carrière, un bon mariage pouvait représenter un raccourci extraordinaire. Surtout pour un bel homme rompu au jeu de la séduction. Cette fois, ce fut à Délia d'esquisser un sourire narquois.

— Évidemment, comme je pense que Georges saura résister à votre charme, rien ne vous empêchera de le voir…

La mère doutait toutefois que son fils entretienne cette relation d'amitié bien longtemps encore.

— Nous nous sommes bien compris?

Félix mit un moment avant d'acquiescer.

— Merci d'être venu. Maintenant, je vous raccompagne vers la sortie.

De nouveau, elle veilla à ce qu'il marche devant elle, peu désireuse d'avoir son regard sur sa silhouette. Le garçon sortit sans prononcer le moindre bonsoir. Délia revint ensuite dans le salon en arborant un air satisfait.

❀

Les quelques jours passés depuis sa dernière conversation avec Félix avaient permis à Aldée de se remettre de ses émotions. Le dimanche matin suivant, en entrant dans l'église Saint-Antoine, elle avertit Graziella :

— Je vais m'arrêter ici.

Des yeux, elle désignait la curieuse armoire où les paroissiens venaient énumérer leurs péchés. Dans les circonstances, la jeune fille devait afficher une moralité sans faille. Son passage hebdomadaire devant la sainte table rassurerait les bonnes âmes. C'était une façon de colmater la brèche que ses rendez-vous avec le fils Pinsonneault avaient infligée à sa réputation. Après une faute publique, il fallait faire amende honorable.

Peu après, elle s'agenouilla dans le confessionnal. Quand le guichet s'ouvrit, sans autre préambule, elle confia :

— Mon père, j'ai dit à ce garçon que je ne voulais pas le revoir, et madame lui a demandé d'éviter la maison.

Le prêtre demeura un moment muet, cherchant dans son souvenir quelle conversation déjà commencée la jeune fille venait poursuivre.

— Vous êtes la domestique du docteur Turgeon ?

— Oui, monsieur le curé.

— Je suis heureux que vous ayez trouvé une solution à votre… situation délicate.

L'abbé ne serait peut-être pas prêt à lui signer tout de suite un certificat de moralité pour qu'elle puisse devenir maîtresse d'école, mais elle ne risquait plus de se voir refuser la communion.

— Depuis notre dernière rencontre, les occasions de pécher se sont-elles multipliées sur votre route ?

— Oh ! Non.

— Tout de même, vous allez me dresser une petite liste de vos fautes, avant que je ne vous donne l'absolution.

La voix semblait amusée. Sans doute le plaisir de voir une âme revenue dans le giron de l'Église.

❅

Après s'être confessée et avoir reçu la sainte communion, Aldée se sentait presque de bonne humeur. Sur le chemin du retour, les thèmes familiers revinrent dans la conversation. Tous les Turgeon semblaient résolus à recevoir l'eucharistie ce dimanche, car aucun ne manifesta l'intention de manger quoi que ce soit avant la grand-messe, pas même une petite rôtie. Aussi Graziella vérifia la cuisson de la volaille dans le four, puis elle s'intéressa aux légumes.

À voir l'air songeur de la cuisinière, Aldée pressentit une intrusion imminente dans sa vie privée. Cela ne manqua pas.

— Écoute, la p'tite, j'sais que ça me regarde pas, mais le jeune menuisier, y te disait-tu de quoi ?

Décidément, avec trente ans de moins, la cuisinière se serait sans doute jetée dans ses bras, tellement cet homme lui restait en mémoire.

— Moi, les hommes, vous savez, je vais m'en passer désormais.

— Ouais, ça va bien de dire ça à dix-sept ans. Mais si t'attends d'avoir mon âge pour t'y intéresser, tu vas voir, tu pogneras moins qu'aujourd'hui.

Le dépit dans la voix toucha Aldée. Malgré toutes les déclarations d'indifférence de la vieille femme, son célibat était pénible. Un bref instant, la jeune domestique s'imagina à cinquante ans en train de peler des patates dans la cuisine d'étrangers.

— Pis, ma question, c'était pas si les hommes t'intéressaient, mais si ce gars-là pouvait t'intéresser.

La nuance valait d'être faite. Aucune femme ne partageait la vie des hommes, mais d'un seul.

— Il s'agit sans doute d'un gentil garçon.

Elle se revit avec une tasse de bouillon de bœuf à la main, près du petit comptoir de l'édifice du marché. Elle se sentait plus à l'aise auprès de ce gaillard qu'en compagnie d'un garçon faisant ses humanités.

— Mais maintenant, avec mon histoire, personne ne voudra de moi.

Qui accepterait de ne pas être le premier? Bien sûr, Aldée n'était pas allée «jusqu'au bout», Félix s'était arrêté avant. Son abandon n'aurait pas été volontaire, mais le curé ne s'y trompait pas: elle s'était exposée de façon répétée à ce que cela arrive.

— C'est drôle, j'taime bin, mais des fois, j'trouve que tu fais simplette.

Malgré la petite déclaration d'amour en introduction, l'adolescente trouva le jugement cruel. Surtout qu'elle le partageait.

Chapitre 27

Parfois, les gens ne semblaient pas du tout comprendre ce qui était bon pour eux. Dans ce cas, prendre l'initiative à leur place devenait un acte charitable. Graziella se montrait toute disposée à faire preuve de cette générosité.

— Bin là, le soleil chauffe, une sortie fera du bien à mes rhumati'mes. J'ai passé l'hiver dans mon trou. Comme une marmotte.

En même temps, elle essayait de faire tenir sur ses cheveux gris un chapeau de paille ayant vu ses meilleurs jours au siècle précédent.

— Moi, j'aime autant continuer ma lecture.

Autant Aldée avait multiplié les promenades au plus froid de l'hiver, autant elle se faisait casanière avec le retour du beau temps. Sa boulimie de lecture n'avait rien à y faire. Elle craignait plutôt les mauvaises rencontres, toujours possibles.

Dehors, la vieille femme se réjouit de la chaleur du soleil. La mauvaise saison lui devenait de plus en plus pénible. Les longues marches aussi. La manufacture Willcox & Gibbs se situait à bonne distance du quartier bourgeois. En partant peu après cinq heures, elle y arriverait avant le départ des ouvriers.

Toutefois, elle n'avait pas compté avec l'immensité de l'établissement. En parcourant *Le Canada français*, Aldée lui avait appris que des centaines d'ouvriers y travaillaient tous les jours. Heureusement, une barrière empêchait de s'aventurer sur le grand terrain. Dans une guérite, un surveillant contrôlait les allées et venues.

— Y a bin un gars qui travaille icitte, Jean-Baptiste Vallières? Y finit à quelle heure?

— Ciboire, dites-moé pas qu'vous êtes sa mère pis que vous v'nez le chercher après sa journée!

Au moins, elle recevait une réponse positive à sa première question.

— Sa mère? T'es bin insultant, l'jeune! Chus sa blonde pis y m'a mise en famille.

Ce ne fut qu'après la boutade que la cuisinière se demanda si son humour attirerait des ennuis à Vallières. Les collègues du menuisier se moqueraient certainement de lui quand l'histoire ferait le tour de l'usine.

— Bon, asteure qu'tu t'es amusé, vas-tu m'dire quand y finit?

Le gardien préféra répondre sans plus faire le malin.

— Le sifflette est à six heures, mais les patrons prennent toujours une couple de minutes de plus.

— Pis, y va sortir par icitte.

— Vous pourrez pas l'manquer.

Cela représentait une attente debout de quelques minutes. Ses jambes faisaient souffrir Graziella depuis un moment. Heureusement, un poteau de téléphone lui permettrait de s'adosser.

❈

À l'heure annoncée, un coup de sifflet strident signala la fin de la journée de travail. Bientôt, les travailleurs commencèrent à passer la barrière. Ils étaient aussi nombreux qu'à la sortie de la grand-messe le dimanche.

— Hé! Vallières, ta blonde est pas commode!

— Ma blonde ? s'étonna-t-il en s'approchant du gardien.

— Pis a l'air mauvaise. T'a voués pas ?

Du doigt, il montra la grosse femme qui venait de quitter son appui pour venir vers lui. Il fallut un moment au jeune homme avant de la reconnaître. En la rejoignant, il toucha le bord de sa casquette pour la saluer.

— Madame, paraît qu'vous êtes ma blonde.

— Alors, appelle-moé mademoiselle.

Parmi tous les hommes présents, certains les regardaient avec curiosité.

— Si tu veux, on va marcher ensemble pis jaser un peu.

L'artisan hocha la tête, lui désigna la direction sud.

— Comme ça, t'as lâché les patates.

— Les moulins à coudre, c'est plus payant.

Et surtout plus en accord avec ses goûts. Ensuite, Graziella ne sut comment enchaîner, une situation très rare pour elle. À la fin, elle plongea :

— La p'tite, t'a trouvais à ton goût, hein ?

— Aldée ?

Que le prénom lui vienne spontanément rassura tout de suite la domestique.

— Bin, j'sais pas si t'en voyais d'autres, mais moé, j'parle d'Aldée.

— J'étais pas le seul.

Voilà qui illustrait très bien l'absence de vie privée dans une petite municipalité. Devant le silence de la vieille femme, il continua :

— Un p'tit bourgeois avec des habits de séminariste l'a rejointe à l'église.

Graziella réfléchit un instant.

— Tends-tu des collets, l'hiver ?

Elle parlait de ces fils de cuivre déposés sur le trajet des lièvres, pour les capturer.

— … Ça m'arrive.

— Pis, quand tu pognes rien le premier jour, tu laisses tomber pis tu jeûnes ?

Cette façon de présenter les choses tira un rire franc au jeune homme.

— Quand le lièvre est déjà dans l'assiette d'un autre…

— T'es pas sérieux, là. Un gars bâti comme toé qui s'laisse prendre son gibier sous le nez par un p'tit péteux !

Ils marchèrent encore une trentaine de verges, puis elle s'arrêta pour le dévisager.

— A sait pas que chus v'nue te vouère, pis si a l'apprend, a va être en maudit après moé. Tu sais où a l'habite, tu fais c'que tu veux. Moé, j'm'en vas par là.

De la main, elle désignait la gauche. Il la regarda s'éloigner pendant quelques instants, une silhouette courte et large dont le dandinement rappelait celui d'un canard.

✺

Deux mercredis d'affilée, personne ne se présenta à la porte de la cuisine des Turgeon. Aldée en viendrait à connaître par cœur les magazines de sa patronne, tellement elle les parcourait souvent. Puis la troisième semaine, un peu passé sept heures, quelqu'un cogna à la porte.

— J'me d'mande bin qui ça peut être, grogna Graziella en faisant mine de se lever.

— Laissez, je m'en occupe, intervint la jeune fille.

Quand Aldée ouvrit, elle découvrit Jean-Baptiste Vallières. S'il n'avait pas poussé le zèle jusqu'à mettre une cravate, il portait un veston plutôt récent, pas trop fripé.

— Bonsoir, mademoiselle. Vous vous souvenez de moé ?

Sur la meilleure chaise, la cuisinière peinait pour garder son sérieux.

— Évidemment, je me souviens, monsieur Vallières.

Une part d'elle voulait s'élancer dans l'escalier discret pour se cacher dans sa chambre. Ses pieds demeuraient toutefois vissés dans le sol.

— Vous allez bien ? s'enquit-il.

À ce rythme-là, ils en seraient encore à se regarder comme des chiens de faïence une heure plus tard, sans jamais avoir dépassé le niveau des généralités.

— Là, j'me sens de trop, pis j'ai pas envie d'aller me coucher tu suite. Allez donc prendre une marche, les jeunes.

Aldée ne put retenir un sourire, soupçonnant une intervention de sa collègue pour encourager cette visite. Devant cet homme – Félix faisait tellement petit garçon, en comparaison –, impossible de lui en vouloir pour son sans-gêne.

— Vous venez ?

— Le temps de prendre mon chapeau.

Pour le respect des convenances, mieux valait ne pas se promener nu-tête dans les rues. Puis cela lui permit de lancer un regard faussement sévère à Graziella.

Quelques minutes plus tard, ils marchaient tous les deux sur le trottoir de la rue de Salaberry. Le silence pesant à Aldée, elle finit par remarquer :

— Je fais un peu ridicule dans mon uniforme de bonne.

— Pas plus que moi dans mes bleus de travail.

— Justement, vous ne les portez pas ce soir.

Sans doute l'influence de l'Église catholique laissait-elle sur elle une empreinte indélébile, car elle se crut obligée de se confesser.

— Cet hiver, je voyais quelqu'un.

— Je sais, je vous ai vus ensemble.

— Ce n'était pas sérieux, vous savez.

Elle se découvrait le désir impérieux de se dire disponible, tout en sachant que peu de choses concernant ses sorties avec Félix ne devaient demeurer secrètes. Cependant, elle espérait de tout son cœur que leurs ébats dans le hangar à bateau et l'entrepôt de charbon ne soient jamais divulgués à quiconque. Ces égarements la torturaient encore, après toutes ces semaines.

— Moi aussi, j'ai vu des filles les bons soirs. C'est pas nécessaire d'en faire une longue discussion, non? En tout cas, pas aujourd'hui.

— Ce n'est pas nécessaire.

« Pas aujourd'hui », songea-t-elle. Le sujet reviendrait certainement entre eux. Auparavant, mieux valait s'apprivoiser un brin. Tout naturellement, leurs pas les conduisirent vers le parc. D'autres citadins suivaient le même chemin. La température très douce les invitait à prendre l'air. La conversation se poursuivit sur quelques éléments de leur biographie respective. Après une heure, les silences se firent plus longs.

— Comme nous allons travailler tous les deux de bonne heure demain, je vais vous reconduire.

Aldée accepta d'un signe de la tête. Vallières marcha lentement, comme pour étirer un peu plus la durée de leur rencontre.

Soudain, elle se raidit, les traits figés. Félix Pinsonneault venait vers eux, une jeune fille de seize ou dix-sept ans à son bras. À ses vêtements, on reconnaissait une travailleuse, sans doute une employée de magasin.

Machinalement, pour se rassurer, la petite bonne prit le bras de son compagnon. En passant à côté de son galant de tout l'hiver, elle essaya de conserver son regard droit devant elle, le visage impavide. Puis, ses doigts relâchèrent leur étreinte. Vallières y porta la main, pour les garder en place. Lorsqu'ils arrivèrent au domicile des Turgeon, il les tenait encore. Ce ne fut que devant la porte de la cuisine qu'il les abandonna.

— Aldée, j'aimerais que nous recommencions lors de votre prochain congé.

— … Ce serait avec plaisir.

Elle avait la tête rejetée en arrière, pour voir les yeux de son soupirant.

— Si mes habits de travail vous rebutent pas trop, je pourrais venir tout de suite après ma sortie de l'usine.

— Ce sera parfait.

Avec juste un peu plus d'audace, il lui aurait embrassé la joue. De son côté, la jeune fille fut contente qu'il s'en abstienne. Lui ne la bousculait pas.

❋

Déjà la fin du mois de juin. Pendant les quatre dernières semaines, Aldée s'était replongée dans ses manuels scolaires. Jean-Baptiste les lui avait dénichés elle ne savait trop où. Le samedi matin, quand madame Turgeon entra dans la cuisine, la bonne s'inquiéta de voir ses projets voler en éclats. Sa déception était si évidente que Délia s'empressa de dire :

— Je venais tout simplement te souhaiter bonne chance.

— Oh ! Merci. Je suis ennuyée de négliger mon travail un samedi… J'ai déjà pris plusieurs heures pour me préparer. Je vous remercie encore de votre bienveillance.

Il y eut un silence. Pour gommer la gêne, la patronne demanda, bien qu'elle connaisse la réponse :

— Il existe trois catégories de diplôme, n'est-ce pas ?

— Pour l'école élémentaire, l'école modèle ou l'école supérieure, répondit Aldée en hochant la tête.

Dans la province de Québec, le cours primaire comprenait ces trois niveaux. Le diplôme – plus exactement le permis, ou brevet, d'enseignement – le plus difficile à obtenir était le dernier. Aldée avait déjà renoncé à viser celui-là.

— Tu n'as pas l'intention de nous quitter en septembre pour aller enseigner ?

Cette réponse aussi, elle ne l'ignorait pas.

— Non. Je ne serais pas mieux qu'ici. Toutefois, Jean-Baptiste me dit qu'après des années à me préparer, je suis aussi bien d'aller passer cet examen, ne serait-ce que pour faire encadrer le brevet et l'accrocher dans ma chambre.

— Voilà une bonne idée. En somme, il s'agit de ton certificat de fin d'études.

Penchée sur sa vaisselle du matin, Graziella ressentait une fierté quasi maternelle. La petite lui faisait honneur.

— Ce matin, Corinne est partie très tôt. Elle m'a demandé de te donner ceci, pour te porter chance.

La fille de la maison se remettait très bien de la petite blessure à son amour-propre, assez pour retrouver sa sympathie à l'égard de la petite servante. D'ailleurs, grâce à sa générosité, Aldée irait passer l'examen vêtue d'une jupe et d'un chemiser très peu portés.

La servante ouvrit une feuille d'un papier monogrammé très élégant, plié en deux. À l'intérieur, une petite fleur bleue séchée. Un présent d'une jeune fille à une autre.

— C'est très gentil de sa part. Vous la remercierez pour moi.

Madame Turgeon répéta son souhait de bonne chance, puis quitta la pièce.

— Bon, bin là, si t'y vas pas, intervint Graziella, y a un gars qui va s'impatienter devant le couvent.

— Vous avez raison. Après l'examen, je ne m'attarderai pas.

— Tu t'attarderas tant qu'tu veux. J'sais encore comment préparer un souper sans toi.

Comme dans tous les moments chargés d'émotion, les deux domestiques demeurèrent empruntées l'une en face de l'autre. À la fin, pour rompre le malaise, Aldée murmura :

— J'y vais, maintenant. À tout à l'heure.

❋

Jean-Baptiste Vallières se tenait devant la porte du couvent de la Congrégation de Notre-Dame. Quand la jeune fille arriva, un sourire éclaira son visage. Même après ces quelques semaines, ils demeuraient embarrassés au moment de se retrouver, ou de se quitter.

Le rose monta aux joues d'Aldée quand il lui tendit la main. Elle sentit le billet de deux dollars dans sa paume.

— Bonne chance.

Elle apprécia sa discrétion, garda le billet en lâchant sa main.

— Je ne pourrai jamais te rembourser.

— Alors, considère que tu as reçu ton cadeau de fête des deux prochaines années.

Cela ressemblait à un engagement pour l'avenir. Il se pencha afin de lui embrasser la joue, un geste tout nouveau entre eux. L'initiative leur valut quelques regards réprobateurs. De nombreuses jeunes filles, et de rares garçons, se soumettaient à cet examen. Tous ces futurs enseignants se voyaient déjà comme des gardiens de la morale.

Une fois rendue dans la salle académique du couvent, Aldée sentit sa nervosité monter d'un cran. Pour évaluer les compétences des candidats, on regroupait des notables choisis parmi les plus instruits du district. Quand elle reconnut l'abbé Grégoire parmi eux, la bonne craignit de se voir tout simplement chassée. Personne ne pouvait enseigner sans obtenir au préalable un certificat de moralité.

Puis le prêtre chercha son regard et lui adressa un sourire chaleureux.

Finalement, la journée se passerait bien.

Encore un mot

Au lieu de situer l'action de ce roman dans une ville réelle, comme d'habitude, j'ai préféré créer Douceville. Toutefois, vous n'aurez aucun mal à reconnaître celle qui m'a inspiré.

✻

Si vous désirez garder le contact entre deux romans, vous pouvez le faire sur Facebook à l'adresse suivante :

Jean-Pierre Charland auteur

Au plaisir de vous y voir.

Jean-Pierre Charland

Suivez-nous

Achevé d'imprimer en août 2016
sur les presses de l'imprimerie Marquis-Gagné
Louiseville, Québec